Les altruistes

Andrew Ridker

Les altruistes

Traduit de l'anglais (États-Unis)
par Olivier Deparis

Rivages

Retrouvez l'ensemble des parutions
des Éditions Payot & Rivages sur

payot-rivages.fr

Collection dirigée par Nathalie Zberro

La traduction des extraits du poème « Heritage »,
de Countee Cullen, est celle de Léopold Sédar Senghor
(in *Poésie 45*, n° 23, Paris, Seghers, février-mars 1945).

Édition originale : *The Altruists*,
Viking, 2019

Pour Paul et Susan Ridker

Parmi les animaux, nous sommes l'aberration :
le manque nous asservit,
nous envoie courir en haillons de tulle, mais sans nous dire
où sont enfouis le gland ou l'os.

Mary Jo Bang, « Apologie du manque »

Le feu s'acharnait contre la famille Alter. Une série d'embrasements avait ponctué tout l'automne, une de ces suites d'incidents sans lien entre eux et qui ne prennent un aspect prémonitoire qu'avec le recul. En septembre, Ethan s'était légèrement brûlé le pouce en tentant d'allumer une cigarette. Trois jours plus tard, un brûleur défectueux avait provoqué un mauvais fonctionnement de la cuisinière : le crépitement de l'allume-gaz s'était prolongé de manière inquiétante avant de faire jaillir une flamme qui avait léché la manche de Francine. Puis, pour le cinquantième anniversaire d'Arthur, lors d'une petite fête donnée sur la pelouse derrière la maison, une bougie magique était tombée du gâteau à la carotte et avait enflammé quelques feuilles mortes, aussitôt piétinées par Maggie.

Le plus violent de ces incendies eut lieu un jeudi soir de novembre. Francine était en rendez-vous avec Marcus et Margot Washington, un couple d'avocats à la tête d'un cabinet spécialisé en propriété intellectuelle. C'était leur première séance – ils avaient été adressés à Francine par un ami commun – mais leur réputation les précédait. En avril dernier, ils avaient défendu avec succès un nouveau service de partage de fichiers en ligne contre un groupe de hip-hop auteur d'une chanson populaire au titre impubliable. Mais les Washington n'avaient pas l'air de deux personnes au sommet de la réussite professionnelle. Margot faisait nerveusement sautiller sa jambe. Marcus regardait fixement ses genoux. Ils étaient venus voir Francine en quête de médiation.

– Vous comprenez la délicatesse de la situation, dit Margot, la main serrée sur l'anse de son sac. Il ne faudrait pas que ça se sache.

Francine comprenait parfaitement. Margot avait des racines profondes à Saint Louis, l'histoire de sa famille était une véritable fable sur le droit de naissance et l'héritage. On disait qu'elle descendait de Pierre Leclercq, un notable originaire de France. Selon la légende, Leclercq, marchand de fourrures et propriétaire de milliers d'hectares dans le Saint Louis colonial, avait affranchi Bathsheba, l'une de ses concubines, et mis des terres à son nom afin de se protéger des créanciers. Mais Bathsheba avait revendu ces terres et attaqué Leclercq en justice, inspirant des générations de procès autour de son patrimoine. Depuis des années, les descendants de Leclercq se faisaient la guerre, personnages flamboyants au premier plan de l'aristocratie locale. Parmi les vestiges de la haute société de la ville, les Washington étaient d'autant plus visibles qu'ils formaient l'un des deux couples noirs habitant Lenox Place, une rue sécurisée près du Central West End.

– Bien sûr, acquiesça Francine.

Margot parcourut la pièce du regard.

– Vous recevez toujours vos patients chez vous ?

– Depuis notre emménagement ici, oui. Ça fait quatre ans, maintenant.

– Quatre ans... dit Margot.

Puis elle le répéta, « quatre ans », en mesurant le poids de cette durée.

Avant qu'Arthur n'amène la famille là depuis Boston, la pièce où était aujourd'hui installé le cabinet de Francine avait été une véranda, une extension de l'extrémité ouest de la maison. L'un de ses murs était presque intégralement constitué de vitres, à travers lesquelles Francine regardait tomber une à une les feuilles des érables rouges tout au long de la saison. Sur la porte, du côté extérieur, une plaque de cuivre gravé soulignait la présente affectation de la pièce. Arthur s'était plaint du coût de cette plaque, ainsi que des panneaux insonorisants sur les murs, mais Francine n'en avait pas tenu compte. Elle comprenait l'importance de la discrétion, et d'afficher une apparence solide.

Ce cabinet à domicile était une sorte de consolation, la condition essentielle à son accord de déménager. Ayant renoncé à un poste bien rémunéré dans une clinique privée de Newton, elle avait besoin d'un lieu où faire avancer sa carrière. D'ailleurs, bien que contrainte d'exercer chez elle, dans cette petite pièce, elle commençait à être connue dans la périphérie de Saint Louis, à University City, Clayton et Ladue.

– Pour l'instant, personne ne s'est plaint, ajouta-t-elle.

Margot hocha la tête d'un air décidé et posa son sac à côté d'elle.

– Bon, dit-elle. Je vais commencer.

Elle se recula sur le canapé et redressa les épaules.

– Pour tout vous dire – c'est le principe, n'est-ce pas ? –, mon mari montre depuis quelque temps une certaine tendance pour une activité, une pratique, à laquelle je refuse de participer et qui menace de détruire notre couple.

– J'aimerais l'entendre de la bouche de Marcus, dit Francine. Marcus ? Vous voulez bien aborder le sujet avec moi ?

Marcus perdit son regard dans la lumière orangée du soir, qui entrait par les vitres.

– Il ne vous dira rien.

– Marcus ? réessaya Francine.

– Il refuse d'en parler, expliqua Margot. Mais il faut faire quelque chose.

Puis, après un temps :

– Voilà : mon mari aime se déguiser. Il trouve ça érotique.

Francine se tourna à nouveau vers Marcus, mais il resta silencieux. Elle se mordit l'intérieur de la joue.

– Bon, dit-elle. Marcus, ça nous aiderait beaucoup si vous vous exprimiez.

– Il dit qu'il aime la sensation. Le confinement. Que le caoutchouc est comme une seconde peau.

– Le caoutchouc ?

– Oui, enfin, le latex. Il aime porter une combinaison et faire comme s'il était un animal domestique.

– Bon… d'accord…

Francine remua dans son fauteuil :

– Marcus aime donc se déguiser en chien.

– Pas forcément en chien. En animal domestique. Parfois, c'est un chien ; parfois, un chat. Parfois, un hamster, ce qui est ridicule, car les hamsters vivent dans des cages et courent sur des roues, alors que Marcus, *Marcus*, est un avocat réputé qui a un cabinet à diriger.

Margot plongea la tête dans son sac et y farfouilla avant d'en sortir un masque noir d'où tombaient deux longues oreilles.

– Mets-le, ordonna-t-elle.

– Ce n'est pas nécessaire, dit Francine.

– Il aime tellement ça, il peut bien vous montrer de quoi il a l'air. Mets-le, Marcus.

Avant que Francine ne puisse intervenir, Marcus avait déjà le masque en main. Elle le regarda l'enfiler avec empressement et l'ajuster afin d'aligner ses yeux avec les trous prévus.

– Vous voyez ? Vous voyez à quoi je suis confrontée ?

Francine acquiesça. Elle commençait à se faire une idée de la situation. D'une manière générale, ses patients venant tous des banlieues aisées, elle voyait deux sortes d'individus : ceux qui avaient des problèmes réels à régler, et ceux dont le tempérament névrotique les faisait s'inquiéter du moindre changement d'humeur. Pour ces derniers, une petite baisse de moral ne pouvait être qu'une dépression, une bouffée d'angoisse cachait forcément une pathologie grave. Les Washington, devinait-elle, entraient probablement dans la seconde catégorie. Ils voulaient sans doute seulement qu'on les rassure, qu'on leur dise qu'ils étaient normaux.

Francine remplissait beaucoup cette fonction-là ces derniers temps, et elle en avait marre. Il lui tardait de tomber sur un cas dans lequel s'investir. Elle avait été tendue toute la journée, nerveuse comme elle l'était chaque fois qu'elle devait rencontrer de nouveaux patients, soucieuse de faire bonne impression – tout ça pour quoi ? Une petite excentricité sexuelle de quadragénaire ? Des sources de tension, elle en avait suffisamment dans sa vie personnelle.

Maggie, par exemple. Elle enrageait à cause du rôle qu'on lui avait donné dans le spectacle de Thanksgiving : non pas d'Indienne, comme elle le souhaitait – cette terminologie incorrecte était encore en vigueur à Captain Elementary en l'an 2000 –, mais de corne d'abondance. Ethan, lui, s'était mis à s'enfermer dans sa chambre. Il s'était retiré de la famille et avait remplacé celle-ci par un ordinateur, qu'il avait pris soin d'acheter seulement après que la crainte du bug du nouveau millénaire se fut révélée infondée. Il l'avait payé avec son propre argent, économisé en travaillant chaque été au Jewish Community Center de Creve Coeur, et cet argument – « c'est mon argent, j'en fais ce que je veux » – avait réussi jusqu'ici à amadouer Francine. Enfin, pour couronner le tout, plus tôt cette semaine-là l'université avait rejeté la demande d'Arthur qu'on envisage de lui donner un poste avec possibilité de titularisation. Il était professeur invité au département d'ingénierie depuis maintenant quatre ans, statut dont la précarité n'affectait en rien son comportement. Il donnait plus de cours qu'aucun de ses collègues, siégeait dans d'innombrables comités, et, plus grave, avec peut-être un peu trop de hâte, avait contracté un gros emprunt pour acheter cette maison. Malgré tout cela, Sahil Gupta, le doyen de sa faculté, l'avait informé que rien ne pouvait être fait avant que les problèmes de budget ne soient résolus. Depuis plusieurs jours, Arthur déambulait d'une pièce à l'autre en jurant entre ses dents et en répétant régulièrement, comme un mantra : « Les problèmes de budget ne se résolvent pas tout seuls. »

Sous son masque, Marcus intervint :

– Vous sentez ?

– Ne change pas de sujet, le rabroua Margot.

– Non, non…

Marcus renifla à travers les trous de son museau de latex :

– Il y a quelque chose qui brûle.

– Docteur Alter, il essaie de s'esquiver, vous voyez bien.

Francine pencha la tête sur le côté.

– Il a raison. Moi aussi, je le sens.

À l'intérieur de la pièce, l'air était devenu gris.

– Allez, dit-elle. Tout le monde dehors.

Francine et les Washington sortirent dans le couloir, où ils trouvèrent Arthur, Ethan et Maggie. Bientôt, les deux familles se tinrent en demi-cercle dans l'allée, sous un ciel qui s'empourprait rapidement. Le hurlement onduleux des sirènes résonnait quelque part derrière les murs de Chouteau Place.

– C'est qui ? demanda Maggie en désignant Marcus du doigt.

Les yeux de Margot se rétrécirent.

– Retire ce masque. Tu fais peur à la petite.

– J'ai pas peur.

Les sirènes se rapprochaient. Arthur commença à marcher de long en large.

– Qu'est-ce que vous avez fait ? dit-il, sans s'adresser à personne en particulier.

– Rien, répondit aussitôt Ethan. Je faisais rien du tout.

– Moi, je répétais mon texte, dit Maggie.

– Je croyais que tu étais une corne d'abondance, dit Arthur.

Le pâté de maisons s'illumina de lumières clignotantes. Un camion de pompiers s'arrêta derrière eux.

– Les cornes d'abondance ne parlent pas, grommela Arthur en filant s'entretenir avec les hommes qui descendaient du camion.

– Je parle ! protesta Maggie. J'ai du texte !

– Il sait, tenta de la calmer Francine. Il sait.

Lynn Germaine, qui habitait la maison de style Craftsman voisine, sortit de chez elle d'un pas hésitant.

– Ça va ? lança-t-elle, obligeante, sous son auvent. Il y a quelque chose qui brûle ?

Francine la renvoya de la main.

– Tout va bien, Lynn.

Ses joues rougissaient à chaque minute qui passait. Voir sa vie exposée ainsi lui était insupportable.

Margot demanda à Marcus d'aller l'attendre dans la voiture. Il soupira et s'éloigna en traînant les pieds. Margot fixa son regard sur son mari, puis sur Arthur. Elle se tourna vers Francine.

– Alors, dit-elle avec un signe de tête en direction du camion de pompiers. Vous êtes mariés depuis combien de temps, vous ?

Avant que Francine n'ait le temps de répondre, Arthur était de retour à côté d'elle. Trois des pompiers entraient déjà dans la maison. Deux autres déroulèrent un long tuyau et se dirigèrent vers la bouche d'incendie devant chez les Germaine. Francine eut un coup au cœur en les voyant s'engouffrer chez elle.

– Qu'est-ce que vous avez fait ? répéta Arthur.

Se rongeant les ongles, il se retourna vers le camion, puis, revenu face à la maison :

– Il faut que j'aille avec eux.

– Laisse-les faire leur travail, dit Francine.

– Ils ne connaissent pas les lieux. Ils ne sauront pas comment trier nos objets de valeur.

– Ils ne vont rien trier du tout. Ils vont éteindre le feu.

– Oh, regardez ! s'exclama Margot. Il y a de la fumée qui s'échappe par la fenêtre !

Arthur s'élança vers la maison. Francine bondit et le saisit par le col. Sa poigne était ferme, il n'alla pas plus loin. Elle avait l'habitude. *C'est mon lot*, songea-t-elle tout en le retenant, honteuse de se donner ainsi en spectacle devant Margot, honteuse de devoir empêcher physiquement Arthur de courir vers une mort certaine tandis que sa vie à elle partait en flammes sous ses yeux. Pendant tout ce temps, elle se disait : *Que ferait cet homme sans moi ?*

I

1

– Tu viens, hein ?

Maggie connaissait Emma depuis l'époque des appareils dentaires. La fille gauche qui avait joué du saxophone dans l'orchestre de jazz de leur lycée avec assez d'enthousiasme pour rendre cet instrument supportable – et, avec lui, le jazz – était à présent en deuxième année de droit. Une dizaine de ses camarades de promo étaient rassemblés dans son salon, un bras enroulé autour d'un compagnon ou d'une compagne, ou les mains plantées d'un air confiant sur les hanches. Sur le plan de travail de la kitchenette, des bouteilles de vodka à anse, ornées d'un insigne en verre dépoli, côtoyaient des bidons de Simply Orange. Maggie était sûre de connaître la chanson qui emplissait l'appartement, mais chaque fois qu'elle était sur le point de l'identifier, un texto arrivait sur le téléphone connecté aux enceintes et le *ding* la déconcentrait.

– On te voit toujours en début de soirée, poursuivit Emma, et après tu disparais comme si personne n'allait le remarquer.

– Non, c'est faux, dit Maggie.

– Eh bien, tant mieux. Parce que ce soir, on t'embarque avec nous.

Maggie serra les dents et regarda le rond de résidu orange au fond de son gobelet Solo. De l'autre côté de la pièce, un garçon tout en dents et portant des lunettes à la mode imitait quelqu'un que Maggie ne reconnaissait pas.

– Il y a beaucoup de gens intéressants ici, ajouta Emma en désignant du bras un groupe de camarades.

Maggie se renfrogna. Elle avait l'impression d'une mise en scène. Tout le monde était trop impeccable, trop sûr de lui. La parano l'envahit. Cette fête, ce rassemblement, dans le Lower East Side, de responsables marketing, d'analystes financiers et de presque avocats, avait-il été organisé pour elle ? Maggie ne pouvait se débarrasser du sentiment que cet étalage d'ascension sociale avait pour but de lui faire passer un message.

– Qu'est-ce que tu sous-entends, là ?

Emma leva les bras au ciel.

– Rien !

Maggie relâcha ses épaules. Elle n'avait pas à rougir de sa situation. Travailler pour les braves gens du Queens lui permettait de payer son loyer. Sa conscience était son seul patron. La plupart des jours, il s'agissait de faire des courses, du baby-sitting ou des démarches administratives pour ses voisins hispano-, russo- et sinophones. Des petits boulots. En l'espace de cinq mois, elle s'était constitué un réseau de clients, pour la plupart des immigrants qui voyaient dans sa citoyenneté américaine une compétence monnayable. C'était un travail gratifiant mais peu lucratif. Elle avait toujours un peu faim.

Le garçon tout en dents s'approcha d'Emma et elle.

– On parlait de Ziegler, dit-il.

– Oh là là, fit Emma. Ziegler !

– Qui est Ziegler ? demanda Maggie.

– L'un de nos profs, dit le garçon. Droit civil.

– Et le droit civil, c'est… ?

– La branche du droit privé qui traite des personnes. Capacité, famille…

– Laisse tomber, va.

Le garçon eut l'air vexé.

– Ok, dit-il.

Emma fit les présentations.

– Elle, c'est Maggie. On était au lycée ensemble.

– Tu fais quoi, toi ? demanda le garçon en plissant les yeux.

Récemment, une Polonaise de Himrod Street avait fait appel à Maggie pour parler à son nouveau-né. Elle pouvait lui dire ce qu'elle voulait, du moment qu'elle le disait en anglais, le but étant que le bébé assimile la langue dans son subconscient en construction et la parle plus tard couramment. Mais le premier jour, dès que la mère avait quitté la pièce, Maggie était restée bloquée. Elle avait balbutié des *euh* durant toute la séance, paralysée au début par la nervosité puis par un sentiment de culpabilité à l'idée de gagner dix dollars de l'heure sans les mériter. « Je ne peux pas prendre votre argent, avait-elle dit à la femme à la fin de la séance. Mais je reviendrai la semaine prochaine avec beaucoup de choses à dire. Promis. »

Bon, d'accord, elle ne mourait pas de faim, mais, à vrai dire, se priver d'avoir le ventre plein lui donnait un peu l'impression d'être une sainte. Maggie gardait toujours assez d'argent sous la main pour se permettre d'en refuser et entretenir cette impression. Elle régulait scrupuleusement ses dépenses, ne consommant que ce dont elle avait besoin, ce à quoi elle estimait avoir droit. Le problème, c'est que son corps ne faisait pas la différence entre les faims subie et volontaire. Son corps, comme tous les corps, ne connaissait que la faim tout court – la carence alimentaire, pas la posture idéologique – et, logiquement, elle avait perdu du poids. Trois kilos en deux ans. Ce qui n'était pas rien pour un petit gabarit.

C'était agréable au début, cette sensation permanente de légèreté et de flageolement. Elle parcourait les rues de Ridgewood, les oreilles remplies d'un léger tintement qui brouillait les frontières de sa conscience, jusqu'à ce que les crampes d'estomac deviennent trop violentes. Elle s'était inquiétée après s'être évanouie dans un nuage de cinq saveurs derrière le Hong Kong Super Buffet, lorsque ses jambes s'étaient dérobées sous elle. Au premier semestre de sa première année à la Danforth University de Saint Louis, Maggie avait suivi durant deux semaines le cours « Introduction à la philosophie : fondements de la pensée occidentale », avant de l'abandonner pour quelque chose de moins théorique – assez longtemps pour apprendre le terme de *problème corps-esprit* mais pas sa signification. À présent, elle avait l'impression d'éprouver sinon *le* problème corps-esprit, du moins *un* problème corps-esprit. Son corps formulait ses propres exigences, tandis que la partie d'elle-même qui faisait d'elle Maggie – le « moi », supposait-elle – semblait flotter au-dessus comme un ballon d'hélium retenu par une ficelle.

Emma agita la main devant son visage.

– Maggie ? Brian t'a posé une question.

Poids à part, Maggie ressemblait beaucoup à sa défunte mère. Elle avait les cheveux de Francine Klein Alter, d'un brun-roux et qui frisaient facilement, et, comme elle, une subtile nuée de taches de rousseur sur l'arête du nez. En revanche, contrairement à Maggie, qui était menue, sa mère avait été costaude. Pas grosse, ni boulotte, mais d'une densité dégageant une grande force morale. De son père, avec qui elle rejetait toute ressemblance, Maggie avait hérité un front partiellement proéminent, un crâne façonné par un esprit incapable de se décider.

– Elle va bien ? demanda Brian, le garçon.

– Il faut que tu manges quelque chose, dit Emma. Je dois avoir des tortillas quelque part.

Maggie la repoussa de la main.

– Non, non. Ça va.

– T'es sûre ?

Elle acquiesça. Elle avait un peu la tête qui tournait, c'est tout.

– Certaine.

– Bon. Alors rassemble tes affaires. On part dans dix minutes.

– On va où ?

– On sort.

Maggie jeta un regard circulaire. Toutes les cinq minutes, quelqu'un s'excusait et quittait un groupe pour en rejoindre un autre, ce qui, peu de temps après, provoquait généralement un nouveau départ là où cette personne était allée. Les groupes ne cessaient d'évoluer tout en gardant la même taille, comme s'ils obéissaient à des mouvements de thermodynamique sociale auxquels Maggie trouvait un caractère artificiel et aliénant.

– C'est bien le problème, dit-elle. Tout le monde ici n'arrête pas d'aller d'un endroit à un autre.

– De quoi tu parles ? On va dans un bar. Tous ensemble.

Maggie haussa les sourcils.

– Ne m'inclus pas dans ce « tous ».

– Il n'y a que des gens super sympas, ici, soupira Emma. Et intelligents !

Elle donna un coup de coude à Brian et ajouta :

– Brian est un génie.

Maggie secoua la tête.

– Je ne peux pas.

– Mags… C'est mon anniversaire…

Emma eut un sourire désespéré :

– Tu me connais depuis plus longtemps que tous ceux qui sont ici. Tu veux bien faire un effort ? Rien que cette fois ? Pour moi ?

Maggie était flattée – était-elle vraiment celle qui connaissait Emma depuis le plus longtemps, et donc le mieux ? –, mais elle savait déjà comment allait tourner la soirée. Elle allait prendre un cocktail à seize dollars et passer le reste du temps à regretter cette dépense en endurant des conversations sur la difficulté comparée des première et deuxième années de droit, tout en refusant des verres offerts par des garçons au fort pouvoir d'achat et tous vêtus de la même chemise bleue.

– Désolée, dit-elle. Je ne peux pas venir.

Le sourire d'Emma se fit oblique.

– Tu peux, mais tu ne veux pas. Tu n'es pas obligée de te rendre les choses si pénibles, tu sais. La vie n'est pas forcément si difficile.

Mais Emma se trompait. La vie *était* difficile, pour presque tout le monde, et ceux pour qui elle était facile se devaient de s'imposer des difficultés afin de ne pas pourrir de l'intérieur. S'il y avait un spectacle qui insupportait Maggie, c'était celui de nantis dépensant sans compter.

Tout à coup, un vertige la prit. Elle se sentit mal. Dans la pièce, la musique commença à se déformer. Les autres entendaient-ils cela ? Une goutte de sueur tomba dans son gobelet. Elle tendit la main vers l'épaule d'Emma, mais ses doigts n'arrivèrent jamais à destination.

Elle n'aurait pas dû sauter le déjeuner, elle le savait, mais Maggie mit ce nouvel évanouissement sur le compte des mauvais traitements qu'elle subissait de la part d'un garçon de douze ans.

Deux fois par semaine, elle rendait visite à Bruno Nakahara dans l'appartement de ses parents, officiellement pour aider son frère et lui à faire leurs devoirs. Mais le nouvel intérêt de Bruno pour les « Mixed Martial Arts » avait fait apparaître sur le corps de Maggie une constellation d'ecchymoses, meurtrissures durement gagnées et de la couleur de la viande avariée. Il soutenait que rouer de coups sa prof de cours particuliers était un exercice indispensable à la pratique de sa discipline.

– Lutte au sol ! avait-il crié plus tôt ce jour-là à l'arrivée de Maggie, en la renversant sur le dos.

Bien que ce petit boulot-là ne lui rapporte pas grand-chose, Maggie tolérait, acceptait volontiers, même, d'être malmenée par Bruno. Les agressions physiques auxquelles il se livrait sur elle témoignaient du don de soi exigé par le travail qu'elle effectuait. Pensez à mère Teresa, frêle et voûtée. À Gandhi et à ses côtes apparentes. Les ecchymoses de Maggie lui apportaient sa légitimité. Prouvaient sa force de caractère. Parce que c'était ça, le problème de vouloir faire le bien : on finissait toujours par prendre un coup de poing dans le ventre.

Les Nakahara habitaient un appartement confortable quoique exigu. Il donnait sur ce triangle tarabiscoté de Ridgewood, dans le Queens, formé par Cypress Avenue, Myrtle Avenue et Madison Street, pavillon d'espace négatif où l'on pouvait distinguer, dans le silence du dimanche soir, certains éléments isolés du quartier : la cloche d'une église sonnant les heures, le grésillement d'une enseigne au néon. Une querelle vieille de trente ans entre un chauve et un pigeon.

– Bien bien, avait-elle grommelé en se dégageant de sous lui, avant d'entrer en boitant dans l'appartement. Je vois que nous travaillons encore sur notre problème d'agressivité.

Elle employait souvent la première personne du pluriel lorsqu'elle s'adressait aux garçons, afin d'établir un rapport d'unité et de confiance.

Le salon des Nakahara puait régulièrement le taquito ou le pizza roll brûlé, ou autre aliment surgelé que

Bruno mangeait cette semaine-là, mélangé aux pets de Flower, leur labrador jaune infirme, qui s'était planté depuis longtemps dans un coin du salon pour attendre la mort. La moquette était d'un beige sale, comme la neige au bord des rues. Au-dessus du canapé de skaï marron, deux portraits trônaient côte à côte : l'un de Michael Jackson, l'autre (elle avait demandé) de Petro Porochenko.

– J'ai pas de problème d'agressivité, rétorqua Bruno. Je souffre de TOP.

Par TOP il entendait « trouble oppositionnel avec provocation », une affection sur laquelle il s'était renseigné sur Internet.

– C'est une vraie maladie, dit-il, tu le sais très bien.

Mais la précision du diagnostic n'atténuait en rien les symptômes.

– Un trouble, corrigea-t-elle. Pas une maladie.

Durant les six mois qu'elle avait passés à ses côtés, Maggie avait vu Bruno épuiser un éventail de centres d'intérêt, parmi lesquels, pour ne citer qu'eux, les couteaux à cran d'arrêt, les concours de gros mangeurs et la pyromanie. Si le MMA, du point de vue de Maggie, n'était guère plus qu'un prétexte pour boxeurs dérangés de s'affranchir des éléments philosophiques censés faire du pugilisme un « sport de gentleman », elle s'entêtait à placer cette activité au-dessus des autres. Celle-là était après tout sportive et produisait des effets tangibles. Le fruit des efforts de Bruno s'affichait à présent jusque sur le corps de Maggie.

– J'ai fini mes devoirs, lança Alex depuis la table de la cuisine, sa voix tintant comme une cloche de concierge.

Contrairement à Bruno, boule de muscles aux membres renflés et resserrés au niveau des articulations comme ceux des animaux de ballons sculptés, son frère était un enfant chétif et filiforme, à la peau claire et aux cheveux noir de jais.

– Si tu as terminé, tu peux faire ton MathBlast. Et Bruno, s'il te plaît, retire immédiatement ce qui est en train de fumer dans le four.

Maggie défit la boucle de poitrine de la sangle de son sac, qui tomba, avec une pluie de cliquetis de fermetures Éclair, sur la moquette. Libérée, elle s'appliqua alors à corriger l'apparence de l'appartement. Ayant posé trois crayons de couleur bien taillés près de la main dominante d'Alex, elle se glissa dans le fauteuil de Bruno pour réduire l'affichage d'une vidéo de jeu de combat et ouvrir Microsoft Word.

Puis, comme si on lui avait donné un signal, le père des enfants, un Japonais à l'allure négligée et à qui Maggie n'avait jamais été officiellement présentée – et qui parlait très mal l'anglais, ce qu'elle trouvait bizarre, car il ne lui semblait pas que les garçons comprennent le japonais – passa la tête à la porte de la cuisine. Il détailla les lieux d'un long regard inquiet et disparut à nouveau dans sa chambre.

– Bruno, qu'est-ce que je t'ai demandé ?

Le garçon grogna et se dirigea vers la cuisine.

Maggie avait une autorité hésitante. Sous ses règles strictes se cachait une grande tendresse pour ces garçons. Elle n'aimait pas les punir. Elle aurait préféré qu'ils lui obéissent uniquement par respect. Car, sans leur demander une vénération absolue, elle tenait à ce qu'ils la respectent. Chez les garçons préadolescents, le respect ressemblait parfois à de l'irrespect. C'était leur façon de montrer de l'affection. Or, se disait-elle en se rappelant les travaux d'un anthropologue important étudié à l'université, gagner le respect des indigènes était toujours la première des choses à faire. Enfin, pas des « indigènes », mais... bref.

– Qui veut des minicalzones ? demanda Bruno en retirant du four un plat de petits pains carbonisés.

Puis, prenant sa voix de rappeur :

– J'déconnais, bande de nazes. Ces p'tites salopes, elles sont pour *moi*.

Il renversa la tête en arrière et laissa l'un de ces pains pleins de sauce tomber dans sa bouche.

Le chemin capricieux qui avait amené Maggie à Ridgewood était parti de l'idée, conçue dans l'enfance, que le monde était non seulement petit mais sensible à ses efforts.

Enfant, à Saint Louis, elle se promenait souvent dans Forest Park, près du terrain de golf, et ramassait les balles égarées. Lorsqu'elle en avait réuni suffisamment pour remplir la poubelle bleue de recyclage de cinquante litres que ses parents rangeaient dans le garage, elle les passait au jet et allait s'installer avec devant le départ du parcours. Un instinct d'esprit d'entreprise la poussa d'abord à mettre en place un panneau : BALLES DE GOLF. 1 $ L'UNITÉ. Le premier jour, elle vendit plus de la moitié de son stock et gagna quarante dollars. Mais en revenant le week-end suivant, elle changea d'avis et décida de céder gratuitement ses produits. Pourquoi pas ? Elle prenait plaisir à se promener, à ramasser les balles de golf – même l'acte purificateur de les laver lui était agréable ! Elle trouvait le golf lui-même ridicule – pour elle, c'était une activité désuète et sans intérêt, réservée aux hommes blancs –, mais, là, sur le fairway, elle découvrit qu'elle prenait également plaisir à l'acte de donner.

Ce fut une révélation. Si la générosité était si euphorisante, pourquoi les gens vendaient-ils des objets ? Pourquoi participer aux échanges (où il était plus question de prendre que de donner) du commerce ? En l'espace de deux semaines, elle avait créé et détruit un marché. Et appris une leçon précieuse : le cadre des systèmes instaurés par l'homme n'était jamais aussi infranchissable qu'il le paraissait.

Elle arriva à cette conclusion malgré un père extrêmement méfiant de tout ce qui était philanthropique. Quelques années après sa victoire sur le capitalisme à Forest Park, Maggie manifesta l'envie de donner son argent de poche aux sinistrés de l'ouragan qui avait frappé La Nouvelle-Orléans. Mais Arthur l'en dissuada en lui faisant un cours sur le fétichisme douteux de l'état de victime et la tendance de la Croix-Rouge à jeter son argent par les fenêtres.

« Ils n'en font rien, de tout ce fric, dit-il. Ils restent assis dessus, c'est tout. »

Il ne voulut rien entendre. Une année, à Thanksgiving, après que la tante Bex eut fait du prosélytisme pendant une heure pour sa cause favorite, il explosa : « À quoi ça va servir à Israël d'avoir des *arbres* ? » C'était presque le credo de la famille Alter, un antiserment d'Hippocrate : « Avant tout, ne pas faire le bien. »

Elle avait refusé de capituler. Sortie diplômée de Danforth deux ans plus tôt parmi la promo 2013, peu après la mort de sa mère et la période troublée qui en avait résulté – elle ne pouvait nier l'influence de cette conjoncture sur ses choix –, Maggie avait mis un point d'honneur à trouver les stages les moins rémunérés possible dans des associations caritatives. Elle s'était installée chez Mikey Blumenthal, son petit ami de la fac, dans un appartement de Midtown, à quelques pas de la banque d'investissement où il passait ses journées assis devant deux moniteurs clignotants, à transférer d'importantes sommes d'argent de l'un à l'autre. Être ainsi logée gracieusement dans une rue bruyante et infestée de touristes près de Madison Square Garden lui permettait quant à elle d'accomplir des actions plus éthiques : elle avait travaillé ainsi durant trois mois, sans aucune rémunération, dans une association mondiale de défense de la santé des enfants, puis cinq autres dans un groupe luttant pour la propreté de l'eau.

Dans les deux cas, cependant, elle n'avait pas aimé ses collègues de travail. C'étaient des femmes – il n'y avait pratiquement pas d'hommes – qui dédiaient leur vie aux associations caritatives et à la lutte contre l'injustice, de tristes combattantes aux yeux bouffis et dont le visage émacié n'était pas sans rappeler les masques de cérémonie des habitants du tiers-monde qu'elles s'employaient ostensiblement à aider. Mais chez elles, pas de faits d'armes à raconter, pas de récits héroïques décrivant comment elles avaient triomphé du mal. Leurs conversations au déjeuner étaient ordinaires, leurs griefs ceux de tout le monde. Elles consacraient plus de temps à la machine à café défectueuse qu'à faire avancer la législation. Où, se demandait Maggie, était leur énergie ? Leur motivation ?

Le pire, c'est qu'elle n'avait même pas pu se distinguer des autres stagiaires par son dévouement, car dans les deux associations il s'était trouvé au moins une cinglée pour se lamenter du moindre dollar qu'elle dépensait pour elle-même, de la moindre minute gâchée à ne pas aider les autres. Une fille véritablement convaincue que sa vie n'avait ni plus ni moins de valeur que celle des autres, qui économisait l'eau en rognant sur les douches et obligeait tout le bureau à savourer olfactivement sa générosité. Championne farouche des microprêts, à moins que vous n'ayez besoin de quelques dollars pour prendre le bus, auquel cas, non, désolée, car cet argent ne serait-il pas plus utile pour financer l'achat d'un filet antimoustiques afin de protéger un bébé congolais de la malaria ? Maggie enrageait. Que répondre face au Congo ?

Elle avait en revanche adoré son troisième emploi : infiltrer un restaurant mexicain dans un centre commercial de Paramus pour le compte d'organisateurs syndicaux. (Elle avait alors rompu avec Mikey, qui, durant sa première année hors de l'université, avait pris pas mal de ventre, commencé à perdre ses cheveux et s'était inscrit au parti républicain sous prétexte que cela « l'aidait à aller travailler ».) Sa mission consistait à se faire passer pour une serveuse, gagner la confiance de ses collègues et, lentement mais sûrement, semer dans leur esprit les graines de la révolution. Les encourager à se syndiquer sans en avoir l'air.

C'était palpitant de travailler en sous-marin. Lorsqu'elle était dans son personnage, rien de ce qu'elle faisait, disait ou pensait ne pouvait lui être vraiment attribué, même si elle n'avait pas conscience de jouer la comédie lorsqu'elle faisait, disait ou pensait la chose en question. Comme, par exemple, lorsqu'elle disait : « Je vous recommande les enchiladas » ou : « J'ai accepté la mort de ma mère », un mensonge dans les deux cas. Peu importait. Elle l'avait enfin trouvé. Oui, après tant de temps, elle l'avait trouvé : le soulagement du poids d'être soi-même.

Entre-temps, elle était devenue une serveuse fantastique – courtoise, efficace, spirituelle –, ce qui était amusant, car, en réalité, elle n'était pas serveuse. Elle était un agent en mission secrète. N'empêche, elle ne cassait jamais un verre. Elle achetait des cigarettes pour les plongeurs surchargés de travail. Elle avait appris à reconnaître les clients qui donnaient de gros pourboires. C'était un travail pénible mais gratifiant, et ça lui faisait du bien de laisser son cerveau au repos toute la journée. En tant que serveuse, elle vivait une vie simple et sans ambition.

Au bout de sept mois, alors qu'elle commençait à lâcher le mot « syndicat » parmi ses collègues qui ne se doutaient de rien, les vrais employeurs de Maggie l'appelèrent sur son portable.

– Salut Maggie, fit la voix à l'autre bout de la ligne. Ici, Brenna. De... tu sais. Je suis avec Jake et Trish.

37

Écoute, on est vraiment désolés, mais on va devoir te lâcher.

– Me quoi ?

C'était en septembre. Elle avait pris sa pause pour répondre à l'appel. Elle était debout près d'une benne à ordures devant le restaurant, le téléphone collé à la joue. Son souffle faisait de la vapeur dans l'air froid et pollué du New Jersey.

– Ça n'a rien à voir avec la qualité de ton travail. On ne peut plus se permettre de t'employer, c'est tout.

– Je suis renvoyée ?

– De ton poste chez nous, oui. Mais ton emploi de serveuse, ça, c'est toujours à toi, évidemment. On ne peut pas te renvoyer du restaurant. Et on n'y tient pas du tout ! Je suis sûre que tu fais du très bon boulot.

– Du super boulot, renchérit Trish.

Le maigre supplément qu'ils lui versaient en plus de ses revenus n'allait pas beaucoup lui manquer, mais sans le fait de savoir qu'elle travaillait pour eux, sans le statut d'agent infiltré qu'ils lui apportaient, Maggie devenait… devenait…

– Je deviens une serveuse, dit-elle. Je ne suis plus une activiste qui se fait passer pour une serveuse. Je deviens… une simple serveuse.

Jake intervint :

– Il n'existe pas de manière honteuse…

– … de gagner sa vie, je sais, termina Maggie, complétant leur slogan. Je peux au moins continuer à dire que je travaille pour vous ?

Elle crut entendre Brenna pousser un soupir d'effroi.

– Tu dis que tu travailles pour nous ? Ça ne va pas, ça, Maggie. Ça fout tout par terre. Merde. Tu as dit à quelqu'un que tu travaillais pour nous ? Tu as dit à quelqu'un ce que nous faisons ?

– Non, mentit-elle.

– Bon. Ouf. Ouf ! Tu m'as eue, là.

Maggie raccrocha et regagna la cuisine par la porte de derrière. Le gril à gaz puait la chair brûlée. Riant, s'insultant en espagnol, les deux cuisiniers esquivaient les attaques qu'ils se lançaient l'un l'autre à l'entrejambe. Maggie fit un pas en avant. Une galette de taco se brisa sous son pied avec un craquement sec et désespéré.

Elle avait quitté la taquería de l'enfer et s'était installée dans ce quartier « montant » du Queens, où elle avait trouvé une chambre au cinquième étage d'un immeuble dont la construction par une société-écran hassidique avait été interrompue. Elle s'était demandé comment gagner sa vie. Que savait-elle faire ? Quelles étaient ses compétences ? Elle avait inondé Ridgewood de flyers proposant ses services de baby-sitter et de promeneuse de chiens. Pas un coup de fil. Quel intérêt d'être titulaire d'un diplôme de civilisation américaine si elle ne pouvait le convertir en une vie d'Américaine active, corvéable et dûment rétribuée ? Durant deux semaines d'angoisse, elle s'était inquiétée de son inertie. Puis était venu l'appel d'Oksana Kozak-Nakahara.

Transplantée d'Ukraine, Oksana, l'ambulancière la plus en forme bien que la plus âgée de son équipe – en Ukraine, elle était médecin et avait remporté des championnats de lancer du poids –, cherchait un ou une diplômée de ces fameux États-Unis pour surveiller les progrès scolaires de ses fils et améliorer leur anglais. Maggie avait accepté avec enthousiasme. À leur première rencontre, Bruno lui avait donné un coup de poing à l'abdomen. Oksana l'avait réprimandé par trois bonnes gifles. Maggie était trop désespérée pour refuser, de toute façon.

Les garçons, s'était vite aperçue Maggie, parlaient l'anglais tout à fait couramment. Ils avaient simplement besoin qu'on les aide à arriver à la fin du collège sans faire sauter leur établissement.

– Si je finis MathBlast, je pourrai aller dans ma chambre bricoler ma maquette de robot ? demanda Alex.

– Tapette ! lança Bruno.

À cause de *MathBlast* ou de *bricoler*, Maggie l'ignorait.

Alex leva les yeux au ciel :

– Trouve-toi une copine.

– Bruno, pas de gros mots, dit Maggie. Alex, pas de méchancetés. Allez, un dollar dans le bocal. Tous les deux.

Le bocal était une idée de Maggie. Il s'agissait de sanctionner tous les écarts, de langage comme de conduite au sens large. Passe encore que les garçons se conduisent mal avec elle – plus c'était le cas, plus elle se sentait légitime dans sa fonction presque bénévole d'éducatrice –, mais elle refusait qu'ils se montrent cruels l'un envers l'autre.

– Moi, j'ai deux copines, grommela Alex, et on m'voit pas faire n'importe quoi.

Chacun glissa à contrecœur son argent dans le bocal dans un coin du plan de travail de la cuisine, à côté d'un bloc de couteaux.

Bruno retourna à ses devoirs de maths et, à l'aide de son crayon, transforma des diagrammes circulaires en pénis. Alex alla bricoler. Maggie se vautra près de Flower pour frotter sa tête contre lui un instant avant de se relever et de se diriger tranquillement vers la cuisine. Son regard se porta sur le bocal. Il était aux trois quarts plein, vert mousse et jaune moutarde, buisson de billets sur un lit de cuivre et de zinc. Son petit terrarium fiscal. Toussant pour couvrir le bruit, elle prit une poignée de billets d'un dollar et les fourra dans sa poche.

Comme tout système économique, celui de Maggie contenait des paradoxes. Des maux nécessaires. C'était là l'un d'eux : afin de faire payer si peu la famille Nakahara pour ses services, il lui fallait leur voler un peu d'argent de temps en temps.

Une question demeurait : les garçons se servaient-ils aussi dans le bocal ? Probablement – il restait sans surveillance toute la semaine –, mais que pouvait dire Maggie sans être hypocrite ? Elle voulait bien voler, mais elle refusait d'être hypocrite.

Deux heures plus tard, elle dit au revoir aux enfants et rentra chez elle. Elle habitait à quelques rues de la faille Bushwick-Ridgewood, là où les roues métalliques des métros de la ligne M ébranlaient bruyamment la voie aérienne. La frontière entre Brooklyn et le Queens était bouillonnante et pleine de frictions, comme si ces deux arrondissements savaient qu'ils avaient des identités distinctes et en conflit.

Son immeuble, dont des étages entiers étaient condamnés, était situé en face d'un Food Bazaar et à côté d'une fosse. Une fosse énorme, sur laquelle donnait sa fenêtre, au cinquième étage. Elle se surprenait souvent à la regarder. À en contempler les profondeurs. C'était mieux que la télévision, se disait-elle – télévision qu'elle n'avait pas –, mieux même que la connexion Internet payée par les parents de sa colocataire. La fosse ! Parfois, elle apercevait de petits hommes casqués qui en parcouraient le bord et se désignaient l'un l'autre du doigt en se criant des instructions. Cela deviendrait peut-être un parking, d'autres appartements, un centre commercial, n'importe quoi. Mais les choses avançaient lentement. Pour l'instant, c'était une fosse, la fosse de Maggie, une cavité dont le potentiel énorme serait exploité plus tard.

Dans le hall de l'immeuble, elle trouva la porte de sa boîte aux lettres bloquée par un amas crasseux. Elle la força et, lorsqu'elle s'ouvrit d'un coup, apparut une liasse de factures et de catalogues réunis par un élastique. Elle les tria tout en gravissant les longues volées de marches. La compagnie d'électricité voulait de l'argent, son alma mater voulait de l'argent. Maggie se demandait à quoi bon trier le courrier.

Coinçant la liasse sous son aisselle humide après l'ascension des cinq étages, elle entra dans l'appartement.

Sa colocataire, elle aussi fâcheusement prénommée Maggie, était avachie dans le fauteuil de camping en toile bleue que notre Maggie avait trouvé dans la rue quelques mois plus tôt.

– Dure journée ?

– De la folie. Trois anniversaires d'élèves. Rien que l'apport de sucre… Les mômes étaient surexcités. De vraies furies.

L'autre Maggie enseignait dans une école primaire défavorisée *via* le programme AmeriCorps. Elle détestait ça. Ses CE2 ne cessaient de se piétiner leurs baskets et de recourir à la violence. C'était surprenant de la voir assise là, enfoncée dans la profonde poche du siège de toile. La plupart du temps, elle restait enfermée dans sa chambre, son existence se réduisant à quelques claquements de serrure et à un rai de lumière sous sa porte.

– Oh, je comprends. Tu aurais vu les miens aujourd'hui… Bruno m'a encore envoyée au tapis.

– Maggie… soupira Maggie. Tu donnes des cours particuliers à deux gamins. Moi, j'ai trois classes de vingt élèves. C'est un travail épuisant. Tu n'imagines pas ce que c'est.

– Détends-toi. Ce n'est pas une compétition.

Maggie n'appréciait pas le ton supérieur de sa colocataire. L'autre Maggie n'avait aucune qualification d'enseignante et ne faisait sans doute qu'aggraver la situation de ses élèves. La dernière chose dont ils avaient besoin était une sauveuse blanche empotée à la tête de la classe.

Elle se dirigea vers sa chambre, agacée. Elle redoutait déjà la soirée d'Emma. À présent, elle était d'une humeur massacrante. Elle jeta le courrier sur son lit, où il atterrit en forme de main tendue.

43

Une couleur éclatante attira son attention. Sous un *Working Mother* envoyé par erreur, elle trouva une enveloppe d'épais papier blanc. Dans le coin supérieur gauche, au-dessus du nom de la rue où elle avait grandi, figurait le nom de son père.

En portant l'enveloppe à la hauteur de ses yeux, Maggie eut deux pensées presque simultanées. Parmi elles : *Quoi ?* Mais la plus étrange – qui devança l'autre d'une fraction de seconde – fut de s'étonner de l'aspect guindé, si « siècle dernier », de cette lettre postale, avec son enveloppe pareille à un petit smoking blanc.

2

Ethan était appuyé contre le rebord d'un bow-window, le dos chauffé par le soleil de l'après-midi. Il avait un livre ouvert entre les mains. Apprendre la philosophie lui était apparu dernièrement comme un noble moyen de progresser, un antidote contre tous les écrans, un dérivatif à son bar Crate & Barrel à l'extérieur laqué et à l'intérieur garni de bouteilles. Mais il avait rapidement constaté qu'on ne pouvait comprendre Foucault sans Marx, ni Marx sans Hegel, et ainsi de suite jusqu'aux Grecs. Lorsqu'il s'était aperçu que les Grecs eux aussi lui échappaient, il s'était procuré un manuel publié par Cambridge University Press, dans lequel il était actuellement embourbé. Il se demandait s'il existait un manuel expliquant le manuel.

Il retourna à l'introduction. *Comparez les deux questions suivantes*, lut-il, pour la cinquième fois, *qui ont toutes deux beaucoup préoccupé les penseurs de la Grèce et de la Rome antiques :*

1. *Qu'est-ce qu'une bonne vie humaine ?*
2. *Pourquoi la Terre ne tombe-t-elle pas ?*

Ethan réfléchissait à la première lorsqu'il entendit le courrier franchir la fente de sa porte d'entrée.

Il ne comprenait pas pourquoi son père lui avait écrit. Pourquoi il avait pris la peine, à l'aide d'un stylo, sur une feuille de papier, de s'adresser à son fils. Le dernier bref contact téléphonique d'Ethan avec Arthur datait de cinq mois. Après l'incinération de Francine, Ethan était revenu s'installer à New York pour de bon, suivi de près par sa sœur, diplômée cette semaine-là. Ni l'un ni l'autre n'avaient revu leur père depuis. Cela faisait presque deux ans.

Il retourna l'enveloppe et l'ouvrit. Le mot qu'elle contenait, comme on pouvait s'y attendre, était laconique :

> *E.,*
> *Ça me ferait plaisir de te voir à la maison. Tu peux venir (avec Maggie) à la mi-avril (pour les vacances de printemps). C'est important d'entretenir le lien avec sa famille, de se rappeler ses racines, etc.*
> *A.*

Deux ans.

Il pouvait se passer beaucoup de choses en deux ans.

En l'occurrence, il s'en était passé peu.

Son esprit se brouilla. Pour Ethan, « maison » rimait avec « humiliations ». À la lecture du mot de son père, son système bogua ; des souvenirs honteux se déroulèrent de leur bobine telle une bande de cassette VHS. Comme celui-ci : Ethan, âgé de quinze ans, nerveusement assis en face d'Arthur et de Francine à la table de la salle à manger comme à une audition au Sénat. Comme s'il soutenait une thèse. De chaque côté de ses parents, des fleurs artificielles montaient de bocaux au fond tapissé de billes de verre. Il s'était raclé la gorge et avait annoncé qu'il était bisexuel. Pas gay – cela semblait plus prudent, comme tremper un pied dans l'eau glacée d'un lac. Son père avait poussé un *pff !*

– Arthur ! s'était indignée Francine, mais il était trop tard.

On était en août, il faisait une chaleur étouffante, l'air était trouble – un mois d'août de Saint Louis. La puanteur des fronts transpirants et l'odeur aigre de l'anti-moustiques étaient si étroitement liées que la présence de l'une suffisait à évoquer l'autre. C'était le troisième été d'Ethan à Saint Louis, et il ne s'y faisait toujours pas. Son père avait été à l'origine de ce déménagement. À Boston, Arthur avait publié un ou deux articles et donné des conférences au MassBay Community College. Lorsqu'il avait fait savoir qu'il en avait assez du secteur privé, un ancien mentor qui en avait pensé autant dix ans plus tôt l'avait recommandé à Danforth. Puis l'ancien mentor s'était noyé dans le Mississippi, et Arthur avait été appelé pour le remplacer.

La proposition avait beau être truffée de mots comme « invité » et « en résidence », Arthur était convaincu de pouvoir convertir ce poste en quelque chose de permanent. Avant cela, il avait passé les dernières années de sa carrière au service de l'une des entreprises de génie civil en charge de la construction du Big Dig, le projet d'autoroute souterraine censée désengorger la circulation bostonienne. Un projet en or, miné par les inefficacités, la corruption et les défauts de conception. Chez lui, Arthur se plaignait sans cesse. L'eau salée et corrosive fuyait par des fissures dans le tunnel de l'I-93. Les barrières métalliques prévues pour protéger les ouvriers des véhicules avaient de fins montants aux bords tranchants qui leur avaient valu le surnom de « rambardes Ginsu », d'après la célèbre marque de couteaux japonais. Il n'avait pas fallu attendre longtemps avant qu'un automobiliste ne soit décapité lors d'un accident. Ce qui aurait dû être un travail de rêve s'était vite transformé en jeu de stratégie où chacun rejetait la faute sur l'autre. Arthur peinait à esquiver la responsabilité d'erreurs qui n'étaient pas les siennes et à protéger son nom de la toxicité croissante associée à ses fonctions. Francine avait fini par le surprendre en train de murmurer le plaidoyer des accusés de Nuremberg – *Je ne faisais que suivre les ordres !* – dans son sommeil. Il n'en pouvait plus. Aussi, lorsqu'on l'avait invité à enseigner l'ingénierie au lieu de l'exercer, proposition flatteuse qui avait renforcé sa conviction selon laquelle il était plus intelligent que ses collègues, il avait décidé d'embarquer toute la famille vers l'ouest, comme les pionniers, en quête d'une vie meilleure. Il ressortait souvent cet argument. Ils étaient de vrais Américains, des chercheurs de fortune traçant un chemin vers un environnement lointain et moins concurrentiel. Francine, en tant que thérapeute auprès des couples et de la famille, pourrait ouvrir un petit cabinet à domicile et même proposer ses services à l'université où lui-même travaillerait. « Quand tu en auras marre d'entendre ces couples de petits-bourgeois se plaindre de leur vie, avait-il plaisanté, tu pourras écouter leurs gamins. »

Tous ceux qui connaissaient Arthur savaient que ses *pff !* étaient des ricanements étouffés, mais l'adolescence d'Ethan fut marquée par un problème d'interprétation. Contrairement à Francine, qui comprit que, par ce *pff !*-là, Arthur n'écartait que l'hétérosexualité de son fils, Ethan y vit un rejet global de sa confession.

Arthur développa :

– N'importe quoi.

Ce qui ne clarifiait rien.

Ethan renversa sa chaise en se levant brusquement. Il monta dans sa chambre en courant, se jeta sur son matelas et recouvrit sa tête de son duvet.

La lumière du plafonnier était faible sous le duvet. Le souffle d'Ethan se calma, chaud et dense. Il se demanda combien de temps il pouvait rester là-dessous avant d'être obligé de remonter à la surface pour respirer.

Quelques heures plus tard, on frappa ; Ethan s'était endormi. Il alla ouvrir d'un pas hésitant. Derrière la porte, il trouva Arthur. Entre le pouce et l'index de sa main droite, celui-ci tenait une petite clef de fil de fer.

– Il faut le faire tous les soirs, dit Arthur. Quoi qu'il arrive.

Les yeux d'Ethan se remplirent de larmes à la perspective de ce qui l'attendait. Il déglutit avec effort, produisant un bruit de gosier qui le fit rougir. Il retourna à son lit et s'y assit, le regard fixé sur le mur d'en face.

Arthur s'assit à côté de lui.

– Ouvre, dit-il.

Ethan ouvrit la bouche et renversa la tête en arrière. Il tenta d'imaginer ce que son père voyait : l'appareil d'expansion palatine rapide. Il s'agissait d'une barre de métal fichée dans la voûte du palais d'Ethan, maintenue en place par des branches qui y étaient rattachées comme des pattes d'araignée, fixées à ses dents postérieures. Arthur enfonça deux doigts poilus dans la bouche d'Ethan, inséra la clef dans le trou de la vis au centre de l'appareil et tourna. Ethan grimaça. Une aiguille de douleur lui transperça le crâne. Il planta ses ongles dans ses cuisses. Une salive amère et au goût métallique s'accumula dans les coins de sa bouche tandis qu'Arthur actionnait lentement la clef. La mâchoire d'Ethan s'élargissait à chaque cran. Des poils de phalange lui chatouillèrent le bord de la gencive et il toussa, recouvrant les verres des lunettes de son père d'une fine bruine de salive. Arthur les essuya de la manche de sa chemise.

– Pour moi non plus, ce n'est pas un plaisir, grommela-t-il en retirant la clef, sa tâche terminée.

Ethan tenta de refermer la bouche mais sa mâchoire était comme bloquée. Un sifflement aigu avait envahi son cerveau. Ses dents bourdonnaient. Il voulut parler mais Arthur ramenait déjà la porte derrière lui.

Plus tard ce soir-là, Ethan redescendit timidement. Ses parents étaient dans le salon, ils lisaient sur le canapé.

– Je suis gay, dit-il. Pas bi.

Arthur regarda sa femme par-dessus ses lunettes et haussa les sourcils avant de se replonger dans son livre. Francine adressa à Ethan un hochement de tête compatissant. Alors qu'il se tenait là, en proie à une douleur atroce, les terminaisons nerveuses de ses gencives suppliant qu'on les soulage, difficile de ne pas avoir l'impression que cet aveu lui avait été arraché par la torture.

À présent, pourtant, il ne pouvait nier une certaine excitation d'avoir reçu une lettre de son père. Une invitation. Vous attendiez une éternité que votre père vous invite quelque part. Mais lorsque ce moment arrivait, vous vous demandiez : n'est-il pas trop tard ?

Ethan jeta son manuel de philosophie sur un fauteuil et rangea l'enveloppe dans la poche arrière de son pantalon. Il détailla son appartement, décoré dans le style dépouillé précis qu'il avait voulu. Angles droits et surfaces propres. Brique nue. Pas de photos (pas de sentimentalisme). Il ne savait pas quoi faire – de cette lettre, du reste de la journée. Son regard tomba sur ses étagères flottantes de pin recyclé. Parallèles, sans rien dessus, elles avaient l'air idiot. On aurait dit un signe égal accroché à son mur.

Le repli d'Ethan sur lui-même s'était accéléré durant les vingt-deux mois écoulés depuis la mort de sa mère – depuis qu'il avait démissionné et acheté cet appartement dans Carroll Street. Il avait réduit au minimum ses interactions avec le monde extérieur. Il n'aimait pas son comportement en public. Sa voix rauque, les gestes craintifs qu'il apercevait, reflétés par les vitrines des magasins. Il n'était pas à l'aise avec les autres et considérait ceux qui l'étaient avec envie et suspicion. Lorsqu'il surprenait quelqu'un en train de l'observer dans le métro, il pensait immédiatement que quelque chose clochait chez lui. Dans sa manière de se tenir. De respirer. Puis ses joues s'embrasaient de colère. Pourquoi se

51

remettait-il en question ? Pourquoi devait-il se faire discret, quand d'autres individus de moindre valeur s'asseyaient jambes écartées sur la vie ?

Sortir de chez lui était devenu une concession honteuse. Un aveu au grand jour de sa dépendance. Que ce soit en quête de nourriture, de sexe ou de dentifrice, affronter ce refrain – *J'ai besoin, j'ai besoin, j'ai besoin !* – le rendait physiquement malade. Son fantasme d'autonomie était un bunker rempli d'étagères sans fin, un stock de tout pour toute une vie. Sa mère, son argent – il s'était débrouillé comme il avait pu, en se protégeant du besoin, en s'entourant de commodités.

L'aspect objectivement désagréable de tant de lieux publics n'arrangeait rien. Il avait une aversion particulière pour les laveries. Leur fluorescence pénétrante, leurs flaques d'eau colorée par la rouille. Lorsque sa machine était tombée en panne et qu'il avait appris que le Suds & Duds à la banne bleue de Union Street offrait un service de blanchissage à un tarif qui n'était pas déraisonnable – l'idée d'un réparateur *chez lui* était impensable, sans parler de celle de réparer par ses propres moyens –, Ethan avait craqué. Il n'avait plus lavé son linge lui-même depuis.

L'épicerie, le deli – tous livraient gratuitement. En s'organisant ainsi, il trouvait de moins en moins de raisons de sortir. Pour regarder des films ou la télévision, il avait Internet. Son téléphone grouillait de podcasts et de musique à la demande. Internet lui permettait également de commander des livres qui arrivaient en une demi-journée. L'appartement, grand pour Brooklyn, l'était d'autant plus lorsque l'on considérait tous les médias auxquels il offrait accès.

Ce style de vie avait un prix. À strictement parler, Ethan était endetté. Il avait versé cent cinquante mille dollars en guise d'apport personnel pour acheter cet appartement, un deux-pièces néogrec mitoyen avec une église épiscopale, dont il avait fait refaire la salle de bains et la cuisine, et qu'il avait redécoré avec un plaisir inhabituel, ce qui lui avait laissé assez d'argent pour une année de chômage volontaire et d'achat compulsif en ligne. Il dépensait avec enthousiasme pour acheter des articles ménagers et autres objets superflus : de la porcelaine Bernardaud, une cocotte Le Creuset dont il ne se servait jamais, des bougeoirs en cristal de Waterford, une huche à pain de marbre blanc, un tire-bouchon électrique. Un abonnement chez Williams Sonoma à « six mois de fromage américain ». Il avait lu quelque part que s'accrocher à son argent équivalait à serrer un glaçon dans sa main, ce qui lui avait donné l'idée d'acheter chez Hammacher Schlemmer un moule en aluminium fabriquant des boules de glace parfaitement proportionnées. Tel un patient comateux sans ordre de ne pas réanimer, sa vie sous sédatifs requérait un goutte-à-goutte financier régulier.

Ethan était un débiteur attentif. Il pointait ses dépenses et classait méticuleusement les relevés des nombreuses cartes de crédit qui gonflaient son portefeuille. Il savait exactement ce qu'il faisait lorsqu'il avait commandé la table basse au plateau de pierre et à la base en fer forgé à la main. Il savait ce que cela coûtait de faire les courses à l'arrière de voitures conduites par des

Somaliens sans papiers et connaissait le prix indiqué sur l'étiquette du costume Tom Ford qu'il s'était offert, bien que n'ayant pas l'occasion de le porter.

Pourtant, si attentif, si prévoyant soit-il, son endettement lui semblait totalement irréel. C'étaient des chiffres dans des colonnes. Un solde débiteur était une chose immatérielle, un abîme métaphorique – et qu'importe la profondeur d'un abîme quand celui-ci n'est que métaphorique ? Les métaphores ne faisaient pas le poids face au plaisir bien réel qu'il retirait de ses achats : draps de coton égyptien, machine à espresso La Pavoni. Les organismes de crédit utilisaient un vocabulaire communautaire – « membre », « relation », « appartenir » – et pour Ethan ces mots avaient du sens. C'était agréable de se sentir désiré, d'avoir le sentiment d'appartenir à un groupe.

Si son endettement lui semblait illusoire lorsqu'il était sobre, c'était encore plus le cas lorsqu'il était ivre. Il aimait les cocktails, mais la bière présentait cet avantage, grâce à l'engouement national pour le microbrassage, qu'elle pouvait passer pour un hobby. Il buvait toutes les variétés existantes, des blondes les plus pâles aux brunes noires comme de l'encre – *pilsners*, *pale ales* et *lagers*, *brown ales*, *dunkels* et *porters*. Il n'était pas sectaire. Plus consommateur que connaisseur, il se souciait peu des spécificités. Il s'était essayé à d'autres vices : les cigarettes au lycée, la cocaïne par deux fois à l'université. Mais Saint Louis était une ville de bière. En boire lui rappelait la maison.

Rien de grave. Rien de dramatique. Étant donné sa vie de reclus, il n'était jamais ivre en public, ce qui le rendait incapable de blesser quelqu'un d'autre que lui-même. Il pouvait arrêter quand il le voulait. Mais il ne voulait pas. Il vivait selon l'adage de ces tee-shirts fantaisie : il n'avait pas de problème d'alcool – il buvait, tombait dans les vapes, pas de problème.

À trente et un ans, la vingtaine officiellement derrière lui, il se retrouvait seul. C'était un constat terrible, qu'il faisait chaque matin comme pour la première fois. Les quelques amis qu'il avait eus au cabinet de conseil où il travaillait autrefois, ceux qui n'avaient pas fui la ville pour des banlieues dépendant de meilleurs secteurs scolaires, ne parlaient que du bureau, des petites querelles et trahisons qui avaient cessé d'intéresser Ethan. Il se souvenait d'un temps où tout cela le passionnait – les bonus, les mariages des collègues, la façon dont son supérieur pissait les mains sur les hanches comme pour intimider l'urinoir. Mais cette époque était révolue. Quelques mois hors du circuit et on mesurait la futilité de toutes ces choses. Ce n'était qu'en entendant les cris enjoués des traders jouant au basket à Carroll Park le samedi matin qu'il se demandait s'il n'était pas en train de gâcher sa vie.

Sa vingtaine. Une décennie de CDD sexuels auprès d'hommes séduisants et intéressants avec lesquels il aurait dû s'estimer heureux d'être sorti – des hommes qui avaient vu en lui un beau récipient à remplir selon leurs vœux.

Le premier garçon avec qui il avait habité, des années avant Carroll Street, était de l'avis de tous un canon. Il venait de terminer des études théâtrales à Brown University. Doté de longs bras et de longues jambes, il

55

arborait une de ces coupes courtes aux tempes rasées bien avant que les nationalistes blancs ne s'en emparent, son apparence impeccable inspirant aux collègues femmes d'Ethan des crises de jalousie jusqu'alors jamais vues. Shawn flirtait avec tous les barmen de Manhattan et emmenait Ethan dans des boîtes où on ne numérisait pas vos empreintes digitales, des soirées dont on était informé à l'ancienne, en fréquentant le monde de la nuit. Le fait d'avoir grandi pauvre dans les Appalaches rendait acceptable sa passion pour les privilèges et les folies de ses contemporains cosmopolites – sa vie tenait même du conte de fées. Être pauvre dans la Pennsylvanie pastorale n'était pas la même chose que d'être pauvre à New York. Être pauvre à New York restait une forme de réussite, surtout pour une famille aigrie restée au pays et qui, lorsqu'on lui demandait des nouvelles de Shawn, se contentait de répondre : « Il est à New York », ce qui voulait tout dire.

Ils s'étaient connus lorsque Shawn, sur un trottoir, avait pris Ethan pour un ami comédien.

– Oh, pardon, avait-il dit en se tournant vers Ethan.

– Quoi ?

– Rien, je… je t'ai pris pour quelqu'un d'autre.

– Ah. Non, ce n'est que moi.

Le regard de Shawn avait pétillé.

– Dis… Là, je vais à un truc… c'est dans un resto. Une boulangerie, pour être précis – une boulangerie où on picole, tu vois ? La nuit, ça se transforme en boîte. Tu aimes danser ?

Ethan était trop déstabilisé pour répondre.

– Allez, viens, ça va être marrant !

Et voilà.

Ethan était plus escort-boy que petit ami. Quand il n'était pas en déplacement, Shawn l'emmenait à des projections, des vernissages, des fêtes de quartier. Quitte à habiter une ville aussi chère, estimait-il, il fallait en avoir pour son argent. Pour lui, le but de la jeunesse était d'accumuler des expériences, expériences qu'Ethan trouvait pour la plupart épuisantes et d'un intérêt éphémère. Deux mois après leur rencontre, à la suite de la fumigation de son appartement, Shawn avait malgré tout passé une semaine atroce chez Ethan, alors installé à East Williamsburg. Là-bas, il était devenu clair qu'Ethan n'avait pas l'énergie de suivre Shawn les soirs de semaine, soirs que Shawn, régisseur à temps partiel, traitait comme ceux du week-end. Ethan le soupçonnait par ailleurs d'être comme les requins et de devoir bouger sans cesse pour ne pas mourir. Shawn avait regagné ses pénates un jour plus tôt, pressé de rentrer, de s'en aller, sans respecter le délai d'attente recommandé par les désinsectiseurs pour la dissipation des toxines.

Avec Teddy, deux ans plus tard, les choses s'étaient mieux passées. Celui-ci était de petite taille, avait un teint olivâtre, des triceps gonflés au lactosérum et des jambes comme des allumettes. Très ambitieux, il avait décroché un poste prestigieux en tant qu'assistant d'un certain juge Wolfe, célèbre pour son utilitarisme virulent et sa conviction selon laquelle le marché de l'adoption engendrerait moins de dérives si les couples achetaient les enfants aux enchères.

Ce travail leur fournissait de nombreux sujets de discussion. « Oh, attends, criait Teddy par-dessus le vacarme vantard d'un pub du Financial District. Tu ne devineras jamais ce qu'a sorti le juge Wolfe aujourd'hui. » Il avait des horaires affolants qui rivalisaient presque avec ceux d'Ethan. Lorsqu'ils parvenaient malgré tout à partager un lit, un week-end sur deux, Teddy, qui à trois reprises avait mentionné son « côté tordu » lors de leur premier rendez-vous, s'abandonnait dans un Fleshjack pendant qu'Ethan lui massait les épaules, après quoi il s'endormait, mettant son épuisement sur le compte du travail et laissant Ethan dans un état d'excitation frustrée. « Désolé, mon chou, disait-il en bavant sur son oreiller. La prochaine fois, promis. »

La relation avait vite mal tourné. La passivité d'Ethan, qui avait permis à ses premiers partenaires de projeter sur lui des lumières si flatteuses, ne facilitait pas la cohabitation. Une célèbre anecdote familiale rapportait la fois où, alors que le jeune Ethan dessinait, assis par terre, avec des crayons de couleur, un ami de la famille lui avait marché sur la main. Mais l'homme en question ne s'en était pas aperçu. Il était resté là une bonne minute tandis qu'Ethan souffrait en silence et s'efforçait de ne pas afficher sa douleur.

– Tu ne me reverras jamais ! s'était exclamé Shawn sur un ton théâtral de circonstance, en s'attardant à la porte de l'appartement d'Ethan, le jour où il était parti pour de bon.

Puis, ayant attendu quelques secondes qu'Ethan le rappelle :

– Tu n'es jamais *présent*, Ethan. Tu es complètement inhibé !

Ethan était resté assis sur sa causeuse capitonnée, les pieds pointés dans des directions symétriques, le regard fixé sur le V entre ses chaussures.

Il aimait à penser qu'il avait tiré un trait sur les mecs avant d'emménager dans Carroll Street. Sur le boulot et les sorties en public, aussi. Mais c'étaient ces deux dernières années passées dans ce quartier enviable, dont les microjardins dorés par le soleil parfumaient chaque centimètre carré, qui l'avaient transformé en ermite. Qui l'avaient enfermé hermétiquement à l'intérieur de sa vie.

3

Durant sa dernière année d'université, un élève de la promo de Maggie – il s'appelait Kevin Kismet – avait créé une application de rencontre géolocalisée, RoseBox, rapprochant les partenaires potentiels sur la base de leurs traumatismes partagés. Son idée était que l'origine ethnique, la classe sociale, le niveau d'instruction, les goûts cinématographiques ou l'apparence physique n'étaient rien comparés aux liens entre deux personnes comprenant les souffrances l'une de l'autre : anciens combattants, toxicomanes, anciennes victimes d'abus sexuels. Avec l'aide de quelques copains de son cours de développement d'applications mobiles, il avait dressé une liste exhaustive de tous les malheurs possibles et les avait rassemblés dans un algorithme simple de mise en relation par affinités. Les utilisateurs construisaient un profil à partir des difficultés traversées dans leur vie. Si vous n'aviez jamais connu votre père, l'application cherchait d'autres utilisateurs ayant grandi dans un foyer monoparental. Si vous aviez subi une opération chirurgicale difficile, RoseBox vous trouvait un partenaire passé lui aussi sur le billard. Si vous aviez été harcelé à l'école, etc. À la surprise de tous, cette application née d'un devoir de classe avait acquis une immense popularité. Aujourd'hui, alors que Kismet était diplômé depuis à peine deux ans, son entreprise était estimée à plusieurs dizaines de millions de dollars.

Installée dans un café de Bed-Stuy, une semaine après s'être évanouie à la fête d'anniversaire d'Emma, Maggie lisait sur son téléphone un article sur la prochaine introduction en Bourse de Kismet, sans répondre à une suite de textos de la part d'Emma. Elle leva les yeux de son écran avec le soupir de lassitude générale d'une personne beaucoup plus âgée.

Ce café avait un style résolument « industriel et chaleureux », avec ses boiseries de récupération sur les murs et son dédale de canalisations au plafond. Des luminaires dans des cages de cuivre pendaient au-dessus de cagettes reconverties en étagères et chargées de sacs de café. Le mot *boulangerie* était écrit en français sur la vitrine en lettres rondes et dorées. Maggie avait choisi cet établissement parce qu'il était situé à peu près à mi-chemin entre son quartier et celui d'Ethan, et parce que c'était le genre d'endroit susceptible de plaire à son frère chic, et qui ressemblait à son appartement. (Il ne l'avait laissée y entrer qu'une fois. L'intérieur était élégant mais impersonnel, d'un esthétisme aseptisé qui ne permettait pas le sentiment.) Sur le mur de briques apparentes derrière le comptoir, la gérante accrochait un portrait warholifié de Toussaint Louverture en hommage au quartier qu'elle contribuait à gentrifier.

Maggie commençait à redouter qu'Ethan ne vienne pas du tout. Il n'était pas rare qu'il se décommande à la dernière minute en invoquant sa « phobie sociale », excuse que Maggie trouvait peu convaincante. La frontière était ténue entre haine de soi et égoïsme. Intelligent, sensible, grand – ce garçon avait tout pour lui. Et quel parti en avait-il tiré ? Des gens moins avantagés avaient accompli beaucoup, beaucoup plus. D'autre part, boire un café avec sa sœur ne pouvait guère être qualifié d'activité « sociale », et, elle-même projetant son angoisse existentielle vers l'extérieur, elle avait du mal à comprendre Ethan et les multitudes intérieures qu'il semblait contenir. Elle soupçonnait son besoin désespéré d'intimité et son insondable puits d'ennui de n'être que des symptômes de solitude. Elle pensait qu'il avait besoin de quelqu'un avec qui *partager* sa solitude. Tous ses « Je n'arrive pas à répondre au téléphone » évasifs, tous ses « Tu ne peux pas comprendre » torturés et affectés – le cri du cœur d'un animal social isolé.

Elle reporta son agacement sur Kimset, puis sur la société dans son ensemble. Ce n'était pas à la gloire de celle-ci, à ce stade encore précoce du nouveau millénaire, d'attribuer tant de valeur à une idée pareille. RoseBox, avec son cœur rouge « emblématique » entourant la photo du profil de l'utilisateur, était parti d'une plaisanterie. Elle avait entendu Kimset le dire lui-même ! À une soirée de charité de Sig Nu, devant le parking étudiant ! Mais maintenant qu'il était riche, Kimset était devenu un vrai Cupidon : il faisait du prosélytisme pour l'amour à la moindre occasion, se montrait dans l'émission d'Anderson Cooper pour vanter le pouvoir unificateur des traumatismes partagés et répondre aux détracteurs qui se demandaient quel usage il réservait à toutes ces données.

Maggie observa les travailleurs indépendants dispersés à travers le café, et dont les doigts couraient sur leur écran derrière les tables d'acier brossé. Certains consultaient peut-être RoseBox en ce moment même. Elle s'intéressa à un beau barbu près du comptoir, avec un œil de la Providence tatoué sur l'avant-bras. Elle se demanda quels étaient ses problèmes. Souffrait-il de TOC ? Était-ce un enfant du divorce ? Avait-il été tripoté par un prêtre ? Les possibilités étaient innombrables, toutes fascinantes.

Elle retourna à son téléphone et, après quelques instants d'errance, se retrouva sur la page de téléchargement de RoseBox. Oh, se dit-elle, maintenant qu'elle était là… et soudain l'application se téléchargeait et le compte bancaire de Maggie était débité de quatre-vingt-dix-neuf cents, somme qui tremblotait entre deux batteries de serveurs avant de disparaître.

Tenant l'appareil près de sa poitrine, elle construisit son profil. PUBERTÉ DIFFICILE ? Bien sûr. ANGOISSE/DÉPRESSION ? Pas au sens médical, mais oui, incontestablement. VICTIME DE HARCÈLEMENT ? Bon, elle avait *tout de même* dirigé une campagne anti-harcèlement au collège. Peu importe si elle avait harcelé les gens sans pitié pour qu'ils y participent.

Tandis que les traumatismes se faisaient de plus en plus pointus et qu'elle arrivait à PERTE D'UN PARENT À UN ÂGE FORMATEUR, la personne avec qui Maggie partageait ce malheur-là entra furtivement dans le café.

La beauté récente d'Ethan surprenait encore sa sœur. Ses cheveux courts tiraient étonnamment sur le blond. Il avait les joues roses d'un enfant. Il était emmitouflé dans un pull confortable à col châle, qui avait l'air doux comme un billet froissé. Son ventre semblait légèrement renflé, une petite bedaine de femme enceinte. Cela faisait au moins deux mois qu'elle ne l'avait pas vu, mais Maggie le reconnut à sa démarche. À sa façon de se tenir. C'est-à-dire mal, voûté, comme si son corps l'encombrait.

Elle fourra son téléphone dans sa poche et se leva pour le saluer. Ils formèrent un A en s'étreignant au-dessus de la table basse. Elle sentit le ventre d'Ethan contre le sien. Elle se retint de faire un commentaire à ce sujet, ne voulant pas attirer l'attention sur son propre corps, plus fluet que jamais. Ethan était cependant trop emmitouflé dans son pull – et absorbé par ses pensées – pour le remarquer. Sur la table qui les séparait, des couverts étaient enroulés dans des serviettes à côté d'un petit carton portant le vain avertissement : ORDINATEURS INTERDITS.

– Merci d'être là, dit-elle. Tu es venu à pied ?

– Non, non, dit-il en tirant sur l'extrémité d'une fine écharpe enroulée autour de son cou, et qui tomba sur ses genoux. J'ai appelé une voiture.

Il parcourut la salle d'un regard méfiant.

– Une voiture ? C'est un peu du gaspillage, non ? D'argent, de carbone… d'énergies fossiles…

S'abstenant de répondre, Ethan baissa les yeux vers la carte et demanda :

– Tu sais ce que tu veux ?

– La ligne G passe juste à côté, ajouta-t-elle en croisant les bras sur sa poitrine. Tu aurais pu prendre le métro, c'est ce que je veux dire.

Un serveur prit leur commande en bâillant. Ethan demanda un café noir. Maggie, qui voulait quelque chose de plus crémeux mais se sentait à présent incapable de l'admettre, prit la même chose. Son téléphone vibra dans sa poche en émettant un couinement qu'elle ne lui connaissait pas.

– Comment ça va, dans ton appart ? demanda-t-elle. Le quartier te plaît toujours ? Tu vois quelqu'un ?

– Maggie, s'il te plaît, soupira-t-il.

– Quoi ?

– Arrête de me materner.

– Ça m'intéresse ! Je veux t'aider !

Elle tambourina des doigts sur la table.

– Et côté boulot ? insista-t-elle. Toujours…

– En pause, dit-il, impassible.

– Mais maintenant, tu dois commencer à…

– Maggie.

– Parce qu'avec le prix du…

– *Maggie*. Arrête.

– Je ne comprends pas, dit-elle en secouant la tête. Malgré tout ce qui s'est passé, je n'en reviens toujours pas que tu aies démissionné.

Un cabinet de conseil avait embauché Ethan à sa sortie de l'université pour « mettre en œuvre des solutions de restructuration », c'est-à-dire expliquer à des magnats des affaires de deux fois son âge comment optimiser leurs performances. Le cabinet l'envoyait dans le monde entier pour réaliser des études et présenter ses résultats aux cinq cents plus grandes entreprises américaines capables de s'offrir ses services. Il avait ainsi imputé les échecs d'un fabricant de logiciels à la mauvaise identification de sa marque, avait désigné trente employés d'une ONG du secteur de la santé, mûrs pour une « reconversion professionnelle ». Dans le cadre d'une étude mémorable pour Dr. Scholl, il avait interrogé mille cinq cents paysans chinois sur leurs préférences en matière de chaussures. Au début, tout s'était bien passé, les journées interminables laissant peu de place à l'introspection. Il dormait comme une masse dans les lits d'hôtel, trop épuisé pour rêver. Mais c'était un travail usant, et à chaque année qui passait il se sentait de plus en plus ridicule du pouvoir qu'il détenait, ne connaissant pas grand-chose aux logiciels, à la santé ou aux semelles orthopédiques. Les travaux de son équipe avaient servi à justifier le licenciement d'innombrables employés dans des entreprises auxquelles Ethan ne s'était intéressé que de manière fugace. Les lits d'hôtel lui provoquaient des raideurs de la nuque. Malheureusement, ses collègues étaient moins tourmentés par leur rôle. Tous s'élevaient dans la hiérarchie ou quittaient le cabinet pour des carrières plus brillantes, remplacés par un arrivage régulier de jeunes diplômés. Ethan, peu habile dans la politique de l'avancement, était devenu une sorte de vieux briscard réticent.

– Tu m'as traité de vendu tout le temps que j'ai travaillé là-bas, dit-il.

– Tu en étais un, de vendu ! Mais au moins, tu avais quelque chose à faire de tes journées.

– Tous ces voyages…

– Ça n'avait pas l'air de te déranger, à l'époque. Tu étais comme un poisson dans l'eau. D'accord, les choses ont déraillé. Maman est morte. Tu as craqué. Mais tu déprimes depuis combien de temps, maintenant ?

– Plus je réfléchissais, plus je mesurais à quel point j'étais malheureux.

– Parfois, on réfléchit trop.

– Si on s'en tenait au sujet qui nous amène ?

– Très bien.

Maggie plongea la main dans la poche de son manteau et en retira la lettre de son père, qu'elle laissa tomber sur la table. Ethan sortit lui aussi une enveloppe et la posa sur la sienne.

– Toi aussi, tu as eu droit à un vrai courrier, hein ? dit-elle.

Son téléphone couina à nouveau.

– Il y a mis les formes, c'est sûr, confirma Ethan.

– Alors, qu'est-ce que tu en penses ?

– Je ne sais pas trop. L'idée ne m'enchante pas.

– À cause de lui ?

– À cause de lui.

Ce n'était pas ce que Maggie espérait entendre. Bien que ne tenant pas à voir son père, elle voulait saluer la mémoire de sa mère, et il y avait à Saint Louis des affaires qu'elle espérait récupérer et rapporter à New York. Des effets personnels. Une ou deux babioles ayant appartenu à Francine. L'invitation d'Arthur lui donnait l'opportunité de retourner à la maison sans avoir l'air de le vouloir, et de faire le plein de souvenirs.

– Oh, dit-elle sans conviction. Ce n'est pas le diable non plus.

– Je repensais à ce que tu as dit après l'incinération. Qu'il a eu plein d'occasions d'être présent dans nos vies. Qu'il est temps que je comprenne qu'il ne changera pas.

– J'ai dit ça, moi ?

– Absolument.

Ouin.

– Oui, bon, dit-elle en enroulant une boucle de cheveux autour de son doigt. C'est vrai.

– Tu as dit, je te cite : « Tu lui donnes trop de secondes chances. »

– Ça ne me ressemble pas.

Elle ne pouvait pas aller à Saint Louis seule. Elle avait besoin qu'Ethan l'accompagne, pour servir de tampon entre son père et elle. Tout un week-end avec Arthur, rien que tous les deux, était inenvisageable. Sans Ethan, la composition chimique de la famille devenait volatile.

– Cette fois, c'est peut-être différent. Il nous a écrit, quand même. C'est lui qui nous a invités.

– Franchement, ça me choque d'entendre ça de ta part.

– On pourrait aller rendre visite à maman.

– « Trop de secondes chances », tu as dit.

– Ça ne me ressemble pas du tout.

Le serveur réapparut pour poser maladroitement leurs tasses sur la table avec un grand geste du bras qui se voulait élégant. Maggie porta la sienne à sa bouche et rida la surface sombre de son souffle.

Ethan but une petite gorgée et prit une brève inspiration entre ses dents.

– Oh, *merde*, fit-il.

– C'est chaud ?

– Non, dit-il, baissant la tête et mettant sa main en visière. Derrière toi. Le type qui sort des toilettes. Ne regarde pas.

Maggie pivota brusquement sur sa chaise. Un grand blond musclé aux côtés de la tête rasés s'asseyait à une table du fond.

– J'ai dit, ne regarde pas.

– Qui est ce néonazi ?

Il lui fit signe de se taire.

– Pas si fort.

Elle se retourna à nouveau.

– Il est mignon. Si on aime les Übermenschen.

– Allez, on se tire.

– On vient de nous servir !

– Merde, merde, merde.

Il rentra la tête.

Ouin.

– C'est toi qui fais ça ? demanda-t-il.

– Non. Ouais. Je sais pas. Promets-moi d'y penser.

Le téléphone de Maggie couina à nouveau.

– Tu veux bien couper ce truc ? dit-il sèchement.

– Hé, fit une voix derrière elle. Ethan !

– *Merde*, chuchota-t-il.

Puis, se redressant sur sa chaise et agitant la main :

– Shawn !

Le blond vint à leur table d'un pas nonchalant.

– Ça me fait plaisir de te voir ! dit-il.

– À moi aussi.

Ethan se leva et étreignit Shawn d'un bras avant de se rasseoir.

– Je te présente Maggie, ma sœur.

– Salut, fit Maggie.
– Salut, fit Shawn.
Puis, inclinant la tête sur le côté :
– Ça fait longtemps, beau gosse !
– Ouais.
Maggie toussa.
– Ça tombe bien que je te voie, dit Shawn. J'ai fait tomber mon téléphone dans les toilettes la semaine dernière et j'ai perdu pratiquement tous mes contacts. J'organise une petite fête… enfin, pas si petite. Je me marie au printemps prochain…
Il montra sa main gauche. Une rutilante bague en or serrait son annulaire.
– Félicitations.
– Bref, tu sais, ces bateaux qui partent de Hell's Kitchen et qui descendent l'Hudson ? Ils vont jusqu'à la statue de la Liberté et ils reviennent. Mais très lentement. Tu es sur l'eau pendant six heures. Eh bien, on va faire ça. Une petite fête pas si petite. Pour marquer le coup. Tu devrais venir, Ethan. J'ai rencontré mon fiancé sur un de ces trucs. Pour nous, c'est une manière de boucler la boucle.
– Merci, mais je ne suis pas sûr que ce soit mon genre de…
– Tu n'as pas changé, toi ! Allez, Ethan. On va se marrer. Une croisière alcoolisée sur l'Hudson. Il y aura au moins cent personnes. Tu rencontreras peut-être quelqu'un !
– Je sais pas…
– Je ne te lâcherai pas tant que tu n'auras pas accepté.
– C'est quand ?

– Hourra ! Le 11. Le deuxième samedi d'avril.

Maggie écarquilla les yeux. Elle désigna vigoureusement du menton les lettres entre eux sur la table.

– Ah ! dit Ethan. Je ne peux pas.

– Non ? dit Shawn. Pourquoi ?

– Je vais à Saint Louis avec ma sœur.

Shawn fit la moue.

– Tant pis.

Le téléphone de Maggie couina à nouveau. « Quoi ? quoi ? *quoi ?* » grommela-t-elle en l'arrachant de sa poche. Un lot de notifications de RoseBox l'informait qu'il y avait dans les environs six personnes dont les souffrances correspondaient aux siennes.

– Bon, ça m'a fait plaisir de te voir, dit Shawn. Tu as de l'allure. Tu as toujours eu de l'allure, Ethan.

Sur quoi il retourna à sa table.

– Ravie de voir que tu as changé d'avis, dit Maggie.

– Ouais, ouais.

Ethan trempa ses lèvres dans son café.

– Si tu me fais faux bond, je lui dirai que tu es libre, finalement. Je le retrouverai et je lui dirai. Tu sais que je le ferai.

– C'était quoi, ce « Tu as toujours eu de l'allure » ?

– C'est un compliment.

– Tu as senti un sous-entendu ? J'en ai senti un, moi.

– Tu débloques.

La clochette de la porte du café tinta. Un balaise vêtu d'un sweat gris à capuche entra d'un pas pesant. Sur le sweat était écrit CHAMPION et la poche kangourou avait été arrachée. Sa barbe était broussailleuse et tachée de jaune autour de la bouche. Dans sa main droite, il tenait un grand sac plastique rempli d'autres, plus petits. La gérante se précipita pour le chasser.

– Au fait, dit Ethan tout à coup. Comment tu appelais maman, déjà ?

– Hein ?

– Tu sais…

Il traça de la main une couronne invisible autour de sa tête.

– Ah, oui. « Madame Fourrure ».

– Parce qu'elle avait ce…

– Ce manteau, ouais.

Faisant bouffer ses cheveux, Maggie ajouta :

– Avec cette capuche bordée de fourrure.

– Madame Fourrure. Oui.

– Je trouvais que ça lui donnait un air aristocratique.

– Ouais.

– Un air de reine.

Le plus grand regret de la vie de Maggie était de ne pas avoir été aux côtés de sa mère lorsqu'elle était morte. Après tout le temps passé à l'hôpital Barnes-Jewish, à arpenter les couloirs aseptisés du centre anticancéreux Monsanto, à s'endormir au chevet de sa mère, elle avait été absente au moment qui comptait le plus. Le pire, c'était l'endroit où elle se trouvait à ce moment-là : sur une rivière des Ozarks, allongée, à demi ivre, sur un raft, flottant paresseusement vers l'obtention de son diplôme.

S'il existait une meilleure image de la décadence de la civilisation que deux cents étudiants alcoolisés encombrant la Meramec River, dans le Missouri, sur des bateaux pneumatiques, Maggie n'aurait pu la citer. Les garçons bedonnants comme des pères de famille et les filles dans des positions favorables au bronzage, le haut du maillot de bain dégrafé et le cul légèrement relevé. Des glacières remplies de bière rendue aigre par le soleil – glacières dotées de leurs propres rafts : des équipements flottants entiers leur étaient consacrés, accompagnés de canettes individuelles qui descendaient le courant à côté d'eux comme de gentils toutous. Couvre-bière isothermes, bracelets de cheville, débardeurs, lunettes de soleil en six couleurs et aux branches frappées du logo de Danforth University. Tout cela suivait les méandres de la rivière, l'une des plus grosses rivières navigables du Missouri, au courant si lent qu'elle donnait presque l'impression de couler vers l'arrière.

Maggie faisait équipe avec Mikey et son meilleur ami Feinstein, qui dormait, ivre mort, à côté d'elle. Les deux garçons s'étaient investis dans la « semaine de fin d'études » – sept jours de sorties financées par les frais de scolarité pour toute la promotion – avec une sincérité éhontée, et, après s'être dérobée au match des Cardinals, à la soirée quiz et au gala au jardin botanique, que Feinstein avait odieusement qualifié de « truc de pédé », elle s'était sentie obligée de les accompagner dans la descente en rafting.

Elle aurait dû être au Barnes-Jewish, prosternée près d'un lit d'hôpital.

– Tu as bien le droit de t'amuser un peu, avait dit Mikey, avant d'écraser sur sa cuisse un moustique qu'il venait de surprendre en train de le piquer.

73

Maggie avait fait comme si elle ne l'entendait pas. Il avait pris ensuite l'exemple de sa grand-mère, malade quelques années plus tôt, et qui n'aurait pas voulu qu'il se lamente à ce sujet toute la journée.

– Tu sais, avait-elle dit, ça n'a rien à voir.

Mais il n'avait pas tort, d'une certaine façon. Elle était déterminée à détester cette descente en rafting. En la détestant, elle ne pouvait être accusée de se distraire un seul instant pendant que sa mère mourait lentement.

– On dirait que tu fais *exprès* de broyer du noir, avait-il souligné.

Sa perspicacité avait agacé Maggie, qui s'était demandé ce qu'il en avait fait ces cinq derniers mois de leur, comment dire ? truc.

Feinstein, un snob en matière de bière, leur avait assuré qu'il allait « gérer » pour ce qui était des boissons flottantes. Mais sa cargaison de douze canettes d'IPA « small-batch » desséchait Maggie sous le soleil obèse, et il y avait encore trois heures de descente à faire. L'uniformité du paysage et la vitesse imperceptible des rafts oblitéraient l'espace. Ne restait que le temps, beaucoup trop de temps. Un brin de nuage se déchirait au loin. Des moustiques différents ne cessaient de revenir à la même piqûre bulbeuse sur la cheville de Maggie. Après que Mikey lui eut fait presser un bouton sur son dos et que Feinstein se fut réveillé pour se faire bronzer son ventre taché de grains de beauté, elle s'était aperçue qu'elle ne pouvait plus supporter les deux garçons et avait vomi par-dessus le bord du raft.

Francine était morte quelques minutes plus tard.

Cette descente en rafting devait être sa seule récréation. Son seul court répit au bip strident de la pompe à morphine, au grognement des bobines de gradients de l'IRM, à l'odeur pénétrante du vomi et de l'eau oxygénée censée la couvrir. Au goutte-à-goutte. Et elle en avait été – justement, estimait-elle – punie.

Après avoir bu le café avec son frère, elle appela Mikey et s'invita chez lui.

La soudaineté de la rupture avait été exagérée. Ça, elle voulait bien le reconnaître. C'était un garçon accommodant, attentionné et généreux, mais, un après-midi, en farfouillant dans son ordinateur portable, elle avait découvert tout un historique YouTube d'interviews de chefs de file du néo-athéisme. Elle avait supporté quarante-trois secondes d'islamophobie modérée avant de faire irruption dans la salle de bains pleine de vapeur de leur appartement de Midtown et d'annoncer à Mikey qu'elle déménageait. Sous l'effet du choc, il avait glissé sous la douche. Il avait fait tomber le rideau avec lui.

Il avait accusé le coup, même si elle savait qu'il avait lui aussi des choses à lui reprocher. Il détestait lorsqu'elle réduisait les héros de ses films préférés aux pathologies référencées dans le *DSM*. (« Scarface n'est pas une personnalité narcissique ! s'indignait-il. C'est Scarface, quoi ! ») En tout cas, cela allait plutôt bien pour lui, apparemment, pour déménager de Midtown à Williamsburg.

– Williamsburg ? fit-elle, lorsqu'il lui ouvrit.

Il s'était empâté depuis la dernière fois qu'elle l'avait vu, et encore dégarni, mais il semblait avoir rajeuni ; il avait moins l'air d'un homme que d'un jeune enfant qui

75

n'a pas encore perdu sa graisse de bébé et dont les cheveux tardent à pousser.

– Tu sais, poursuivit-elle, quand on entend dire que ce quartier est « fini », c'est à cause de gens comme toi.

– Moi aussi, je suis content de te voir.

– Pardon. Je suis mal lunée.

– Ça nous arrive à tous.

Il s'avança pour la serrer dans ses bras.

– Maggie ! fit une voix sur le canapé.

– Merde, chuchota-t-elle contre l'épaule de Mikey.

Derrière lui, dans le salon, elle aperçut la tignasse frisée de Feinstein dépassant de l'extrémité d'un canapé-lit Ikea beige. Il regardait un film sur le téléviseur devant lui, un documentaire sur le voyage d'un violoniste américain en Chine.

– Qu'est-ce qu'il fait là, lui ? demanda-t-elle.

– Il est de passage, dit Mikey. J'ai pris ma journée pour le voir. J'ai un boulot, tu sais ? Tu ne peux pas te pointer à l'improviste un après-midi de semaine.

Maggie haussa les épaules.

– Ça a marché cette fois-ci.

Feinstein se redressa et fit de la place de chaque côté de lui. Mikey s'assit à sa gauche. Maggie resta debout de l'autre côté.

– Assieds-toi, dit Feinstein.

Ses yeux étaient cachés sous une frange, ses joues noircies par une barbe naissante.

– Ça va, dit Maggie.

– Feinstein habite Boulder.

Maggie fit semblant de s'intéresser.

– Tu fais quoi, là-bas ? dit-elle.

– Devine, sourit Feinstein.

Maggie leva les yeux au ciel.

– Je bosse dans une herboristerie holistique.

– Je vois.

À la télévision, le violoniste américain réprimandait un groupe de jeunes musiciens chinois. « Ce n'est pas qu'une question de capacités techniques ! » criait-il.

– Ouais, fit Feinstein. Il y a du blé à se faire dans ce secteur. Sans déconner, Maggie. Un *max* de blé.

– Depuis quand tu es si entreprenant ? Tu ne t'étais pas spécialisé en chimie ?

– Mes parents me croient en fac de médecine.

– Ouah… Comment tu leur fais gober ça ?

Feinstein haussa les épaules.

– C'est facile. Ils ne posent pas beaucoup de questions.

Mikey articula muettement le mot *divorce* par-dessus le canapé.

– Ah, désolée, dit tout haut Maggie.

– Désolée de quoi ?

Mikey regarda ailleurs.

« Cette fois, avec du *sentiment* ! » s'exclama le violoniste.

– Euh, de rien, fit Maggie. Dis, Feinstein, ça te dérange si je parle à Mikey en privé ? Dans sa chambre ?

– Non, bien sûr. Allez-y.

Maggie fit signe à Mikey. Il se leva, lentement, et l'emmena dans le couloir.

– Je ne savais pas que Feinstein était à New York, dit Maggie, sitôt la porte refermée derrière eux.

– Il traverse une période difficile, expliqua Mikey. Ses parents sont en pleine procédure de divorce. Ils veulent tous les deux qu'il témoigne pour eux.

– Je n'ai pas envie de parler de ça.

– Ok.

Mikey se gratta la nuque :

– Je suis vraiment content que tu sois là. Ça fait plaisir de te voir. Je sais bien que tu as dit qu'on était fait pour d'autres choses et d'autres gens, mais bon… je suis toujours content quand je te vois.

Les yeux de Maggie se mouillèrent. Passer du temps avec Mikey – et, pour le coup, avec Feinstein – lui donnait l'impression d'être encore étudiante à Danforth. Comme si la simple présence de son ex lui faisait remonter le temps et la renvoyait à la fac, à Saint Louis. Au temps d'avant la mort de sa mère.

– Je ne te manque jamais ? demanda-t-il.

– Viens ici, dit-elle, et elle l'embrassa.

– Mais… Feinstein… balbutia-t-il tandis qu'elle lui retirait son tee-shirt.

Ils se déshabillèrent et tombèrent sur le matelas de Mikey, recouvert de la couverture bleu layette qu'elle reconnut comme étant celle qu'il avait à la fac.

Elle grimpa sur lui, l'amena en elle, puis approcha son visage du sien et l'embrassa dans le cou. Mais malgré tous ses efforts, elle ne pouvait empêcher son esprit de revenir à la Meramec. La chaleur. Sa bouche desséchée.

Elle ferma les yeux.

Il y avait eu un temps où Maggie aimait le sexe. Elle avait couché avec quelques autres garçons à la fac, avait apprécié la simplicité des coups d'un soir sur le campus, mais la culture vous transformait en puritain émotionnel. Mikey avait été l'un des rares qui n'aient pas peur de montrer de l'intérêt. Ils s'étaient vite enfermés dans une routine, s'envoyant en l'air d'une manière efficace et aussi mutuellement bénéfique qu'elle pouvait l'être avec un jeune conservateur. Mais depuis la mort de sa mère, Maggie n'était devenue que trop consciente du mal que peut faire un corps, des dégâts qu'il peut causer à lui-même et aux autres. Depuis maintenant près de deux ans, elle cherchait à retrouver le plaisir sans entraves qu'elle avait ressenti autrefois et entraînait Mikey dans cette quête, en vain chaque fois.

– Tu as perdu du poids ? murmura Mikey.

Elle le bâillonna d'une main. Une chaleur piquante lui parcourut l'échine. Elle regarda l'affiche de *Scarface* sur le mur devant elle, les livres empilés sur la table de chevet. *L'Alchimie de la finance*. *Le Droit d'Israël*.

– Désolée, dit-elle. Je peux pas.

– Tu peux pas quoi ?

Maggie se rappela le bruit de son vomi tombant dans la rivière. Elle déglutit.

– *L'Alchimie de la finance* ? C'est pas très excitant.

– Dit l'héritière à la fortune en fiducie.

– Pardon ?

Elle roula sur le dos et, croisant les bras sur sa poitrine :

– Ta gueule.

– Excuse-moi.

– Pourquoi tu dis un truc pareil ?

– Maggie, supplia-t-il. Je t'ai demandé de m'excuser...

– T'as qu'à te finir tout seul.

Il ferma les yeux et posa une main sur la cuisse de Maggie. Quelques instants plus tard, avec un gémissement et secoué de contractions, il cessa de bouger.

– Je fais n'importe quoi, dit-elle.

Ils restèrent allongés côte à côte en silence. La respiration de Mikey ralentit jusqu'à retrouver un rythme normal. Il lui demanda alors si son père était à New York.

Maggie poussa un soupir ahuri.

– Je suis à poil. Tu es à poil. Qu'est-ce que c'est que cette question ?

– Il est là ?

– Non…

– Tu l'as vu récemment ?

– Non.

– Et ton frère ?

Elle rougit.

– Qu'est-ce que ça peut te faire ?

– Je me demande, c'est tout.

– Tu te demandes.

– Parce qu'à la fac, quand tu étais demandeuse sexuellement, c'était toujours que tu avais besoin de te défouler.

– C'est faux !

– Je pense à après Thanksgiving, après les vacances de Noël, pendant la semaine des parents…

– Ça va, ça va, ça va !

À nouveau, la grande perspicacité de Mikey. Elle l'avait peut-être sous-estimé. Ou trop vite jugé. Il faut dire qu'en tant que petit Juif de White Plains, il appelait les jugements hâtifs. Elle n'avait jamais eu à lui poser de questions sur son passé. Elle le devinait : colonies de vacances entre Juifs, Maccabiades, discours de bar-mitsva coécrit par parents poules. Examen d'entrée à l'université, voyage éducatif en Israël aux frais de Taglit-Birthright, *Portnoy*.

– Tu sais, dit-elle, je n'ai pas de fortune « en fiducie ». Ce dont tu me qualifies ne correspond pas à ma situation. Tu t'en rends compte ?

– Qu'est-ce que ça change ?

– T'es dégueulasse !

– Non, franchement, qu'est-ce que ça change ?

– Primo, ce n'est pas une *fiducie*. C'est un *héritage* que j'ai reçu après avoir vécu un *deuil*. Secundo, je n'ai pas grandi en en ayant connaissance. Je n'ai donc pas la mentalité d'une « héritière », contrairement à ce qu'on sous-entend quand on utilise ce terme. Et tertio, j'ai renoncé à cet argent !

– Ah ouais ?

– Oui !

– Sauf qu'en réalité, pas vraiment.

– Je vais le faire !

– Tu ne peux pas dire que tu as renoncé à un argent qui est toujours à la banque. Sur un compte à ton nom.

Maggie grogna.

– Excuse-moi, dit-il. Écoute…

Le problème de Mikey, comprit Maggie, était moins un problème de morale que de trajectoire. Voilà un garçon fondamentalement bon mais qui avait grandi trop vite. Finance mondiale, gain de poids, conservatisme politique : ce n'était pas là la vie d'une personne de vingt et quelques années. Alors que Maggie – elle, elle faisait les choses bien. Elle capitalisait sur sa jeunesse et redistribuait les avantages de sa condition sociale, de la manière la plus tangible qui soit…

– Tu m'écoutes ? J'ai dit, je tiens toujours à toi.

– Il faut que j'y aille.

– Reste. S'il te plaît. Parle-moi.

Maggie secoua la tête.

– Je préférerais mourir plutôt que de mener une vie superficielle.

De plus, elle était attendue dans le Queens. Emmenée vers l'est par le métro de la ligne M, elle passa devant les étages supérieurs d'entrepôts abandonnés, leurs vitres en éclats ou manquantes. Sur son chemin, les quartiers se dégentrifiaient, se délabraient, devenaient d'honnêtes ruines. Débarquant à Myrtle-Wyckoff, elle courut chercher les frères Nakahara à leur école. Oksana travaillait tard et son mari était cloué au lit par la grippe.

Les garçons fréquentaient une école privée sous contrat installée dans une maison de retraite méthodiste centenaire, un improbable bâtiment victorien séparé de la rue par une fine bande de pelouse, comme pour dire : *Regardez-moi, hum hum.* Le toit était hérissé de flèches. Des pierres pâles formaient des vagues dans le brique-tage à motifs. Des détritus jonchaient la cour où quatre paniers de basket – sans filets ni panneaux – s'élançaient vers le ciel, de simples arceaux perchés au sommet de fins poteaux dans un espace brut.

Maggie arriva juste à temps, à trois heures, au moment où les enfants filtraient entre les battants grinçants du portail, chargés de leurs petits sacs à dos et de leurs boîtes à sandwichs. Bruno et Alex furent parmi les derniers à apparaître, escortés par une femme austère en gilet de laine et qui portait manifestement une perruque. Alex courait devant tandis que Bruno marchait, l'air penaud, près de sa gardienne.

– Ces enfants sont à vous ? demanda celle-ci.

– Euh… fit Maggie.

– Vous êtes bien la nounou ?

– Je serais plutôt une conseillère de vie doublée d'une prof particulière, une sorte de « coach » sans tout le blabla New Age.

– Bon, quoi que vous soyez, celui-ci a besoin d'apprendre que la violence ne résout pas tout, dit la femme, une main serrée sur la nuque de Bruno. Il a agressé un pauvre petit aujourd'hui.

– Bruno… fit Maggie.

– Vous allez le punir, n'est-ce pas ?

– D'accord.

– Vous me le promettez ?

– Pardon ?

– Ça m'embête de laisser partir ce jeune homme tant que vous ne m'aurez pas promis de lui faire la leçon.

– Oui, d'accord, très bien. Allez, les garçons.

Ils se mirent en route pour rentrer à l'appartement.

– Ce n'est pas ma faute, grommela Bruno.

– C'est vrai, confirma Alex de sa voix suraiguë. Il n'a pas de copine. Moi, j'en ai deux, et est-ce que j'ai l'air de quelqu'un qui a un problème d'agressivité ?

– Tu mettras un dollar dans le bocal, dit Maggie. Et nous n'avons pas de problème d'agressivité.

– Ouais, fit Bruno. Je souffre de TOP.

– Qu'est-ce qui s'est passé ?

Bruno expliqua. L'incident avait apparemment commencé pendant la récréation, quand Trevor Kwan, un élève de sa classe, avait identifié le téléphone à clapet de Bruno comme étant un modèle obsolète depuis six ans. Pire, s'en étant emparé, il s'était aperçu qu'il ne fonctionnait pas, le père de Bruno ayant jeté la batterie il y avait des années et le vieux téléphone servant à Bruno d'accessoire pour passer de bruyants faux coups de fil à la récréation. Les Kwan, la bande de Trevor, s'étaient alors mis à scander : « Il a pas – d'téléphone, euh ! Il a pas – d'téléphone, euh ! » en jetant le Motorola argenté par-dessus la tête de Bruno.

– Du coup, dit Bruno, je lui ai mis mon poing dans les dents.

Il leva une main. Ses phalanges charnues étaient tout éraflées.

– Les garçons, dit Maggie, je croyais que nous avions discuté de tout ça. De la résolution des conflits… De la manière dont nous nous comportons à l'école… Il faut que vous le sachiez, je m'inquiète pour vous autant que votre mère. Et pas parce que c'est mon travail. Vous êtes comme ma famille pour moi.

– Notre mère ne s'inquiète pas pour nous, dit Alex.

– C'est faux !

– Si, je t'assure, poursuivit-il. Elle nous l'a dit. Deux de ses cousins ont développé un cancer à cause de Tchernobyl. Elle nous a dit : « J'ai de plus gros soucis que vous deux. »

– Bon, fit Maggie. Bon... Mais faites attention à l'école, d'accord ? Pour me faire plaisir.

– C'est à cause de ma maladie, rétorqua Bruno en haussant les épaules. J'y peux rien.

Ce soir-là, ayant épuisé sa patience avec toutes les personnes de sa vie, mais se sentant toujours terriblement seule, Maggie accepta une invitation à dîner chez sa tante.

Pour Ethan, qui trouva un prétexte pour ne pas y aller, ces voyages dans le New Jersey étaient une corvée. Maggie les faisait par solidarité. Bien que menant une vie révoltante à ses yeux, sa tante Bex restait ce qui la rapprochait le plus de sa mère, et une compagne de deuil.

On ne pleurait jamais trop longtemps les femmes comme sa mère. Fine observatrice mais jamais critique, intelligente sans ressentir le besoin de le montrer, Francine avait sacrifié l'avancement de sa carrière pour préserver sa famille, dans laquelle elle servait de modératrice, d'arbitre et de gardienne de la paix. Tout en la mettant sur un piédestal, Maggie voyait en elle un exemple à ne pas suivre. L'incarnation de ce qu'on attendait des femmes, de ce à quoi elles devaient renoncer pour s'y conformer.

Une heure avant le coucher du soleil, alors que Maggie sortait de la bouche de métro de la 175ᵉ Rue, Bex se rangea près du trottoir dans un SUV aux allures de véhicule militaire.

– Mon bébé ! s'écria-t-elle avant de planter un baiser sur chacune des joues de Maggie.

Sa peau était tendue et parfumée, tirée en arrière par une queue-de-cheval et rendue visqueuse par l'application généreuse d'une crème hydratante aux extraits de goyave. Elle passa ses doigts dans les cheveux bouclés de Maggie.

– Oh là là, qu'est-ce qu'ils sont doux !

– Merci.

– Comme ceux de ta mère.

– Bex...

– Ah, fit-elle en se tamponnant les cils à l'aide d'un mouchoir en papier. Regarde-moi, je me mets dans tous mes états. C'est la fête, ce soir.

– La fête ?

– Tout le monde a hâte de te voir, ma belle.

– Tout le monde ?

– Oui ! C'est Shabbat !

– Ah, fit Maggie. J'avais un peu oublié. Je ne suis pas très...

Elle baissa les yeux vers son jean noir, pas lavé depuis des mois et incrusté d'éclaboussures récoltées dans l'exercice de ses fonctions chez les Nakahara.

– La journée a été longue, termina-t-elle.

– Ne t'en fais pas. Je te prêterai des vêtements. Qu'est-ce que tu es mince !

Maggie se recroquevilla sur son siège, prise d'une nouvelle bouffée de chaleur.

Bex la détailla du regard tandis qu'elles franchissaient le pont George-Washington.

– Ta mère me faisait la guerre là-dessus quand on était jeunes. J'avais tendance à sauter des repas avant un rendez-vous important avec un garçon, ce genre de chose. Francine ne le tolérait pas. Elle était thérapeute avant d'être thérapeute, tu sais.

– Je sais.

– Et j'arrête là sur le sujet.

Bex avait les yeux chauds et foncés de Francine. La tête baissée, Maggie regarda subrepticement le visage troublant de sa tante tandis que le char d'assaut civil filait à travers le garage Lexus à ciel ouvert qu'était le New Jersey.

Maggie aimait bien sa tante, du moins s'intéressait-elle à elle d'un point de vue sociologique. Bex Goldin du comté de Bergen, née Rebecca Klein à Dayton, dans l'Ohio, avait treize ans plus tôt épousé Levi Goldin, héritier du premier cabinet de gestion d'actifs du Grand New York. Outre leur palace dans le New Jersey, Bex et lui possédaient une résidence secondaire à Aspen, où il avait un jour obligé le père de Maggie à creuser un trou dans la terre gelée pour y enfouir un couteau à viande avec lequel il avait coupé du fromage.

– Quoi de neuf ? s'enquit Bex en manquant de faire sortir une berline de la route.

– Pas grand-chose. J'envisage d'aller voir mon père à Saint Louis.

– Arthur ? Oh, Maggie…

– Tu crois que je ne devrais pas ?

– Écoute, c'est ton père, pas le mien. Tu ne peux pas te couper de lui à jamais. Même si je ne t'en voudrais pas si tu le faisais.

– Je suis capable de m'en sortir.

– Je sais, ma belle. Mais reste sur tes gardes, d'accord ? Je ne veux pas que tu y laisses des plumes. On n'est jamais trop prudent.

Un haut portail en fer forgé leur permit d'accéder à la propriété. L'immense maison des Goldin, protégée de la rue par une longue et étroite allée, cachait derrière elle une piscine et un court de tennis en terre battue. Une rose des vents était gravée sur le trottoir qui longeait ce dernier, un cercle de béton niché dans la brique, avec les prénoms des cousins de Maggie inscrits à côté de chaque point cardinal : Ezra (N), Lauren (E), Maxine (O) et leur chien Solomon (S). Au bout, l'allée s'élargissait en une cour pavée où ne stationnaient jamais moins de trois voitures.

– Entre, dit Bex. Dépêche-toi. Les enfants ont hâte de te voir.

Des miroirs de différentes tailles et formes ornaient les murs près de l'entrée de la cuisine et remplissaient l'espace de froids reflets. Maggie vit Lauren et Maxine glisser sur la surface de l'un d'eux quelques secondes avant d'apparaître devant elle.

– Dites bonjour à votre cousine, ordonna Bex.

Les filles grommelèrent. C'étaient des jumelles de quatorze ans, cachées sous des rideaux de cheveux noirs.

– Faites-lui une bise, ajouta Bex.

Elle avait pris cette habitude au contact de sa belle-famille. Ce n'était pas un geste désagréable, mais, contrairement aux Goldin, les Alter n'étaient pas très tactiles.

– *D'accord*, dit Lauren, et les filles s'exécutèrent.

– Les adolescents ! soupira Bex en levant les yeux au ciel et en traçant des cercles avec l'index près de son oreille.

Le couloir menait à un vaste salon avec un piano blanc et des chesterfields assortis. Maxine courut jusqu'au piano et se mit à appuyer lourdement sur des touches au hasard.

– Tu joues quelque chose pour Maggie ? lança Bex. Non ? D'accord. Peut-être plus tard.

Elle fit signe à Maggie de la suivre dans l'escalier.

– Ez-ra ! Ta cousine Maggie est là ! Viens lui faire une bise, elle va t'aider à faire tes devoirs !

Elle se tourna vers sa nièce :

– Ça ne te dérange pas ?

Elles le trouvèrent assis par terre dans sa chambre, sous un tableau noir qui occupait tout un pan de mur et sur lequel était écrit, en lettres bulles, MUR À GRAFFITIS D'EZRA.

– Rendez-vous en bas pour le dîner dans vingt minutes, dit Bex. Je vais te préparer des affaires sur mon lit.

– Alors, dit Maggie, une fois Bex sortie. Sur quoi tu travailles ?

Ezra grogna et fit claquer les jointures de ses doigts sur la couverture d'un manuel scolaire posé par terre à côté de lui. *L'impérialisme réexaminé – Introduction.*

– Tu es en sixième ?

Il acquiesça. Maggie pensa à l'école délabrée des Nakahara et aux pénis qui émaillaient les devoirs de Bruno.

– On fait l'Afrique, expliqua Ezra en désignant une carte photocopiée du continent africain, légendée 1881-1914. On est chacun un pays. Moi, je suis l'Angleterre. Je dois colorier les endroits que je veux, et demain, en classe, on va se les disputer.

– Les endroits que tu veux ?

– Ouais. Pour les ressources naturelles, quoi.

Ezra pointa un surligneur rouge sur l'Algérie.

– Tu as besoin d'aide ? demanda Maggie.

Ezra leva les yeux.

– Tu peux aller me chercher un Capri Sun ?

Après avoir apporté de mauvaise grâce à son cousin la mauvaise minigourde de jus de fruit (« Griotte ? Je déteste la griotte »), Maggie parcourut le couloir de l'étage. Elle compta une, deux, trois, quatre chambres d'amis pour accueillir des invités. Ou des réfugiés ! Ils fuyaient la guerre civile en Syrie et arrivaient nombreux du Proche-Orient. C'était indéniable : il y aurait toujours des gens qui auraient besoin de chambres, et il y avait toujours des chambres libres chez Bex. C'était ce genre de gâchis qui frustrait Maggie au plus haut point. De quoi détester sa famille.

Elle finit par trouver la chambre principale. Une tenue l'attendait sur le lit, mais elle fut attirée par une tablette en marbre où trônait une rangée de colliers, bien alignés sur un long coussin de velours. Elle se retourna vers la porte. Guetta d'éventuels bruits de pas. Rien. Enhardie par la vaste maison de sa tante et par la désinvolture de son cousin, Maggie s'autorisa à escamoter une chaîne en or rose, si fine et délicate qu'elle semblait faite d'air, et la laissa tomber dans sa poche dans l'intention de la vendre à un prêteur sur gages au nom d'une noble cause.

Elle réorganisa les colliers sur le coussin afin de combler le trou.

– Mag-gie ! Ez-zie ! Le dîner est prêt ! entendit-elle crier Bex du rez-de-chaussée, d'une voix qui ne ressemblait en rien à celle de sa conscience.

Elle laissa la tenue sur le lit et descendit dans ses vêtements de ville.

Une mafia de Goldin s'étaient rassemblés dans la salle à manger. Les femmes étaient bronzées, le nez refait, en jupes courtes et juchées sur des talons les hissant au-dessus de leurs maris. Tous habitaient des maisons colossales dans les environs et se réunissaient pour Shabbat le vendredi soir à tour de rôle. Maggie se prêta aux salutations d'usage.

– Maggie, dit sa tante, qui avait manifestement du mal à ne pas tenir compte du jean crasseux de sa nièce. Tu te souviens de Sarah, d'Alexis, d'Adam, de Leila, de Justin, de Madison…

Maggie sentit deux mains massives se poser sur sa nuque. Son oncle. Il la fit pivoter et la serra dans ses bras puissants.

Levi mesurait plus d'un mètre quatre-vingts et se maintenait très en forme. Doté d'un grand sens du devoir, à dix-huit ans il s'était rendu en Israël pour s'engager dans la brigade de parachutistes des forces de défense israéliennes, idée qui semblait flotter au-dessus de sa tête chauve, un peu comme un petit parachutiste, chaque fois qu'elle le voyait.

– Je suis content que tu aies pu venir, dit-il.

Tout le monde se tut lorsque Sol Goldin, le pater familias, entra, escorté de deux petites-filles chaussées de bottines en peau de mouton. Il s'arrêta et se pencha délicatement en avant pour caresser le chien qui avait reçu son nom. Il portait une chemise rose ornée d'un liseré à motifs et des bretelles ; ses manches étaient retroussées sur ses bras blancs laineux. Sous le regard approbateur de sa femme Doris, il salua un à un les chefs de famille en observant longuement leur visage.

Lorsqu'il arriva à sa hauteur, Maggie ne put s'empêcher de s'incliner, à quoi il répondit en lui baisant le front.

Le dîner se déroula selon un protocole qui avait quelque chose de déstabilisant : on ne s'assit que lorsque Solomon se fut assis, on ne mangea que lorsqu'il eut commencé à manger. Les discussions tournaient essentiellement autour de la prochaine bar-mitsva d'Ezra. Quel traiteur préparerait le repas, quels vêtements on porterait, comment progressait sa lecture de son passage de la Torah.

– Tu t'entraînes ? lui demanda Doris.

– Oui, grand-mère.

– C'est bien.

De l'autre côté de la table, devant deux plats de viande rôtie, poulet et bœuf – Maggie remplit son assiette de chou farci –, Levi demanda à Maggie comment allait Ethan.

– Il va bien. Je l'ai vu tout à l'heure, justement.

– Où est-il ?

– Ah oui, il vous demande de l'excuser. Il n'a pas pu venir… Un imprévu.

Son oncle eut un grognement moqueur.

– Un imprévu ? Il n'a pas de travail !

Levi était le genre de petit magnat convaincu que chacun devait travailler, peu importe sa richesse. Que les cravates donnaient de la dignité, les salles de conférences vitrées un sens à la vie. Cela dit, en y réfléchissant, Maggie se demandait bien à quoi lui-même consacrait son temps, en quoi consistait le quotidien d'un vautour de la finance. Elle savait qu'il jouait au tennis, c'est tout. Avant la mort de Francine, Levi proposait à Arthur de faire un match à chacune de ses visites, mais le père de Maggie ne relevait jamais le défi. « Ce que Levi ne comprend pas, leur expliquait-il dans la voiture lorsqu'ils repartaient du New Jersey, c'est que le tennis – à notre niveau, en tout cas – est un jeu d'adresse, pas de force. Levi ne possède pas la première. Les pros, eux, ont besoin des deux, bien sûr. » Il se retournait vers Maggie sur le siège arrière. « Ton oncle est costaud, disait-il, mais papa n'en ferait qu'une bouchée. »

– Oh, fit Maggie. On ne sait jamais avec Ethan.

– Et toi ? demanda Levi. Tu travailles ?

– Attendez, dit Bex, je vais chercher du thé. Quelqu'un veut du thé ?

– Je travaille.

– Ah ?

– Je fais du baby-sitting, je donne des cours particuliers, des choses comme ça.

– Non, je veux dire travailler *travailler*.

– Travailler travailler ?

– Tu ne vas pas faire des petits boulots toute ta vie.

93

Maggie se hérissa. Elle savait que Levi était au courant pour l'héritage. L'argent qu'avait laissé Francine n'était rien pour lui, les fortunes de leurs deux familles étaient sans commune mesure, mais elle sentait qu'il voulait savoir ce qu'elle allait en faire. Comment elle allait mener sa barque. Le collier la brûlait dans sa poche.

– Ce serait quoi, ton travail de rêve ? demanda Alexis, ou Madison.

Tout un arc de la table écoutait à présent.

– Moi, je vais faire des études de commerce ! illustra Leila.

De l'autre côté de la table, Sol s'était endormi.

– Mon travail me paraît important, dit Maggie. Aider les habitants de mon quartier.

– Tout dépend de ce qu'on entend par « travailler », répliqua son oncle en se redressant sur sa chaise comme le font souvent les hommes, pour vous rappeler leur supériorité physique. Écoute, ça fonctionne comme ça. On travaille pour survivre. Dans la jungle, dans le désert, partout, tu chasses ou tu meurs. Tu trouves de la nourriture ou tu ne manges pas. C'est la survie. Mais, tu vas me dire, on n'est plus dans le désert ! C'est vrai. Alors, qu'est-ce qui vient après la survie ? Vois-tu, j'ai une formule : « D'abord manger, puis engranger. » C'est le même instinct à un niveau différent. Tu ne le comprends pas encore, parce que tu n'es pas mère de famille, mais une fois qu'on a assuré sa stabilité on se tourne vers ses enfants. Vers leur sécurité à eux. Puis vers leurs enfants à eux. Pour qu'ils n'aient jamais besoin de travailler comme on l'a fait soi-même.

Il réfléchit à ce qu'il venait de dire, avant de hocher la tête et d'ajouter :

– D'un autre côté, c'est nécessaire, travailler. Comme je dis aussi : « Raccrocher, c'est calancher. » Montre-moi un homme qui démissionne à trente-cinq ans et je te montrerai une âme en perdition. On n'est pas fait pour l'oisiveté. Tu comprends ? C'est le paradoxe. On travaille, on travaille, on travaille, dans le but déconseillé de ne jamais avoir besoin de travailler.

Maggie était intimement convaincue que son oncle se trompait. Que ses idées étaient égoïstes et vaniteuses. Qu'il ne prenait pas en compte d'importantes abstractions qui la dépassaient elle-même, comme, par exemple, les interconnexions entre le marché globalisé et la responsabilité éthique des riches.

– Le travail, c'est… commença-t-elle, bien décidée à lui apporter la contradiction, mais tout à coup elle eut l'impression d'avoir regardé en bas en traversant un pont suspendu branlant.

Elle venait d'apercevoir la rivière bouillonnante, les câbles effilochés, les planches pourries.

Heureusement, Ben revint de la cuisine pour l'interrompre, un plateau d'argent en équilibre sur sa paume.

– N'est-elle pas magnifique ? s'extasia-t-elle en caressant de sa main libre les cheveux de Maggie. Je tuerais pour avoir cet âge à nouveau.

Levi acquiesça.

– Oui, dit-il. Une fille comme elle n'est jamais à court de possibilités.

4

En se réveillant ce samedi matin-là, Arthur Alter s'aperçut que ses enfants lui manquaient.

Il était sept heures. La lumière d'un soleil agressif avait trouvé son visage. Dehors, les prépas médecine, maths spé et autres non-buveurs dermabrasionnés grouillaient sur la pelouse tandis que le reste du Grand Campus cuvait. Une fenêtre de la chambre était entrouverte pour laisser entrer l'air du printemps, auquel se mêlaient des bribes de conversations d'étudiants.

Il se redressa lentement, en ménageant son dos de plus en plus douloureux, et jeta ses jambes par-dessus le bord du lit. À côté de lui, Ulrike dormait encore, allongée sur le ventre. Sur la table de chevet de celle-ci, Arthur remarqua, pour la première fois, la couverture du roman écorné qu'elle lisait en ce moment. Sur la photo de la jaquette, un fier acacia se dressait devant un soleil orange. Cette évocation orientaliste au premier degré de l'aube de l'humanité le gêna, mais c'était l'appartement d'Ulrike et elle avait bien le droit de lire ce qu'elle voulait.

Ulrike habitait un petit deux-pièces réservé aux professeurs au sous-sol d'une bruyante résidence universitaire du West Forty de Danforth, parcelle allouée à l'hébergement des étudiants de première année et ainsi nommée pour sa vaste superficie. C'était une existence dégradante, estimait Arthur – dans ce trou, sous ce lit d'hormones, Ulrike faisait figure de mère de substitution, de chaperon, de gardienne de pont –, mais le loyer était modéré, et Arthur était mal placé pour juger. Depuis quelque temps, il habitait là lui aussi.

Ses épaules craquèrent lorsqu'il les fit rouler. Ulrike et lui avaient passé la moitié de la nuit à se disputer avec virulence à cause d'une proposition de poste qui devait emmener Ulrike à Boston pour un an. Elle lui avait dit qu'elle y réfléchissait sérieusement, qu'en termes de choix de carrière il n'y avait pas à hésiter. Une aubaine pour Arthur. Le départ d'Ulrike serait la conclusion parfaite aux deux années de leur relation coupable et le dispenserait d'y mettre fin lui-même. (Ulrike avait trente-sept ans, et Arthur ne croyait pas les femmes qui prétendaient ne pas vouloir d'enfants.) Mais que deviendrait-il sans elle ? Son fils et sa fille étaient partis. Sa maison était au bord de la saisie. Sa carrière était dans un cercueil, méprisée même par les plus assoiffés des vampires universitaires. Sans Ulrike auprès de lui, il lui faudrait affronter la solitude qui l'avait poussé dans ses bras au début. De plus, elle avait participé – à bien des égards, elle en était responsable – à l'implosion de sa vie. Il avait lié son destin à elle, et elle semblait réellement attirée par lui. Bref, il l'avait convaincue de rester. Du moins, d'y réfléchir. « Un prêtre pédophile et l'industrie biomédicale entrent dans un bar, avait-il dit, et c'est un bar des sports. C'est ça,

Boston. Voilà où tu irais habiter. Crois-moi, tu détesterais cette ville. »

Il gagna d'un pas lourd la kitchenette. Il chercha dans le placard quelque chose à manger et sortit une boîte de Cocoa Scabs. Son bras gauche, sur lequel il avait dormi, le picotait près de son flanc. Il entendait Ulrike respirer dans son oreiller avec de longs soupirs râpeux. Ce minuscule appartement entouré d'adolescents, ces ronflements teutoniques – Arthur avait mis du temps à l'admettre, mais c'était là plus que de simples détails irritants. Il dépendait d'eux. Ils constituaient la matière même de sa vie.

La relation coupable avec Ulrike avait commencé au pot entre professeurs où ils s'étaient connus. Caustique, jeune, allemande, Ulrike possédait de redoutables atouts de séduction. C'était une nouvelle recrue. Une médiéviste du département d'histoire.

– Une médiéviste, répéta Arthur.

Il éclusa son pinot gris et, refermant son poing sur son gobelet vide, ajouta :

– Je croyais que nous ne soutenions plus que les humanités digitales, aujourd'hui.

– Eh bien, dit-elle, son *b* tirant sur le *p*, la langue allemande parfumant son haleine à la manière d'un chocolat à la menthe d'après dîner, je dois être l'exception qui est preuve de la règle.

Arthur était trop intrigué pour corriger son usage de l'expression.

La soirée avait lieu dans les locaux du Comité pour le progrès interdisciplinaire. Excroissance de la masse cancéreuse que formait la dotation de l'université, le CPI organisait des rencontres obligatoires entre professeurs de spécialités différentes. Les participants étaient choisis au hasard, comme les membres d'un jury d'assises. Et, comme eux, ils détestaient ça. En cas d'absence, on était cependant vaguement menacé d'une « mise à l'épreuve professionnelle », risque que les non-titulaires comme Arthur ne pouvaient se permettre de prendre. En réunissant dans la même pièce des pédants éméchés portant sur le monde des regards contradictoires, le comité espérait sans doute, du moins le supposait Arthur, provoquer la naissance d'une invention profitable dont l'université pourrait tirer les fruits. En l'occurrence, des groupes s'étaient formés selon une autoségrégation par discipline, les littéraires s'étant rassemblés près du buffet, les scientifiques près des sièges. Ulrike s'était approchée du banc de bois à côté duquel se tenait Arthur.

Depuis son quarantième anniversaire, un quart de siècle plus tôt, Arthur avait accepté le fait que les femmes ne manifestent plus d'intérêt sexuel à son égard. Sa solution, Francine et lui ayant rarement de rapports intimes, était de penser au sexe le moins possible. De se désintéresser des femmes comme elles s'étaient désintéressées de lui. (Renoncement ambitieux, même pour Arthur, mais il s'y tenait, en partie grâce à un régime strict de masturbation matinale qui lui permettait de garder les idées claires au moins jusqu'à l'après-midi.) Mais il ne put s'empêcher de remarquer l'agile médiéviste. Et, miraculeusement, la réciproque semblait vraie.

– À propos d'humanités digitales, dit-elle en montrant l'écran de son téléphone, qui affichait la photo d'un hipster en chemise de bûcheron, entouré du contour en forme de cœur d'une célèbre application de rencontre. J'ai trente-cinq ans. Voilà le genre d'homme avec qui on veut me mettre. Je mérite mieux, non ?

Arthur en était convaincu.

– Faites voir, dit-il.

Il se plaça derrière elle, le menton suspendu au-dessus de la clavicule plongeante de sa collègue. Il la regarda faire défiler les photos vers la gauche. Les ventres gonflés par la bière et les beignets de raviolis dont regorgeait le téléphone d'Ulrike donnèrent à Arthur un sentiment de toute-puissance. Il se sentait sûr de lui. Bien qu'elle soit objectivement hors de sa portée, assez grande pour observer la tonsure de la taille d'une kippa sur le sommet de son crâne, elle et lui passèrent en revue les prétendants en riant. Bon sang, se dit-il, quelle merveille, la technologie : voir ses rivaux éliminés d'un geste du doigt tout en sentant les cuisses d'une Allemande effleurer les siennes.

– Je ne comprendrai jamais les hommes de ce pays, dit Ulrike en rangeant le téléphone dans la poche arrière de son pantalon.

– Les hommes de ce pays ? demanda Arthur. Ou les hommes en général ?

– De ce pays, je crois, gloussa Ulrike.

– Les hommes américains mettent beaucoup de temps à mûrir.

– C'est vrai ?

– « L'adolescence prolongée. » J'ai lu un article à ce sujet la semaine dernière. Ce sera probablement repris dans le *Post-Dispatch* d'ici, oh, je ne sais pas, un an ou deux.

Ulrike gloussa à nouveau. Le cœur d'Arthur s'emballa.

– J'ai eu de mauvaises expériences avec les hommes aux États-Unis, dit-elle.

Arthur s'inclina.

– Dans ce cas, vous et moi allons bien nous entendre. À condition que vous n'ayez pas peur d'une nouvelle mauvaise expérience.

– Vous savez qu'avant d'arriver, je n'avais jamais entendu parler d'un Saint Louis dans le Missouri ?

Elle prononça *misery*.

Arthur sourit.

– Répétez, pour voir ?

– Missouri ?

– Voilà.

Il fut surpris du ravissement qu'il éprouva pour elle, de sa capacité de désir. Il n'avait jamais été attiré par une femme comme Ulrike. Bien que conscient de la vérité libidineuse derrière l'opposition cul/nichons dans les préférences sexuelles masculines – la réponse était toujours « les deux » –, Arthur remarqua que cette femme fascinante ne ressemblait en rien à son épouse. Francine était sphéroïde, orbiculaire : forte poitrine, visage rond, cheveux frisés. Élégamment plate, la médiéviste ne portait pas de soutien-gorge sous son blazer, et ses fesses n'étaient guère plus que l'humble sommet de deux jambes puissantes. Elle était, physiquement, l'opposé de

101

Francine. Non, songea-t-il, plus que ça. Plus qu'un opposé : une négation.

Trois gobelets de vin plus tard, ils se retiraient dans l'appartement universitaire d'Ulrike et consommaient leur flirt.

Le soir du 10 novembre. Une date marquée au fer rouge dans la mémoire d'Arthur. Il avait été forcé de l'en exhumer, de retourner à la scène du crime dans son calendrier, quand sa fille, quelques mois plus tard, l'avait accusé d'avoir « pris une maîtresse dès que maman était tombée malade ». Ce qui était totalement faux. La nouvelle du cancer du sein de Francine était tombée, ironiquement, le lendemain.

Accompagnée du sentiment de culpabilité qui le torturait depuis.

Cette première nuit avec Ulrike ne fit quant à elle même pas bouger l'aiguille de son compas moral. Ses rapports avec Francine étaient devenus si antagonistes qu'une liaison semblait plutôt une évolution qu'une trahison. Ensemble, ils s'étaient enlisés dans une situation stagnante à Saint Louis, elle, lui reprochant ce déménagement, lui, lui reprochant de lui en vouloir et acceptant mal de n'être arrivé à rien à soixante-cinq ans alors que ses cogénérationnaires prenaient une retraite bien méritée. Ce qui ne veut pas dire qu'il n'aimait pas sa femme d'une manière profonde et irréfutable. Mais c'était l'amour qu'on éprouve pour une collègue, une rivale professionnelle avec qui on a partagé un bureau pendant des décennies. Il dépendait d'elle, comptait sur elle, avait besoin d'elle pour lui rappeler qui il était et où était sa place. Mais ils ne se rendaient pas heureux.

Tandis qu'il se laissait tomber en arrière sur le lit d'Ulrike pour la première fois – tandis que son corps basculait de l'axe des ordonnées à celui des abscisses, et qu'Ulrike plaçait ses genoux en (1;0) et (-1;0) –, Arthur, qui avait toujours réussi à résister à la tentation et dont les désirs, quoique puissants, étaient aisément satisfaits en quelques rapides minutes dans un box des toilettes des professeurs, s'accorda, pour une fois, un peu de plaisir. Arthur, à l'économie héréditaire, qui se refusait tout, qui avait passé tant d'années à mépriser la culture matérielle, s'autorisa le plaisir le plus matériel qui soit. On n'échappait pas au sexe par la pensée. On ne le dupait pas. On lui cédait, ou on tentait en vain de le repousser.

Il lui céda.

Le plus souvent, ils baisaient chez Ulrike. Il leur arrivait de le faire dans le bureau d'Arthur, où, par deux fois, ils renversèrent la vraie poussière au pied de son dieffenbachia artificiel. Lors de ces débordements de passion, loin de la chimio, des turbans et des comprimés, Arthur se réaccoutumait à sa tumescence – chaude, écarlate, venimeuse, heureuse –, au frisson idiot et sans ambiguïté d'une femme chuchotant *bite* et désignant la sienne. À ses heures perdues, afin de ne pas penser à la mort, il imaginait Ulrike chevauchant son visage, son clitoris gonflant dans sa bouche telle une graine germant en accéléré.

Le faire chez elle avait ses avantages. Là, au sous-sol de cette résidence universitaire, irradiait une énergie juvénile, et la vigueur sexuelle d'Arthur se nourrissait des gamins de dix-huit ans qui, en haut, perdaient leur virginité et affinaient leur technique. Lui, un peu rouillé, réaffinait la sienne.

Ulrike Blau n'était pas une simple maîtresse. Pour commencer, elle était très certainement brillante. (Arthur n'avait aucun moyen de s'en assurer, ignorant comme il l'était en histoire et en littérature médiévales, mais son CV, qu'il avait consulté sur sa page, sur le site de l'université, était bien rempli. Si ses références, européennes, ne signifiaient rien pour lui, il ne pouvait douter du prestige d'une revue comme *Mittelalterliche Geschichte*.) En tout cas, elle était appréciée des étudiants et du personnel administratif, qui lui souhaitaient un *guten Morgen* en la croisant dans la cour. Son intelligence, sa popularité – c'étaient là des éléments essentiels. Ils l'élevaient au-dessus du niveau de la passade. C'était une femme d'envergure.

Que faisait-elle donc avec Arthur ?

La question s'insinua dans l'esprit de ce dernier. Ses prouesses intellectuelles à elle, sa calvitie à lui. Les trente ans qui les séparaient. Un soir, pris de remords par rapport à la santé de Francine et enivré par le schnaps qu'Ulrike avait dans son placard, il voulut savoir.

– Pourquoi moi ? demanda-t-il. Pourquoi moi, alors que tu aurais pu avoir n'importe quel jeune prof sur le campus ?

– Ne va pas à la pêche aux compliments, dit-elle. Ça ne m'attire pas.

– Mais *moi*, je t'attire. Je veux savoir *pourquoi*.

– C'est personnel.

– *Allez…*

Elle soupira.

– Je peux te raconter l'histoire d'une jeune Allemande qui a grandi dans la banlieue de Francfort.

Arthur remua. Son pénis pressa contre le tissu de son slip.

– Je t'écoute.

Ulrike acquiesça et expliqua ce qui s'était passé. Qu'elle avait été une ado timide, studieuse et solitaire ; qu'elle traversait Sachsenhausen Süd à vélo pour aller voir Karin, sa seule amie, qui habitait une petite maison près de Metzlerpark ; que Karin avait commencé à avoir des seins et était devenue tout à coup populaire un printemps, laissant Ulrike se morfondre devant chez elle tous les après-midi en attendant que Karin se sépare de ses nouveaux amis et rentre à la maison ; qu'un soir le père de Karin l'avait trouvée là, sur le perron, et l'avait invitée à entrer ; qu'elle s'était confiée à lui, sur son problème avec Karin ; qu'il l'avait écoutée attentivement ; que c'était un bel homme, avec de grosses mains, un torse puissant…

– Ça suffit, ça suffit !

L'excitation d'Arthur retomba, remplacée par de la jalousie. Il frissonna comme un chien mouillé s'ébroue pour sécher son pelage.

– C'est bon, dit-il. Tu as raison. Je n'ai pas besoin de savoir.

Dans la mesure où on venait de diagnostiquer à sa femme un cancer du sein, l'automne 2012 aurait pu être pire pour Arthur. (Profondément inquiet pour Francine, il l'était cependant tout autant à l'idée de se retrouver seul si elle ne s'en sortait pas. Il ne survivrait pas une heure au vide d'une vie de veuf, ça, il le savait. Ulrike était sa bouée de sauvetage, un besoin autant qu'une envie.) Et, stimulé, revigoré par sa liaison, il vit sa vie connaître des améliorations involontaires et inattendues. Il faisait des digressions durant ses cours et se moquait de l'*establishment* universitaire pour le plus grand plaisir de ses étudiants. Les ragots, les conflits, les coups de poignard dans le dos – toutes ces choses s'avéraient plus intéressantes que la force de torsion et la géométrie du mouvement, même pour les accros à la cinématique qui assistaient en personne à ses cours alors qu'ils étaient retransmis en direct sur le site de l'université. Il était plus proche de ses enfants, leur envoyait des textos en se rendant chez Ulrike et en en repartant, plein de bonne humeur.

En tant que mari, il devint un aidant modèle, un véritable spécialiste des soins palliatifs. Libéré de sa terreur de se retrouver seul après la mort de sa femme, il se consacra tout entier à s'occuper de celle-ci.

Mais Francine avait vingt-cinq ans d'expérience de thérapeute à son actif et dix de plus de vie commune avec Arthur. Elle se méfia de la soudaine sollicitude qu'il lui témoignait, des longues heures qu'il passait auprès d'elle à l'hôpital Barnes-Jewish, du tact avec lequel il communiquait son état de santé aux enfants. Les amis disaient qu'ils ne l'avaient jamais vu si attentionné.

Elle sut que quelque chose clochait.

Elle sauta l'étape des accusations et passa directement à la conclusion.

– Je ne veux pas connaître son nom et encore moins son âge, dit-elle, à demi consciente sur son lit du service

106

d'oncologie, reliée par des tubes à des poches de perfusion suspendues à un support métallique. Et épargne-moi tes simagrées. Envoie-moi Maggie.

– Ce n'est pas ce que tu crois, dit-il. C'est peut-être de la gentillesse. Je ne peux pas être gentil ?

– Non, dit-elle. Non, Arthur. Je ne crois pas que tu en sois capable.

Le plus douloureux n'était pas qu'elle ait vu juste, mais qu'elle le connaisse suffisamment bien pour cela, preuve de la longévité de leur couple. Ce truc qu'il avait foutu en l'air.

Il se sentit coupable. Terriblement. Surtout à présent qu'elle était au courant. Surtout à présent qu'il ne pouvait plus atténuer les scrupules qu'il avait à coucher avec Ulrike en étouffant sa femme d'attentions. Chaque heure passée au Barnes-Jewish, chaque page lue de *Auprès d'elle* et de *Ma femme a un cancer du sein* avaient calmé chez lui la même démangeaison. Et à présent, cette démangeaison s'étendait. À mesure que sa liaison se poursuivait, Arthur manquant encore et encore d'y mettre fin, il s'aperçut qu'il n'était pas simplement de ces hommes qui trompent leur femme mourante – il était de ceux qui ne peuvent pas s'arrêter.

Après l'incinération, Arthur, qui avait grandi dans la classe moyenne quand celle-ci existait encore, et dont la frugalité congénitale avait toujours été contrebalancée par la volonté de Francine de dépenser, s'attendait, sans les revenus de sa femme, à devoir procéder à certains ajustements. À certains changements dans son mode de vie. Le problème, c'était ce à quoi il ne s'attendait pas.

Y penser le perturbait.

L'exécution du testament de Francine mit au jour un secret qu'Arthur jugeait bien plus grave que son aventure extraconjugale à lui. Durant l'éreintant cauchemar administratif qui suivit, il fut révélé que, depuis trente ans, Francine gérait un portefeuille d'actions dont elle était seule titulaire et qui avait été créé légèrement avant son mariage avec Arthur. Il y en avait pour une petite fortune.

Curieusement, alors que Francine n'avait jamais manifesté le moindre intérêt ni la moindre disposition pour les marchés financiers, avec leurs bilans, leurs dividendes et leurs indices (ce n'était pas une « personne de chiffres »), elle avait réussi à prédire le développement d'un géant de la technologie tout en ayant la sagesse d'investir dans des secteurs plus discrets et à l'abri des récessions comme l'industrie agroalimentaire, dont l'entreprise même qui fabriquait les Cocoa Scabs qu'Arthur mangeait en ce moment sans plaisir.

C'eût été un miracle, une manne tombée du ciel, si Arthur n'avait fauté avec la médiéviste. Mais il avait fauté, et Francine l'avait su.

Dans ses derniers jours, elle avait fait modifier son testament.

Et légué cet argent à leurs enfants.

Arthur n'en vit pas un centime.

La famille habitait Chouteau Place, un quartier haut de gamme clôturé situé entre Forest Park et le Delmar Loop de University City. Ses rues curvilignes, arrangées en fers à cheval concentriques, appartenaient légalement aux riverains, qui avaient la charge d'entretenir les chaussées et les trottoirs, et d'organiser les chasses aux œufs de Pâques sous les épais feuillages des arbres. Les « quartiers privés », comme on les appelait, étaient un concept local remontant à avant la division en secteurs, inventé par un géomètre d'origine prussienne arrivé par mariage dans l'administration municipale. Ils correspondaient à un rêve suburbain d'allées calmes et de points d'entrée contrôlés. Quatre imposantes portes surmontées de tourelles avaient ainsi permis autrefois l'accès au miniquartier des Alter, une au milieu de chaque côté du mur d'enceinte haut et difficile à escalader, car initialement conçu pour éloigner les pauvres, les Noirs et les Juifs. Depuis, il y avait eu du progrès : les portes et les tourelles avaient été rasées – ne restaient que les épais piliers de pierre latéraux –, et on s'était habitué aux Juifs.

Lors de leur première année à Saint Louis, les Alter avaient loué un trois-pièces dans le Central West End. Arthur préférait la vie d'universitaire à celle d'ingénieur surmené, et il était confiant dans sa capacité à s'incruster. Sitôt son contrat de professeur invité renouvelé pour une deuxième année, il avait contracté un emprunt pour acheter la maison de Chouteau Place, en assurant à Francine que son poste ne lui échapperait plus. Il avait fait beaucoup d'efforts au début, s'insinuant dans les bonnes grâces du département et obtenant même quelques sourires de la part de Sahil Gupta, l'indomptable doyen à qui on avait conseillé de le recruter. Il se portait volontaire pour donner les cours que personne ne voulait donner, un nombre de cours impossible, et se rendait indispensable. En théorie, il restait « invité », mais personne ne lui demandait jamais de partir, et chaque année le rêve d'Arthur d'un poste permanent à l'université grandissait en proportion inverse à sa probabilité. Quinze ans s'étaient cependant écoulés depuis le rejet de sa demande de titularisation. Chaque année, on lui confiait de moins en moins de cours. On ne le payait plus que comme un professeur adjoint, renouvelait toujours son contrat à la dernière minute. Devenu aigri, il se voyait désormais tel qu'il était : manipulé et sous-payé, le cou raidi de se trouver depuis si longtemps sur le billot. Il lui restait douze longues années d'emprunt à rembourser. Il allait devoir continuer à travailler au moins aussi longtemps.

Cette maison avait toujours été un peu trop chère. Un poil au-dessus de leurs moyens. Mais elle n'était pas plus grandiose que la vision qu'avait Francine de sa famille, ni Arthur de lui-même. C'était une magnifique maison coloniale de bois et de brique, modeste par rapport à celles qui l'entouraient, et, du point de vue d'Arthur, une merveille d'ingénierie : la pièce qui devait devenir le cabinet à domicile de Francine avait, face à la rue, un mur constitué de panneaux de verre soutenus par de fines armatures d'acier, telle une serre, et qui, grâce à sa conception ingénieuse, était capable de résister aux vents d'hiver et aux grêles les plus violentes. Ce cabinet avait été le cadeau qu'il lui avait fait, une consolation pour être venue s'installer avec sa famille au cœur du cœur du pays.

Ils s'étaient serré la ceinture. Les enfants avaient minimisé le coût de leurs études en allant à l'université locale. Tout cela pour qu'ils continuent à habiter leur petite enclave. Aussi longtemps qu'elle comblerait leur vie.

Mais l'emprunt, dans les circonstances présentes, était trop lourd. Sans les revenus de Francine, Arthur devait supporter seul les traites de la maison avec son poste allergique à la titularisation. Les deux cours qu'il donnait ce semestre lui rapportaient cinq mille dollars chacun. Cela le peinait de penser à l'effort financier qu'avait dû fournir Francine pour faire vivre la famille alors qu'ils étaient venus là pour la carrière d'Arthur. Il prenait du retard dans les échéances de remboursement. Ce détail n'avait pas échappé à sa banque, qui jouait avec l'évaluation de sa solvabilité comme un gamin de dix ans avec son pénis : avec curiosité, et par plaisir.

Il ne se passait pas un jour sans qu'Arthur ne se demande comment, et pourquoi, sa femme avait épargné tout cet argent. Où elle l'avait trouvé était un mystère pour lui. Mais pourquoi le lui avoir caché ? Et quelle *utilité* en avait-elle ? Était-ce une caisse de secours ? Avait-elle l'intention de le quitter ? Il avait envisagé toutes les possibilités. Aucune n'avait de sens.

La famille Alter avait eu la chance de sortir relativement indemne de la crise de 2008. Mais sept ans plus tard, le prix de l'immobilier n'était pas remonté, et Arthur n'aurait pu, même s'il l'avait voulu, revendre la maison sans perdre beaucoup d'argent.

Car c'était là un autre problème : il ne le voulait pas. Il ne pouvait supporter d'échouer encore une fois, de perdre encore quelque chose. Il habitait chez Ulrike tandis que la maison dont il serait bientôt dépossédé restait inoccupée, monument à la gloire de la défaite,

111

qui lui rappelait à la fois et à égale mesure sa défunte épouse et son expulsion imminente.

Ses enfants lui manquaient-ils ? Envisager cette question était insoutenable, comme regarder le soleil les yeux grands ouverts. Matériellement, elle était absurde. Ce qui lui manquait, c'était son ancienne vie, et ses enfants en faisaient partie. Sa femme était morte. Sa maison allait lui être saisie. Ses enfants étaient tout ce qui lui restait. Ses enfants – et le magot inattendu à leur nom.

Ulrike s'étouffa en ronflant et se réveilla en sursaut. Ses mains balayèrent le lit.

– Mmh ? Arthur ? Reviens. Reviens te coucher.

Il posa son bol dans l'évier.

– Je sors, dit-il.

– Pour quoi faire ?

– J'ai une réunion. Une réunion de département.

– Un samedi ?

– Oui. Rendors-toi.

Ulrike soupira et reposa sa tête sur son oreiller.

Leur liaison était déjà bien entrée dans sa troisième année. « Liaison » ne semblait plus un terme approprié, il ne correspondait plus à ce qu'Arthur avait l'impression de vivre. Depuis la mort de Francine, Ulrike avait cessé d'être « l'autre femme ». Elle était désormais *la* femme. Il savait qu'il était en couple avec elle car il avait commencé à lui mentir sur ses allées et venues.

Il sortit discrètement sur le campus. Le temps était clair et rafraîchissant en cette matinée de mars, l'air raréfié de Danforth à présent saupoudré de parfums et d'allergènes, l'hiver terminé mais le vent toujours piquant – il prenait de la vitesse, agitait les arbres. Transportait les pollens et secouait les vitres. Le frémissement moléculaire de la nature. C'était le genre de matin où on ne détestait pas être professeur. Où on se souvenait que le but du savoir était de rechercher la beauté. Rechercher la beauté et la vérité, et tracer des lignes autour d'elles. De vivre heureux entre ces murs.

Arthur passa devant un groupe de slack-liners et fila droit vers le majestueux Greenleaf Hall sur le campus principal. À l'intérieur, il gravit un escalier mal entretenu jusqu'à la bibliothèque des études africaines, traversant les faisceaux de lumière orangée qui tombaient des six fenêtres en ogive au-dessus de lui.

La bibliothèque était dans un état de délabrement élégant. L'université, d'ordinaire d'une rigueur fasciste dans l'entretien de ses locaux, avait laissé la bibliothèque des études africaines tomber en ruines. Une odeur de pourri flottait près du plafond, comme si une bestiole était allée crever dans la charpente. Entre cette odeur, la connexion wifi qui ramait et l'absence de café, tout contribuait à faire de cet endroit un espace de travail impopulaire auprès des étudiants, et, un samedi matin de mars, Arthur s'y savait dans son sanctuaire particulier. Aucun risque d'y croiser un collègue. Pas d'étudiants en vue. Il huma l'odeur de mort. Une horreur. Mais c'était le prix à payer pour la solitude qu'il recherchait.

Il s'assit à une longue et robuste table, et écrivit.

Dehors, sur le campus principal, le vent forcissait, il entendait ses bourrasques longer les bureaux des doyens, vice-doyens et professeurs émérites. Son stylo frémissait entre ses doigts.

113

Il eut l'impression d'être un dragueur, un pervers sifflant sa vie tandis qu'elle passait devant lui dans la rue en minijupe.

En tremblant, il plia les deux feuilles de papier et les cacha au fond de sa poche.

L'autre atout de la bibliothèque des études africaines – et ce n'était pas négligeable – était d'abriter son objet de réconfort. (C'était Francine qui l'avait appelé ainsi. Elle aimait identifier les objets de réconfort de ses patients et des membres de sa famille. Leurs totems et leurs fétiches. L'incarnation matérielle de leurs désirs refoulés. Elle avait désigné celui d'Arthur en plaisantant, mais, comme toutes les plaisanteries, elle contenait une part de vrai.) Se levant de son siège, il se dirigea vers le fond de la salle pour aller le chercher.

Arthur s'approcha des étagères avec une vigilance de prédateur, fit courir ses doigts sur le dos des ouvrages qui dépassaient. Cuir, carton, papier glacé ou brut, texte lisse ou en relief. Sa seule et unique publication. Lorsqu'on lui demandait pourquoi il n'avait jamais publié d'étude complète, Arthur répondait du tac au tac : des livres, le monde en a assez comme ça.

Il bondit dès qu'il l'aperçut. Une fine couverture cartonnée rouge pâle, sans jaquette, la colle craquelée au niveau de la reliure. En titre était écrit : VERS UN NOUVEAU SYSTÈME SANITAIRE DANS LA NOUVELLE NATION DU ZIMBABWE : PROPOSITION, 1981. Et au-dessous, en caractères plus petits (mais non moins dignes) : ARTHUR ALTER.

Il existait moins de cinquante exemplaires de cet ouvrage dans le monde. La plupart avaient sans doute été pilonnés depuis, ou avaient échoué dans des bibliothèques de prisons. La collection personnelle d'Arthur avait péri dans un incendie domestique quinze ans plus tôt. Un accident de machine à laver séchante, un filtre à peluches plein qui avait bouché la ventilation et retenu des gaz d'échappement inflammables. Le gros carton contenant les exemplaires d'Arthur, entreposé tout près, avait été détruit, à la fois par le feu et par l'eau, la machine ayant fui en brûlant. Mais tant que Danforth en conservait un exemplaire, il était rassuré. Il ne risquait rien.

Son pouls ralentit jusqu'à retrouver une cadence humaine. Il respira profondément, avec des inspirations et des expirations prolongées. Il s'attarda sur le mot PROPOSITION. Un mot avait-il jamais contenu autant d'espoir ? Il le regarda fixement, ses o ouverts, ses P tels des passe-partout.

Son sentiment de culpabilité décrut. Là, dans la vieille bibliothèque, en tournant et en retournant l'ouvrage dans ses mains, Arthur se sentit envahi d'une confiance nouvelle. Il lui faudrait poster ses deux lettres avant qu'elle ne le quitte.

5

Ce fut Arthur qui décida que son fils irait à l'université de Danforth. Ethan avait d'assez bons résultats pour être accepté dans un autre État, mais Danforth faisait miroiter la prise en charge d'un généreux pourcentage des frais de scolarité pour les enfants de bon niveau des employés ayant servi l'université cinq ans ou plus. Arthur en était à sa sixième année. Il apprit l'existence de cette subvention par le guide des aides financières de l'université, un document de papier glacé qui, tel un livre sacré, eut pour effet de le convertir sitôt qu'il l'eut reposé. Il se mit à appeler Danforth « la fac d'Ethan » longtemps avant la date limite de dépôt des dossiers de candidature. Il le répéta si souvent et avec tant d'assurance que lorsque les lettres d'acceptation de son fils se déversèrent sur le sol sous la fente de la porte d'entrée, personne ne se précipita pour aller les ouvrir.

Ethan, alors en première, n'était pas emballé par cette idée. Il n'avait rien contre Saint Louis et était flatté par l'insistance d'Arthur pour qu'il reste dans les parages, quelle qu'en soit la raison. Mais il brûlait d'envie d'aller ailleurs, à New York, pour être précis, où il pourrait être lui-même, peu importe ce que cela voulait dire, loin du regard scrutateur de son père. Ethan ne pouvait risquer de le croiser sur le campus. Pas à l'université. Il n'y survivrait pas, il en était sûr. Mais Arthur lui expliqua que s'il ne voulait pas passer les trente prochaines années de sa vie étouffé de dettes, il serait bien inspiré de profiter de l'offre. De plus, le 11-Septembre remontait à peu, on s'inquiétait beaucoup pour la sécurité intérieure, et quelle cible moins désirable pour les terroristes qu'une ville qui n'était même pas capable d'attirer des touristes étrangers ?

– Je comprendrais que tu veuilles postuler ailleurs, dit Francine, qui pilotait une initiative de soutien psychopédagogique entre étudiants sur le campus et donnait de son temps pour organiser des stages d'information sur le stress, l'angoisse, la dépression, les troubles de l'alimentation et autres problèmes communément observés chez les jeunes étudiants. Je conçois que tu ne veuilles pas aller dans la fac où travaillent tes parents.

Ethan se tourna vers son père, qui haussa les sourcils avec espoir.

– Ouais, dit-il en hochant la tête. Je sais pas. Ça peut peut-être se faire.

Arthur prit le peut-être de son fils pour un oui et se mit à applaudir cette décision chaque fois qu'il en avait l'occasion. « Ethan va venir avec moi à Danforth, disait-il à la famille et aux amis, grâce à une généreuse remise de l'université pour les enfants du personnel. » Parfois, il en attribuait l'idée à Ethan. « Il a été malin d'en profiter », disait Arthur en tapant sur l'épaule de son fils d'un air approbateur, comme si l'économie réalisée devait profiter à Ethan et non servir à rembourser

117

l'emprunt sur la maison familiale. Non que ces tapes sur l'épaule n'aient pas de valeur pour Ethan, car elles en avaient, réellement, mais le mot – *remise* – lui resta en travers de la gorge, et il eut toujours un peu l'impression que ses études avaient été choisies dans un bac d'articles en promotion, que les étudiants qui l'entouraient dans les amphithéâtres, ceux dont les parents payaient plein tarif, apprenaient des choses que, lui, n'apprenait pas, revenaient après les cours et recevaient un enseignement supplémentaire.

Les Alter n'habitaient qu'à quelques minutes de marche de l'université, mais Ethan convainquit ses parents que lui payer une chambre sur le campus était la moindre des choses. « Je ne me ferai jamais d'amis ici », dit-il à Francine en montrant les rues sobres de Chouteau Place par la fenêtre de la salle à manger. Il avait certains arguments, à commencer par les 23 280 dollars par an qu'il leur faisait économiser en étudiant à Danforth.

Ses parents cédèrent. Mais avoir une chambre sur le campus impliquait de la meubler, ce qui donna lieu à d'innombrables et terribles scènes entre Arthur et Francine chez Tubs & Tupperwares Too sur la promenade de Brentwood. Ils s'engueulaient à propos des surmatelas et des lampes de bureau, des tableaux d'affichage et des liseuses, des caissons de rangement empilables et des casiers à chaussures. Sur la nécessité pour Ethan d'avoir un serviteur de douche et un panier à linge.

– Moi, je suis parti pour la fac avec un sac à dos, dit Arthur avec mépris. Un sac à dos, c'est tout.

– Tu sais pertinemment que c'est faux, rétorqua Francine.

– Ah bon ? Tu étais là ?

Rien ne contrariait plus le père d'Ethan que les gadgets. C'était un minimaliste. Il n'avait jamais appris à investir – n'en avait jamais rêvé – cet espace enviable de la « classe moyenne supérieure ». Les Alter ne connaissaient que trop bien sa position : il avait besoin d'un réfrigérateur pour garder sa nourriture au frais et d'une fosse septique pour aspirer sa merde sous terre. À quoi servaient tous ces autres gadgets ? Francine dépensait, Arthur geignait. Le yin et l'insupportable yang. Il avait piqué une crise le jour où elle avait rapporté à la maison une guillotine à bagels. Il avait coupé ses bagels avec un couteau par représailles.

– Très bien, dit-il en examinant le contenu du caddie. Explique-moi pourquoi notre fils a besoin d'une bouilloire électrique.

– Parce que c'est pratique. Pour le thé, quand il apprendra ses cours. Il pourra aussi se faire du café instantané ou du chocolat chaud. Ce n'est pas un luxe criminel, quand même.

Arthur se tourna vers Ethan :

– Tu bois du thé ?

– Ben, pas vraiment…

– Tu vois ?

– Tu oublies le café instantané et le chocolat chaud, rappela Francine.

– Tu sais combien de fois j'ai eu besoin d'une bouilloire électrique dans ma vie ? Combien de fois les mots « bouilloire électrique » me sont seulement venus à l'esprit avant aujourd'hui ? Zéro. Voilà combien de fois. Zéro.

Francine insista avec toute la finesse d'une thérapeute en activité.

– Ce n'est pas une simple bouilloire électrique. C'est plus que ça. Réfléchis : imagine que quelqu'un passe devant la chambre d'Ethan pendant qu'il est en train de se faire un thé, ou un chocolat chaud. La personne l'aborde : « Dis donc, ça a l'air bon, je peux goûter ? » Et ils engagent la conversation. Tu comprends ? C'est difficile de s'habituer à un nouvel environnement. Il faut donner aux autres l'occasion d'entrer en contact avec soi. Ça...

Elle sortit la boîte du caddie et la secoua.

– ... c'est une occasion. Et je pense que ça justifie l'achat d'une bouilloire électrique. Ça justifie de dépenser *vingt-cinq dollars*.

Arthur les quitta en grommelant et alla les attendre dans la voiture. Francine sourit.

– Tu vois, dit-elle à son fils mort de honte en poussant le caddie au rayon cuisine, il n'est pas si dur quand on apprend à lui résister.

Vieux de plus d'un siècle, le campus principal de Danforth coiffait une sorte d'acropole. Il avait toujours impressionné Ethan, enfant. Aujourd'hui, étudiant fraîchement inscrit, il trouvait sa splendeur creuse. Au dîner, Arthur se lança dans un long discours sur le problème : le campus principal se voulait construit sur le modèle d'Oxford et de Cambridge, avec ses voûtes, ses flèches et ses créneaux, alors qu'en réalité il s'inspirait évidemment des universités de l'Ivy League, elles-mêmes singeant Oxford et Cambridge, ce qui faisait de Danforth l'imitation d'une imitation. Pire, tous les bâtiments plus récents dispersés sur le Grand Campus aspiraient à ressembler à ceux du principal et, en mêlant briques roses et fenêtres à haute performance énergétique, avaient l'air à la fois contemporain et multicentenaire, troublant hommage montrant bien qu'on n'échappe pas au passé.

Mais Ethan était moins préoccupé par l'architecture que par son père. L'idée qu'ils puissent se croiser dehors sur le campus, en public, continuait de le terrifier. Arthur, qui le devina – ou qui lui-même ne tenait pas à rencontrer son fils dans la file d'attente pour les sandwichs à l'Olin Lounge – alla le trouver la veille de son emménagement pour lui faire une proposition.

– Écoute, dit-il posément. On va diviser le campus en deux. Le campus principal, là où est mon bureau, ce sera territoire interdit pour toi entre dix heures du matin et cinq heures de l'après-midi. De mon côté, j'éviterai au maximum le Grand Campus et le West Forty. C'est là que tu habiteras et que tu auras la plupart de tes cours cette année de toute façon. Ça marche ?

– Ça marche, acquiesça Ethan.

L'emménagement se passa bien – Arthur resta à la maison pour protester contre les cérémonies d'accueil et la façon exagérée dont l'université dorlotait ses étudiants – mais se faire des amis se révéla plus difficile pour Ethan. Personne à Danforth ne lui donna l'occasion que Francine avait espéré favoriser par la bouilloire. Des cliques impénétrables s'assemblèrent en quelques jours, pour la plupart formées de jeunes de la côte Est qui se connaissaient du lycée, d'un stage de théâtre ou d'un championnat de foot. Une foire aux activités eut lieu, fondée sur l'idée qu'on savait ce qu'on aimait faire et qu'on voulait le faire avec d'autres. Les sportifs se promenaient en meutes, les étudiants en beaux-arts s'enfermaient dans leurs ateliers toute la journée.

Ethan, dépourvu de toute passion collective, erra. Il était bon élève, avait joué un an dans l'équipe de base-ball du lycée (champ droit) et était beau garçon. Mais ces qualités ne lui avaient jamais permis d'entrer dans une communauté. Elles n'avaient jamais fonctionné que pour lui-même.

Les première année étaient à la merci des fraternités, qui organisaient des événements avec des thèmes comme « En skieur ou en slip », « Les pharaons se dévergondent ». Les sororités n'avaient pas de locaux où faire de même à cause des lois de l'État définissant les maisons closes. Ethan ne comptait plus le nombre de sous-sols sombres où, planté dans un coin, il regarda des jeunes femmes se faire enduire de mousse puis tripoter. Les fêtes organisées par les groupes d'étudiants LGBT n'étaient pas mieux. On y passait la même musique et se servait des mêmes machines à mousse, la seule différence étant qu'on s'y tripotait sans respecter les normes de genre. Deux fois, Ethan ramena chez lui des garçons en manque de câlins matinaux. Leur avidité le dégoûtait – elle lui était trop familière. L'un d'eux le traîna à une réunion de la Danforth Pride Alliance, mais Ethan ne comprenait pas ce que ses membres avaient en commun, ni ce que lui-même avait en commun avec eux, en dehors de l'évidence. D'accord, ils n'étaient pas hétéro-sexuels – et alors ? De la même manière, lui semblait-il, il aurait pu créer un club pour les Juifs blonds.

Il s'inscrivit à un cours du département des études de genre, « Introduction à la sexualité », plus thérapeutique que pédagogique. Ses camarades de classe faisaient volontiers partager les détails de leur vie privée, comme si l'intimité n'était pas une chose qui se gagnait mais se transmettait par régurgitation comme la nourriture chez les oiseaux. Le premier devoir de l'année consista en une enquête à laquelle il fallait répondre et qui recensait les divers actes sexuels qu'on avait pratiqués et à quel âge. Contrairement à Ethan, tous ces petits Kinsey ne furent que trop contents de dévoiler l'histoire de leur vie sexuelle. Les questionnaires étaient anonymes, mais Ethan, seul garçon de la classe, fut trahi par son écriture. À la fin du premier trimestre, il s'aperçut que les autres se retrouvaient sans lui après les cours pour aller dîner.

Les mois passèrent sans qu'il sympathise avec per-sonne à l'université, pas même avec son colocataire, dont les seuls centres d'intérêt semblaient se limiter au jeu en ligne et à sa petite amie laissée à Nankin. Tianyi – Eugene, comme il insista pour qu'Ethan l'appelle – était le fils timide d'un haut fonctionnaire du gouverne-ment chinois. (Eugene ne haussa la voix qu'une fois durant toute l'année, interrompant son professeur de géopolitique, qui était aussi celui d'Ethan, pour dénoncer, dans un anglais laborieux, les manifestations du 1er juillet à Hong Kong.) Mais derrière ses postures idéologiques, Eugene avait un faible pour le capitalisme américain. Il arborait des Nike Dunk sous son pantacourt cargo et jouait aux machines à sous 3D jusque tard dans la nuit. Il avait une Maserati qu'il garait sur le parking étudiant.

Sa présence constante usait Ethan. La solitude, s'aperçut-il, était paradoxalement addictive. Tout ce qu'il voulait après avoir été seul toute la journée sur le campus, c'était être seul dans sa chambre. « Au moins, tu ne te retrouveras pas à la porte parce que ton coloc s'envoie en l'air », dit son conseiller résidentiel scarifié par l'acné, expliquant qu'un colocataire antisocial et crypto-fasciste ne donnait pas droit à un transfert de chambre.

Ethan parvenait la plupart du temps à éviter son père, mais les frontières territoriales sur lesquelles ils s'étaient accordés étaient nécessairement poreuses. Il lui arrivait d'aller s'entretenir avec des professeurs durant leurs heures de permanence sur le campus principal. Une fois, après avoir consulté l'un d'eux à propos d'un devoir à rédiger – le cours s'intitulait « Premières angoisses : la glorification du crime dans la culture populaire américaine », une nouvelle proposition du département des études américaines, lequel occupait l'ancien bâtiment de sociologie sur le campus principal –, Ethan s'arrêta à Greenleaf Hall pour passer aux toilettes. Il s'approcha discrètement de l'un des deux urinoirs libres. Baissant sa braguette, il jeta un coup d'œil à sa gauche où, sous la lumière verdâtre des néons, il reconnut son voisin. L'homme en question, son père, tourna brièvement la tête vers lui avant de la baisser à nouveau. Il termina de pisser, secoua son sexe, remonta sa braguette et alla se laver les mains. Il sortit sans un mot.

Il était tout à fait possible que le père d'Ethan n'ait pas vu que c'était lui. Ou peut-être avait-il pour règle de ne jamais adresser la parole à ses voisins d'urinoir. Ce qui pouvait se comprendre. La procédure avant tout. Mais une autre possibilité vint à l'esprit d'Ethan, attristante et mesquine à la fois : la possibilité que son père l'ait reconnu et, en accord avec leurs dispositions territoriales, ait fait comme si de rien n'était.

À la fin de sa première année, Ethan demanda et obtint une chambre particulière dans l'une des résidences modernes que l'université avait fait construire dans le West Forty. Il avait renoncé à l'idée de trouver un nouveau colocataire et craignait qu'Eugene, par manque d'information en tant qu'étudiant étranger, ne compte sur la poursuite de leur cohabitation. Il tenta plusieurs fois de lui en parler, mais ce fut Eugene qui creva l'abcès en avril.

– Il faut qu'on parle de la question du logement pour l'année prochaine, dit-il un après-midi.

– Ouais, dit Ethan. À ce propos…

– Je vais être en coloc avec cinq autres étudiants chinois.

– Pardon ?

– Je suis désolé, dit Eugene en posant une main sur l'épaule d'Ethan. Je suis sûr que tu vas trouver un logement sympa.

Ethan était plus sceptique. Aux soirées, il avait l'impression d'appartenir à une autre espèce. Il ne savait pas comment aborder les autres. La vie sociale était régie par les activités extra-universitaires. L'établissement comptait trois groupes de chant *a capella* : un coréen, un noir et un dont les membres modifiaient les paroles de chansons populaires pour en faire des chansons de Hanoukka. Ethan participa à une séance d'essai pour jouer dans l'équipe de softball mais ne fut pas sélectionné. Du parking, on aurait dit que tout le monde se connaissait déjà. Il en était venu à voir en Eugene un frère de solitude, un compagnon de souffrance, mais qu'en savait-il ? Peut-être Eugene avait-il joué aux machines à sous 3D toute l'année avec d'autres expatriés du campus et s'était-il forgé des amitiés nouées par les câbles Ethernet. Ethan apprit alors qu'il existait autant de niveaux de solitude que d'individus, et qu'on ne doit jamais supposer de points communs entre la sienne et celle des autres.

Bien que le bâtiment soit neuf et tout confort, on avait déjà collé une étiquette sur Wrighton, la résidence d'Ethan. Constituée principalement de chambres individuelles, elle passait pour « la résidence des inadaptés », un refuge pour ceux qui n'avaient pas d'amis et avaient besoin d'un logement à part. Les douches étaient équipées de sièges et de poignées pour les étudiants en fauteuil roulant qui, selon la politique de l'université pour les handicapés, avaient la garantie d'être accueillis à Wrighton. Ce genre de fantaisies décourageait les candidats. L'étudiant en économie dépressif qui s'était jeté d'un balcon du troisième étage l'année précédente n'avait rien arrangé.

Avant le début de sa deuxième année à Danforth, Ethan avait succombé à une solitude en partie facilitée, voire encouragée, par la structure de la résidence elle-même. L'éloignement des chambres entre elles et le manque d'espaces communs avaient pour effet de maintenir les reclus dans leur réclusion. Ethan se surprit même à regretter Eugene, qu'il apercevait parfois sur le campus en compagnie d'une nouvelle petite amie, entouré d'enfants de diplomates et banquiers chinois. L'année universitaire 2004-2005 ne s'annonçait pas plus prometteuse que la précédente.

Seul un petit mystère suscitait chez lui une lueur d'intérêt. Par-dessus la porte de la chambre d'en face de la sienne était tendue une bannière blanche où, en lettres cousues de fil bleu, on lisait : TON PROCHAIN. C'était le seul signe de vie à Wrighton. Chaque fois qu'il sortait dans le couloir, il se retrouvait face à cette bannière, qui couvrait la hauteur de la porte et disparaissait sous le bord supérieur du chambranle. Elle devint une obsession pour lui. Il se demandait qui habitait derrière. Plus d'une fois, en sortant du brouillard d'un cours après le déjeuner, ayant laissé distraitement son stylo courir sur la page et tracer des traits et des lignes aléatoires, il découvrit les mots TON PROCHAIN empiétant sur ses notes.

Un après-midi, fin septembre, alors qu'un courant d'air froid et fétide balayait le campus, Ethan découvrit la bouilloire électrique, encore emballée dans son carton, dans un sac marin au fond du placard de sa chambre. Il eut un mouvement de recul. Sa poitrine se contracta et ses joues devinrent chaudes. C'était comme s'il était à nouveau chez Tubs & Tupperwares Too et regardait ses parents se chamailler, jugés de loin par les vendeurs. La honte était encore bien présente. Il prit le carton et sortit le jeter.

En se dirigeant vers les grandes poubelles au bout du couloir, il entendit une voix derrière lui demander :

– C'est quoi ?

Ethan se retourna. Un jeune homme était appuyé contre la porte à la bannière, encadré par ces deux mots mystérieux : TON PROCHAIN.

M. Prochain était mignon, dans le genre quelconque. Il avait des joues rondes et des cheveux châtain clair hérissés d'un gros épi au-dessus de son large front. Il se tenait sur l'avant des pieds et se donnait ainsi deux ou trois centimètres supplémentaires. Il portait le pantalon chino bien ajusté du mec qui sait s'habiller et le tee-shirt Old Navy de celui qui ne sait pas. Ses yeux étaient vert pâle, deux merveilles uniques.

– C'est une bouilloire, dit Ethan en s'efforçant de reprendre ses esprits.

– Quoi ?

– Une bouilloire. Pour faire chauffer de l'eau.

– Ah. Très pédé.

Les joues d'Ethan perdirent leur couleur. Bien qu'ayant fait son coming-out à ses parents il y avait à présent trois ans, il passait généralement pour hétéro, ce qui le mettait dans la position délicate de devoir révéler son homosexualité à chaque nouvelle personne qu'il rencontrait. C'était pénible, cette évocation sexuelle pour informer les gens, et à quoi bon ? Pour qu'ils le rangent dans une catégorie arbitraire ? Il avait fini par ne plus se donner cette peine. C'était devenu pour lui un objet de fierté que personne ne repère de quel bord il était. Comment M. Prochain avait-il deviné au premier coup d'œil ? Puis il se rappela ce qu'il tenait dans ses mains. C'était la bouilloire, comprit-il. C'était la bouilloire qui était « très pédé ».

– Moi, c'est Charlie.

– Ethan.

Charlie le suivit jusqu'au bout du couloir.

– Je m'en débarrasse, expliqua Ethan.

– Comme tu le sens.

Charlie haussa les épaules, puis, levant le couvercle de la poubelle :

– Adieu, bouilloire !

Tout à coup, il était partout. Au réfectoire, à la bibliothèque – ils avaient les mêmes emplois du temps, les mêmes habitudes. Ethan avait dû croiser son voisin de couloir mille fois avant de faire sa connaissance, sans jamais remarquer ce maigrelet avec son épi, comme on peut ne pas remarquer une chanson pop malgré des écoutes passives répétées dans les supermarchés et les centres commerciaux. Ils suivaient même un cours ensemble, « Introduction à l'évolution humaine », où Ethan se mit à s'asseoir à côté de Charlie et à l'aider avec les noms de leurs ancêtres hominidés. *Australopithecus africanus*, chuchotait-il. *Homo heidelbergensis*.

Spécialisé en physique, Charlie s'était inscrit à ce cours pour les unités de valeur qu'il lui apportait en sciences humaines. Ce natif de Saint Louis, apprit Ethan, était également le cinquième et plus jeune fils de Dan et Ellen Bugbee, et le seul qui ne travaille pas actuellement chez Anheuser-Busch, dans la distribution, avec leur père. « C'est ce qu'on fait dans ma famille, expliqua-t-il.

Anheuser, c'est une bonne boîte pour nous. Tu vois la brasserie ? Près de Soulard ? C'est un peu notre patrimoine familial. Mon père disait qu'on élevait des chevaux – il parlait des clydesdales de la pub. Disons-le comme ça : dans ma famille, personne n'a jamais perdu une partie de jeu à boire. » Sur la Highway 40, une enseigne au néon affichait par intermittence un pygargue battant des ailes et un *A* d'Anheuser vide se remplissant de bière. Charlie prétendait que tous les Bugbee étaient capables de prédire, avec un taux de réussite étonnant, quelle image allait apparaître au moment où leur voiture passait devant. Le blouson préféré de Charlie avait un logo similaire imprimé dans le dos, l'aigle et le *A*.

Charlie était un Bugbee jusqu'au bout des ongles. Contrairement à la majorité des étudiants en anglais, histoire et philosophie, dont les études colonisaient leur personnalité, Charlie refusait de se laisser transformer en intellectuel par Danforth. « Mes parents ont été surpris que j'aille ici plutôt qu'à Mizzou, comme mes frères. Je leur ai promis que ça ne me changerait pas. Je ne vois pas pourquoi ça devrait. C'est vrai, quoi. Je continue de suivre les matchs des Tigers. Et je ne vais pas arrêter de boire de la Bud. »

– C'est quoi, cette bannière ? demanda Ethan un après-midi.

Le cours venait de se terminer, la salle se vidait peu à peu, et les deux *Homo sapiens* reprenaient le chemin de Wrighton. Ethan marchait de cette façon qu'il avait perfectionnée avant l'âge de dix ans, en fredonnant intérieurement la chanson qui donnait à son pas un rythme lourd et décidé. *Moi-c'est. E-than. Al-ter. Se-cond. Pré-nom. Da-vid.*

– Quelle bannière ?

– Sur ta porte.

– Ah, ça. Ça vient de ma colo, dans le Maine.

Bien que la famille de Charlie, expliqua celui-ci, ne quitte pratiquement jamais le Midwest, ces dix derniers étés il avait pris l'avion vers l'est pour se rendre à Brundle Pines, la plus vieille colonie de vacances pour garçons des États-Unis, d'abord comme participant puis comme moniteur. Cette colonie de vacances était, à en croire Charlie, un Éden dans une forêt d'épicéas, près d'un étang chaud et endormi. Où les garçons, dit-il, sincère, apprenaient à devenir des hommes.

– Mon père fait des journées doubles tout l'été pour m'envoyer là-bas.

Deux monuments de bois à la mémoire des garçons de Brundle morts pendant les Première et Seconde Guerres mondiales s'élevaient au milieu de la cour du camp. Il parlait de cet endroit avec passion, l'œil brillant : les balades en canoë au lever du soleil, sous une pluie d'aiguilles de conifères, à l'abri du regard calculateur des filles ; les quatre piliers de la colonie (fraternité, nature, leadership, silence), le luxe singulier des terres sauvages de la Nouvelle-Angleterre. Sur l'envers de la bannière accrochée à sa porte, expliqua-t-il, était écrit D'ABORD.

Ton prochain d'abord. La devise de Brundle Pines.

– Ça a l'air super, dit Ethan.

– Ça l'est.

Ils arrivèrent à l'entrée de la résidence. Charlie passa sa carte magnétique pour ouvrir la porte.

– Je peux savoir, dit Ethan, pourquoi tu es à Wrighton ? Je veux dire, moi, j'avais envie d'habiter seul, mais ce n'est pas le cas de tout le monde. Je me demandais…

– Je me suis fait planter, dit Charlie. Par les gosses de riches de ma résidence de l'année dernière. On devait emménager dans une grande chambre tous ensemble, et à la dernière minute ils ont pris un appart en dehors du campus. Un quatre-pièces dans le Central West End. Comment je fais pour payer ça, moi ? Parquet chauffant dans la salle de bains.

– Dur, dit Ethan.

– T'en es pas un, toi ?

– Un quoi ?

– Un gosse de riches. Comme tous les autres petits cons de la côte Est de cette fac.

– J'ai grandi à Saint Louis, dit Ethan, s'abstenant de préciser le nom de son quartier clôturé.

Son cœur s'accéléra lorsqu'il ajouta, avec excitation :

– Je suis boursier. Je bénéficie d'une remise sur mes frais de scolarité.

Charlie eut un hochement de tête approbateur.

Ce fut ainsi qu'Ethan Alter, étudiant de deuxième année, commença à se libérer. Après les cours, il retrouvait généralement Charlie dans sa chambre sans ornement, et, ensemble, assis côte à côte devant l'écran de télévision, ils passaient la soirée à jouer à *Halo* en discutant et en buvant de la Bud Light. Là, Ethan se laissa aller à des confidences qu'il n'avait jamais faites à personne – et s'aperçut, à sa grande surprise, que Charlie avait des anecdotes semblables aux siennes. Tous deux avaient vécu des expériences dentaires traumatisantes (Charlie avait souffert de canines incluses) et partageaient le même sentiment de décalage par rapport à leur famille. Il vint à l'esprit d'Ethan qu'il n'avait jamais été aussi heureux que dans cette chambre sans ornement, à boire de la bière blonde légère en compagnie d'un garçon aux allures de gamin et de moins d'un mètre soixante-dix. Peut-être, après un quart de vie chez les Alter, était-ce ce qu'il avait toujours voulu : pas de cynisme, pas de prétention, rien d'autre que la fragile honnêteté d'être soi.

Ethan, lui, avait apporté un grand soin à la décoration de sa chambre. Au-dessus de son lit était accrochée une affiche encadrée d'un pont embrumé de Monet qu'il avait vu au musée des Beaux-Arts de Saint Louis, et, sur le mur d'en face, un paysage à l'aquarelle peint par sa grand-mère. Au-dessous de celle-ci, fixée par des attaches, une batte de base-ball Easton sur laquelle était gravé au laser ETHAN ALTER – PRIX 2000-2001 DE LA SPORTIVITÉ. Une guirlande lumineuse de Noël circonscrivait la fenêtre. Rien sur le bureau. La première fois que Charlie entra, il en resta bouche bée. Après avoir contemplé à la fois le Claude Monet et le mamie Alter, il murmura : « Elle déchire, ta piaule. »

Ethan savait qu'il le pensait. Charlie ne disait jamais une chose qu'il ne pensait pas. L'ironie, le sarcasme – c'étaient là des langages inconnus pour lui. Cependant, chacune de ses expressions sincères de sensibilité était rapidement sapée par une remarque vulgaire – « Les rideaux font un peu pédé, par contre » – qui laissait Ethan pantois.

Les hommes hétéros le déconcertaient. C'était quoi, cette manie de dire ce qu'il fallait, puis, tout de suite après, ce qu'il ne fallait pas ? Était-ce l'effet de ne pas avoir à se cacher ? De vivre sans filtres ni concessions ?

Le suicide d'un étudiant fin octobre entraîna l'annulation des cours le troisième vendredi du mois – un week-end de trois jours tombé du ciel. Ethan demanda à Charlie s'il avait des projets.

– Non. Je vais rentrer chez mes vieux, j'imagine.

– Ouais, pareil pour moi. Mais je me disais : et si on allait quelque part ? Si on faisait un petit voyage ? Je peux emprunter une voiture.

L'idée de passer ce long week-end impromptu à la maison, avec son père et sans Charlie, était insupportable à Ethan.

– Ouais. Ça pourrait être cool. On irait où ?

– C'est toi qui choisis ! s'exclama Ethan, avec un peu trop d'entrain. Si on part jeudi après-midi, on peut aller où on veut.

Charlie réfléchit. Son regard se voila et brilla. Au bout d'une longue minute, il se tourna vers Ethan et dit, d'un ton affirmatif :

– Pittsburgh.

Pittsburgh. Voilà ce qui sortit des profondeurs de l'esprit de Charlie. *Pittsburgh*. Pas Nashville, à quatre heures et demie de route vers le sud, ni Chicago, à une distance équivalente vers le nord, mais Pittsburgh : la ville des ponts, la ville d'acier, la ville de fer – à neuf heures de route. Le fait que Charlie n'ait pas trouvé d'endroit plus intéressant était dangereusement attachant.

– Ok, dit Ethan en souriant – il serait allé n'importe où avec Charlie. Allons-y pour Pittsburgh.

Le jeudi après-midi, ils prirent le break Toyota neuf de Francine, une Spero bleu-vert, qu'elle proposa à Ethan et à son ami.

– Pourquoi tu as dit « ami » comme ça ? demanda Maggie.

Elle lisait dans le salon en compagnie de sa mère.

– Comme quoi ? dit Francine.

– Tu as dit, genre, *ami*.

– Mais non.

– Si !

– C'est un peu vrai, maman, intervint Ethan.

– Je suis heureuse que tu aies trouvé quelqu'un, dit Francine. Un ami. Un ami avec qui aller faire une virée, un week-end. Une virée à Pittsburgh.

Ils partirent à trois heures. Charlie portait son blouson Anheuser. À l'approche du Mississippi, Ethan aperçut le Gateway Arch par sa vitre, la porte de l'Ouest, encombrante et superflue à mesure qu'elle passait derrière lui. *Tu vas dans le mauvais sens !* semblait crier sa gigantesque hyperbole d'acier en rétrécissant dans le rétroviseur. Puis la ville s'aplatit, le Missouri devint l'Illinois, l'est de Saint Louis défila sur le bord de l'autoroute et il n'y eut plus rien. Des arbres, de l'herbe, le ciel à perte de vue – un panneau proclamant AIMEZ VOS BÉBÉS, NÉS ET À NAÎTRE. Sur la banquette arrière tintait un pack de douze Bud Select que Charlie avait tenu à emporter.

– Tu sais ce que j'aime chez toi ? dit Charlie dans l'Illinois.

– Quoi ?

– T'as l'air d'un petit gars bien sage comme ça, mais en réalité t'es complètement barré. T'es prêt à faire n'importe quoi.

– Ah ouais ?

Ethan avait de l'électricité dans les veines.

– Ouais. Ce voyage, par exemple. Moi, je dis Pittsburgh, et toi : « Ok. C'est parti. » Tu vois ce que je veux dire ? T'es prêt, quoi.

Charlie s'endormit quelque part dans l'Indiana. Ethan jetait des coups d'œil prolongés vers lui – il calcula qu'il pouvait le mater jusqu'à six secondes sans regarder la route – lorsque des phares éclairaient son visage. Vers huit heures et demie, il bifurqua sur la Route 68 et roula vers le sud jusqu'à Yellow Springs, dans l'Ohio. Se faufilant dans le noir, il traversa des quartiers résidentiels avant que la route ne s'élargisse à nouveau.

Il se gara sur le parking d'une pizzéria de bardeaux verts à l'enseigne voyante. Il décida de ne pas réveiller Charlie. Il entra, commanda quatre parts de pizza, en mangea deux, seul dans le restaurant, et emporta les deux autres dans un carton pour son ami endormi. De retour sur la route, Charlie sourit, réveillé par l'odeur du fromage chaud.

– C'est quoi, ça ? dit-il.

– Pour toi.

– T'es dingue…

136

Charlie prit une bouchée :

– Putain, c'est bon.

– J'ai vérifié. C'est censé être la meilleure pizza du coin.

– T'as fait un détour exprès ?

– Content que ça te plaise.

– Mais comment tu as trouvé cet endroit ?

– J'ai fait quelques recherches en amont.

– T'es raffiné, toi.

– Tu trouves ? Merci, c'est gentil.

– Parce que moi, pas du tout.

Charlie essuya une goutte de gras luisant sur ses lèvres.

– Mais si !

– Non, je t'assure. Dans ma famille, personne ne l'est. On a d'autres qualités, mais on n'a pas ce genre de vernis. Je le sais. Je l'ai compris il y a longtemps.

Ethan sourit.

– Tu te connais bien, hein ?

– Pas toi ?

– Je ne crois pas, non.

– Comment ça se fait ?

– Je ne sais pas. Peut-être que je n'y tiens pas. C'est effrayant, je crois, de se regarder comme ça. C'est ce qui est cool chez toi. Tu as le courage de te regarder en face et de te voir comme tu es.

– Il y a des gens qui n'aiment pas ça, dit Charlie. C'est pour ça que j'ai du mal à me faire des potes. À la fac, je veux dire. Il y a des gens qui veulent que tu entres dans un moule à la con, que tu t'adaptes à une idée pré… pré…

– Préconçue.

– Voilà. Tu vois ? Le raffinement. Mais c'est ce que j'adore à Brundle Pines. Là-bas, je n'ai pas besoin de changer qui je suis.

– Je crois que je le fais, moi.

– Quoi ?

– M'adapter. Pour les autres.

– Oh, non.

– Non ?

– Pas du tout. Tu rigoles ?

Ethan se gonfla d'orgueil.

– Tu trouves que je suis con ? s'enquit Charlie. À cause de ce que j'ai dit sur le raffinement ?

– Non, dit Ethan. T'es malade ? Jamais je penserais un truc pareil. T'es pas con, bien sûr que non.

Ethan regarda son reflet dans le rétroviseur. Son visage sortait par instants de l'obscurité, le temps de traverser les faisceaux de l'éclairage autoroutier. Bien que son chemin vers la beauté physique soit loin d'être terminé, son appareil d'expansion palatine, récemment retiré, lui avait donné un sourire agréable et harmonieux. Les pores de sa peau s'étaient resserrés. Ses épaules s'élargissaient, comme si une version plus grande de lui-même s'échappait enfin d'un corps trop étroit.

Ils prirent une chambre au rez-de-chaussée d'un Holiday Inn Express au sud du centre-ville de Pittsburgh. Une chambre à deux lits doubles. Ethan s'écroula, épuisé, sur l'un d'eux après avoir laissé tomber ses sacs sur la moquette rêche. Il s'endormit en écoutant Charlie raconter un reportage qu'il avait vu à la télé, sur

138

des enquêteurs qui passaient des chambres d'hôtel à la lumière bleue et révélaient des traces dégoûtantes.

Il se réveilla au lever du soleil. Il entendait crépiter le jet de la douche sur du plastique dans la chambre voisine et sentait la pâte à gaufres qui bouillonnait dans le gaufrier du bar du petit déjeuner.

Il ouvrit les yeux. Charlie était debout à côté du lit d'Ethan. Dans sa main gauche, il tenait une bouteille suintante de Bud Select. Dans la droite, son pénis en érection. Tous deux tendus, offerts.

Pittsburgh leur donna du soleil pendant trois jours. Du moins fut-ce ce que suggéra la vue par les fenêtres – les garçons ne quittèrent pratiquement pas l'hôtel. Ils glandaient, faisaient la grasse matinée et buvaient toute la journée. Ils accrochaient le panonceau NE PAS DÉRANGER à la poignée de la porte, malgré une odeur de renfermé de plus en plus agressive. De temps en temps, ils partaient en quête de nourriture. Charlie écorcha le mot *pierogi* en trois occasions distinctes. La ville n'attendait rien d'eux et leur pardonnait tout. Les garçons avec qui Ethan avait couché jusque-là étaient des tâtonneurs, aussi mal à l'aise avec leur corps que lui. Charlie était différent. Il laissait s'exprimer son corps. Ce fut, songea Ethan, le meilleur week-end de sa vie. Aussi tomba-t-il des nues quand, une fois la passion de Pittsburgh retombée, à leur retour à Danforth, Charlie prit ses distances – il s'asseyait loin de lui en cours, fermait la porte de sa chambre. Ethan vit ses pires craintes se réaliser : il était à nouveau seul. Il ne sut trop pourquoi jusqu'à ce que Charlie rentre des vacances de Noël cette année-là en compagnie d'une petite amie et lui explique que ce qu'Ethan et lui avaient fait était un « truc de colo ». Ce n'était pas la vie qu'il voulait à Saint Louis, et si Ethan en parlait à qui que ce soit, il le tuerait.

Pour Ethan, le printemps de cette deuxième année fut chaotique, une période de pertes records. Perte d'appétit. Perte d'intérêt. Perte d'énergie. Il se sentait faible. Un sifflement aigu s'installa dans ses oreilles. Il avait l'impression d'avoir un appareil d'expansion qui lui élargissait rapidement la poitrine. Pendant des semaines, il eut un goût d'acide de pile dans la bouche.

Il restait au lit. Son cœur avait des soubresauts, de petits tressaillements affolés qui crevaient sa torpeur comme une souris courant d'un coin à un autre. Ethan alla consulter au centre de santé universitaire à un moment où il savait que sa mère n'y serait pas. On lui donna deux Tylenol et on lui recommanda le repos. Il ne comprenait pas ce qui s'était passé. Sa vie se délitait en point d'interrogation.

De plus, il vivait dans la peur. La chambre de Charlie était juste en face de la sienne, avec sa bannière encore accrochée à la porte. TON PROCHAIN. Elle avait un air de menace à présent. Ethan organisait ses déplacements pour éviter son voisin de couloir. Au début, il passa des journées entières sur le campus, sortant tôt et rentrant tard. Un soir, en franchissant le seuil de sa chambre, il entendit le bruit d'une porte qui s'ouvrait. Il sentit une présence derrière lui. Il se précipita à l'intérieur et claqua sa porte.

Fin de la quatrième année. Ethan parcourait le jardin botanique. Il regardait ses chaussures dans la lumière rasante des spots. Dispersés sur la pelouse, des étudiants en pantalons de toile et robes sans manches. Des petits doigts tendus dépassaient des tiges des flûtes à champagne. Des jeunes qu'Ethan avait vus vomir sur le trottoir leur chinois à emporter se comportaient comme des messieurs et comme des dames. Une fille passa près de lui, pieds nus et en gloussant. Les groupes de chant *a capella* rivaux chantaient en chœur. Un air de pardon flottait sur la pelouse, l'odeur des roses, des tulipes et de l'absence de rancunes.

Ethan avait hâte d'obtenir son diplôme et de filer à New York. Il s'était traîné à ce gala dans l'espoir déplacé qu'à présent, dans la dernière semaine de fac, il trouverait les siens. Qu'ils se montreraient enfin et diraient : *On t'attendait.* Mais en enchaînant les tours de jardin, il ne ressentait que de la honte et de la confusion, incapable de comprendre comment des jeunes moins séduisants, moins intelligents et moins doués que lui avaient pu tisser des liens si étroits en quatre courtes années. Il était cerné de couples et de groupes. Le prochain bus pour rentrer au campus ne partait que dans une heure, et Ethan n'avait plus de tickets boissons.

Dans un coin, il remarqua un jeune homme assis sur un banc près du bassin miroir, penché en avant, la tête entre les genoux. Il avait l'air de dormir, peut-être était-il malade. Il leva la tête pour regarder une bulle de verre lilas, pincée en son sommet en forme de larme, dériver à la surface de l'eau.

Ethan se figea. Cela faisait deux ans qu'il ne s'était pas trouvé si près de Charlie. Il avait déménagé hors du campus après Wrighton. Chaque fois qu'il apercevait

Charlie dans la cour, il se cachait derrière un bâtiment, comme avec Arthur. Il craignait qu'il s'en prenne à lui physiquement, mais sa peur la plus vive était que Charlie lui brise le cœur à nouveau. Qu'est-ce qui l'empêchait de manipuler Ethan puis de disparaître ? Certainement pas Ethan, qui ne demandait pas mieux que d'être manipulé. Mais Charlie n'avait plus l'air si menaçant, à présent. Il avait les cheveux ébouriffés. Il portait une chemise blanche rentrée dans un chino sans ceinture. Ethan s'approcha de lui avec hésitation.

– Mon pote ! bredouilla Charlie en montrant Ethan du doigt. Ça, c'est mon pote.

Ethan s'assit à côté de lui. Il tenta de faire remonter sa colère contre celui qui l'avait abandonné, mais la vision de Charlie, avec ses joues pleines et son teint verdâtre, fit vibrer son côté infirmier.

– Ça va ? demanda-t-il, d'une voix qui appartenait à sa mère. Tu as besoin de quelque chose ?

– Je te connais, mec.

– Moi aussi, je te connais.

– Non, dit Charlie. Je veux dire, je te *connais*.

Il rota au creux de son coude.

– Tu es sûr que tu n'as besoin de rien ? Tu ne veux pas que j'aille te chercher de l'eau ?

Charlie secoua la tête.

– D'accord, dit Ethan. Je vais juste rester là, alors.

Quelques étudiants égarés traînaient près du bassin. Des rires légers parcouraient l'air pourpre. Derrière Ethan, trois anges de bronze jouant de la trompe étaient perchés sur de hautes colonnes de pierre.

– C'est fini, dit soudain Charlie. Tout est fini.

– La fac ?

– La fac… Rien à battre, de la fac.

Charlie avait les yeux mi-clos, leur lumière atténuée par ses paupières comme par un store baissé.

Ethan eut envie de le prendre dans ses bras et de l'emporter dans un coin isolé du jardin, de l'étendre sur l'herbe et de s'occuper de lui. Impossible de retrouver la rage à laquelle il avait droit, la rage que Charlie méritait.

– Qu'est-ce que tu fais, cet été ? demanda-t-il, d'un ton qu'il voulut désinvolte. Tu retournes dans ta colo ?

Charlie secoua la tête.

– J'peux pas.

– Pourquoi ?

– C'est ce que dit mon père. Même si c'est moi qui paye. Je dois être trop vieux.

Plissant les yeux d'un air soupçonneux, Charlie ajouta :

– Je suis trop *vieux* pour ça.

– Désolé pour toi.

– Ouais, ouais, fit Charlie en dodelinant de la tête.

Il ravala un sanglot. Ses épaules se mirent à trembler. Ethan allait lui dire qu'il ne fallait pas pleurer pour ça, mais tandis que les dernières lueurs du soleil quittaient le ciel et que les réverbères du jardin s'allumaient, forçant Charlie à battre des paupières, Ethan vit sur son visage ce que signifiait pour lui de ne pas retourner là-bas.

– Tu t'en remettras, dit-il. Tu es malin. Tu trouveras autre chose.

Il n'avait plus peur du tout, à présent. Charlie semblait totalement inoffensif. Ethan sentit son corps se remplir, tel un verre, de tendresse.

– Tu vas où, toi ? bredouilla Charlie.

– Nulle part. Je reste là, avec toi.

– Non, *après*.

– Ah. J'ai un avion pour New York mercredi.

Charlie se pencha en avant et, baissant la voix :

– Le dis à personne…

– Promis.

– … moi, je veux me tirer d'ici.

– Tu peux.

– Peut-être, renifla Charlie.

– Qu'est-ce qui t'en empêche ?

Charlie secoua la tête.

– Toi, t'as tout ce que tu veux, dit-il.

– Toi aussi.

– Non. Pour toi…

Charlie mit sa main à plat et poussa la paume devant lui en faisant un bruit de souffle avec sa bouche.

– … tout est possible. Je sais où t'habites.

Ethan se raidit.

– Quoi ?

– Je sais où t'*habites*, répéta Charlie, moins menaçant que résigné.

– Tu vas trouver ta voie, dit Ethan. Je ne me fais pas de souci pour toi.

Charlie tendit la main vers lui. Ethan ferma les yeux, ses lèvres s'avancèrent instinctivement. Il sentit des doigts se poser sur le haut de son oreille. Charlie s'était arrêté là. Il suivit l'ourlet du pavillon jusqu'au lobe, qu'il frotta entre le pouce et l'index à la manière d'une pièce de monnaie, comme pour se porter chance.

6

« Un prêtre, un rabbin et un ingénieur sont rassemblés pour être exécutés. On va les guillotiner. Le prêtre s'avance le premier. Il s'allonge sur le ventre, passe la tête à travers la lunette, et le bourreau tire sur la corde. Le prêtre retient son souffle – mais rien ne se passe. Le couperet est coincé. "Intervention divine, dit-il. Un acte de Dieu." Et on le libère. Très bien. Ensuite vient le tour du rabbin. Il s'allonge, le bourreau tire sur la corde. Le couperet commence à descendre, mais il se coince à nouveau. "Baruch Hashem, dit-il. Je suis sauvé !" Enfin, l'ingénieur s'avance. Il inspecte la guillotine. Passe la tête à travers la lunette. Et au moment où le bourreau s'apprête à tirer sur la corde, il crie : "Attendez ! Je crois savoir où est le problème…" »

Rien. Enfin, rien d'autre que des froissements de papier, le bourdonnement unifié de cinquante ordinateurs portables et le crachotement aigu d'une chanson pop s'échappant d'écouteurs. Mais, à part ça, le silence.

« Parce qu'il permet son exécution. C'est ça, la blague. L'ingénieur réfléchit sur le plan technique, il essaie de résoudre le problème, et en le faisant il provoque sa propre mort. C'est ça qui est drôle. »

145

La dernière diapo de la présentation d'Arthur s'affichait derrière lui en LED, un clipart de chat, le cou sous une guillotine.

L'échec incontestable de sa tentative de nouveauté – cette blague – pour égayer un cours qu'il donnait toujours de la même façon depuis cinq ans, ne faisait que renforcer Arthur dans sa conviction que l'enseignement était un art limité. On ne pouvait indéfiniment peaufiner un cours comme une peinture ou un poème. Un cours admettait une perfection indépassable. Ce n'était pas rien, maîtriser un cours – maintenir l'attention des étudiants, savoir quand changer de vitesse, de diapo. Cela pouvait prendre des années de réglage. Mais quand on y était, on y était. Toute amélioration ultérieure ne produisait que des effets amoindris.

En cela, un cours avait quelque chose de mécanique, comme un pont. Arthur construisit un pont en treillis dans son esprit afin d'illustrer l'analogie. Il imagina ses traverses, ses longerons et ses entretoises. C'était un bel objet, ce pont en treillis, avec son enchevêtrement de tensions et de compressions, sa manipulation des contraintes de cisaillement, la façon dont les forces jumelles de chaque poutre travaillaient en un tandem élégant. Mais un pont doit être fonctionnel avant d'être beau ; autrement dit, un pont n'est beau que dans la mesure où il parvient à réunir deux rives. Les embellissements étaient des obstacles dans le domaine d'Arthur. Un pont somptueux qui s'effondrait sous le poids de ses ornements n'en était pas un.

Il prit note de laisser tomber la blague.

– C'est bon, grommela-t-il, vous pouvez sortir.

146

L'aiguille des minutes avança d'un cran, et les vacances de printemps s'installèrent sur Danforth. Les étudiants fuirent l'amphithéâtre. C'était une période profitable pour l'université, une semaine entière durant laquelle le personnel de la cafétéria, les professeurs adjoints et autres employés payés à l'heure restaient chez eux, leur salaire suspendu, en attendant que les étudiants reviennent des pays en voie de développement où ils cultivaient leur gueule de bois dans des complexes hôteliers.

Arthur éteignit la lumière du projecteur.

– Professeur Alter ? fit quelqu'un. Professeur Alter ?

Arthur leva les yeux de la petite télécommande dans sa main. Devant lui se tenait un blondinet frisé au teint rose et à l'allure anxieuse du bizut. Présenté comme une étude idéaliste, une matière de base pour les non-spécialistes ayant une âme de bon samaritain, « Ingénierie des systèmes électriques 103 : "Façonner" le changement social » était très prisé des étudiants de première et deuxième année. En réalité, c'était un cours assez cynique. Au lieu d'encourager les projets personnels portés par un esprit civique, Arthur critiquait vivement le déterminisme technologique. Au lieu de célébrer les réalisations régionales dans le domaine, il consacrait un cours entier au coût humain des tentatives locales – un cours dont il était particulièrement fier, intitulé : « Dans l'ombre de l'Arche ». Une nouvelle fournée de jeunes optimistes remplissait néanmoins l'amphithéâtre chaque année, et il n'était pas rare que l'un d'eux essaie de se rapprocher d'Arthur – généralement un garçon, il n'y avait pratiquement pas de filles –,

147

dans l'espoir qu'il devienne son mentor, son protecteur, son père de campus.

– Oui ?

– Je voulais vous dire, j'ai adoré le cours d'aujourd'hui.

– Merci.

– Cette idée de penser en ingénieur ? Super intéressant. Bon, moi, je ne suis pas vraiment ingénieur. Non, bien sûr ! Je n'ai toujours pas choisi de spécialisation. Mais ce que vous avez dit sur la centralité de, euh... la gestion... dans le domaine, qui tend à comprendre les relations humaines comme des facteurs exploitables... un système d'entrées et de, euh...

– Sorties.

– Oui. Ça, c'était cool. Je n'avais jamais pensé à me spécialiser en ingénierie, mais maintenant j'y réfléchis sérieusement.

Arthur haussa un sourcil.

– Je suis content que le cours vous plaise, dit-il en tapant du pied.

Il n'avait pas très envie de jouer les pères de substitution cette année, il avait suffisamment à faire avec ses propres enfants.

– Bref, je me demandais, comment est-ce que je peux mettre mes connaissances en pratique, vous voyez ? Et je me disais que ce serait cool de monter une association extra-universitaire. Pour aider les habitants de la ville.

Arthur plissa les yeux.

– Pour faire quoi ?

– Eh bien, je ne sais pas, installer un système d'arrosage, par exemple, dans un jardin communautaire. Et je me suis dit, qui mieux que le professeur Alter pour être notre directeur de projet ?

– Je ne suis pas sûr que ce soit une bonne idée.

– C'est facile ! La fac est prête à subventionner n'importe quelle association à condition qu'elle ait au moins trois membres et un prof comme directeur de projet.

– La façon dont cet établissement dépense son argent… grommela Arthur. Écoutez. Je ne suis pas celui qu'il vous faut.

– J'ai fait des recherches sur vous, professeur. Vous avez des tonnes d'expérience, ici et à l'étranger, dans…

– Non.

– Mais en cours vous disiez…

– Vous ne comprenez pas ? Vous n'avez pas écouté ?

Arthur s'essuya le front avec sa manche :

– Ces projets échouent toujours. Toujours. C'est ce que j'essaie de vous expliquer. C'est le sens de ce cours. Ce genre d'action a un coût, vous comprenez ? Un coût faramineux.

– Je voulais seulement aider, glapit le gamin.

– Vous redessinez des bancs dans un parc et les SDF se révoltent. Vous construisez un abri pour eux et l'année qui suit c'est un repaire de toxicos. On ne peut jamais prévoir les conséquences de son action dans la vraie vie. Un jardin communautaire… Je vous en prie !

Le bizut baissa la tête.

– C'était juste une idée.

– Vous voulez une idée ? En voici une : spécialisez-vous dans l'assistance sociale. Étudiez la médecine. Si vous aimez tant les jardins, devenez botaniste. Vous voulez aider les habitants de la ville ? Devenez urbaniste.

Ou ingénieur si ça vous chante, moi ça m'est égal. Mais quoi que vous fassiez, restez dans votre partie. Ne pensez pas que vous savez ce qui est dans l'intérêt des autres, parce que ce n'est pas le cas.

Arthur avait les mains qui tremblaient.

– Vous ne pouvez pas débarquer dans un quartier et dire aux gens comment arroser leurs plantes. Je le regrette, mais c'est comme ça. Croyez-moi, il n'en sortira rien de bon.

Le gamin était bouche bée, ses oreilles rougissaient.

– Désolé…

– Ne vous excusez pas. Restez – à – votre – place. C'est tout.

– D'accord. Désolé. Enfin… désolé.

Arthur fit sautiller son talon.

– C'est bon, on a fini ?

– Ouais, fit le gamin, la tête rentrée dans les épaules.

Il s'éloigna d'Arthur à reculons, un pas lent après l'autre.

Arthur quitta le bâtiment et se hâta par les allées du Grand Campus. Il était agité, sa fréquence cardiaque avait doublé. Une averse éclata malgré le soleil. De fines gouttes de pluie lui piquèrent le cou.

– Arthur…

Il fit volte-face et manqua de glisser sur les dalles mouillées. Un large parapluie noir flotta vers lui, sous lequel il distingua le tiers inférieur de Sahil Gupta, le doyen, traversant l'averse en richelieus et costume bleu marine.

– Bonjour, Sahil, dit Arthur.

Puis, pointant le pouce par-dessus son épaule :

– Je partais, en fait…

– Je me disais…

Gupta s'interrompit pour explorer le silence tandis que la pluie s'acharnait sur la tonsure d'Arthur. Alors que Gupta était directement responsable du rejet de sa demande d'examen de titularisation, Arthur se retrouvait dans la position délicate de rechercher son approbation. La carrière scientifique de cet homme était légendaire : dans les années 1960, il avait mené de front des travaux professionnels sur la chimioluminescence et des expériences personnelles avec les champignons hallucinogènes, association fructueuse qui avait abouti à l'invention du bâton lumineux. Son glorieux passé, riche de substances inscrites au tableau et d'un brevet récompensé (n° 3.774.022), lui avait valu depuis longtemps le respect des étudiants comme des professeurs – dont Arthur, quoi qu'il en dise. Mais dernièrement, sa réputation assurée, il s'était ramolli, mis au golf, et se cantonnait désormais à ses fonctions administratives. Comme beaucoup d'hommes qui avaient réussi, il chérissait la réussite elle-même et considérait ses collègues moins prospères avec un mépris perplexe. Chaque rencontre avec lui rappelait à Arthur, de dix ans son cadet, le peu qu'il avait lui-même accompli.

– Calons-nous un entretien, conclut-il enfin.

Arthur se figea.

– Un entretien ?

– Après les vacances de printemps…

La voix parcheminée du doyen avait des dorures aristocratiques qu'il laissait apparaître avec goût, comme

151

une montre en or la plupart du temps cachée sous une manche.

– … Il faudrait que je vous parle de quelque chose.

C'était la fin. Arthur le savait. Après des années d'enseignement – de cinq matières par semestre, il était passé à quatre, puis à trois, puis à deux –, il sentait l'étau se resserrer. Pourquoi cet entretien, sinon pour l'achever ? Il chassa cette idée d'un clignement de paupières.

– Après les vacances de printemps. Parfait.

Le doyen croisa les bras. Son regard se fit scrutateur.

– Un problème ?

– Aucun.

Gupta observa Arthur un moment, puis :

– Bien, bien. Allez, ne restez pas sous la pluie.

Arthur hocha la tête, puis se dirigea vers Greenleaf Hall. Il trouva refuge à l'intérieur, gravit l'escalier et franchit les portes de la bibliothèque des études africaines. Il fonça vers son livre. Son objet de réconfort. Il l'imagina disparu, l'espace qu'il occupait avalé par les deux gros volumes qui l'enserraient.

Mais il était bien là, à sa place, comme toujours, entre *Démythifier Conrad* de Murdoch Alison et *Comprendre l'Apartheid* de Chester Ambrose. Arthur s'en empara. Installé à une table, il le consulta pendant trois quarts d'heure, en vérifiant trois fois que les pages étaient toutes présentes et dans le bon ordre.

Les nuages s'étaient dissipés lorsqu'il ressortit. À l'extérieur de la bibliothèque, à nouveau connecté au réseau, son téléphone émit un ding en recevant un e-mail de son fils.

Il venait le voir à Saint Louis.

Arthur oublia complètement sa rencontre avec le doyen. Il entra chez Ulrike, prépara un dîner de réconciliation – du saumon au four, son unique spécialité, sobrement accommodé en raison de « la grande efficacité de l'ail » – et lui annonça, lorsqu'elle le rejoignit une heure plus tard, qu'elle risquait de ne pas beaucoup le voir dans la semaine à venir.

– Pourquoi ? s'étonna-t-elle. Je ne comprends pas.

Il l'invita à s'asseoir à l'îlot de la cuisine, qu'il avait recouvert d'une nappe.

– C'est peut-être froid, la prévint-il. J'ai attendu.

– Tu sais que j'enseigne le vendredi soir.

– L'erreur du débutant est de ne pas le faire cuire suffisamment. Il faut attendre, se faire confiance. Ne pas être trop pressé.

– Arthur…

– Quoi ?

– C'est à cause de notre dispute ? Notre stupide dispute ? Pour le poste, je n'ai toujours pas…

– Non. Ce n'est pas ça. J'ai… voilà. Je vais te le dire. J'ai invité mes enfants à la maison.

Le menton d'Ulrike se creusa de lettres indéchiffrables en braille inversé.

– Je te l'ai déjà dit, Arthur. Je ne veux pas entendre parler de tes enfants.

Au début de leur liaison, Ulrike avait interdit à Arthur d'évoquer ses enfants ou sa femme malade – *surtout* sa femme malade. Pour ne pas se sentir coupable de

153

coucher avec un homme marié, elle avait occulté le problème en attendant qu'il disparaisse. Avec succès : Arthur n'était plus marié. Elle demeurait cependant incapable d'imaginer quoi que ce soit de tangible à propos de Francine. Le soir où Arthur laissa échapper son prénom pour la première fois, elle se mit aussitôt au lit avec deux Benadryl et une bouteille de malbec pour tenter de l'effacer de sa mémoire. Quant aux enfants, d'une manière générale, ils avaient tendance à ne pas disparaître.

– Je refuse d'être leur mère, décréta-t-elle.

– Je ne te demande pas ça ! À vrai dire, si tu pouvais te faire discrète pendant qu'ils sont en ville, ce serait un sérieux coup de pouce pour nous deux.

– Quand je t'annonce que je pars, tu me demandes de rester. Maintenant, tu me demandes de partir. Arthur, je ne te comprends pas.

– Je ne te demande d'aller nulle part.

Il regarda son pavé de saumon dans l'espoir d'attirer son attention sur la preuve protéinée de son engagement :

– J'ai besoin de préparer la maison.

Les fins sourcils d'Ulrike se rejoignirent. Arthur ne l'avait pas questionnée sur sa vie avant Saint Louis mais avait cru comprendre, d'après certaines remarques au détour de leurs conversations, qu'elle venait d'une famille de fonctionnaires. Son père était ingénieur civil – Arthur préférait n'en tirer aucune interprétation – et sa mère, lui semblait-il, était institutrice. Il en avait conclu que ses parents, tous deux des habitants de

Francfort pur jus, étaient des réalistes qui appelaient un chat un chat et ne toléraient pas les niaiseries – et qu'Ulrike avait hérité de ces qualités.

– La maison ? Arthur, la préparer pour *quoi* ?

Ulrike redressa les épaules et énonça – de plus en plus virulente – son point de vue : cette maison était pour Arthur un filet de sécurité, un moyen de garder un pied en dehors de leur relation, et elle n'allait pas refuser une opportunité professionnelle dans une ville (il fallait voir les choses en face) plus intéressante, pour un homme qui préférait rembourser un emprunt colossal plutôt que de se consacrer à une femme (objectivement) très belle et dans la fleur de l'âge comme elle, d'autant plus qu…

– Pour nous.

Ulrike s'interrompit à mi-syllabe et ravala le reste de sa phrase.

– Quoi ?

– Accorde-moi ce temps. Laisse-moi voir mes enfants. Ensuite, quand ils seront repartis – je veux que tu emménages. Que tu viennes vivre avec moi.

– Pour combien de temps ?

Arthur se pencha par-dessus la table.

– Pour l'avenir prévisible.

Ulrike posa sa fourchette avec un tintement contenu.

– L'avenir prévisible, répéta-t-elle. Qu'est-ce que ça veut dire ?

– Comment ça, qu'est-ce que ça veut dire ? Mes enfants viennent me voir. Ils vont m'aider pour la maison. Ensuite, je veux que tu viennes vivre avec moi.

Il ne maîtrisait pas ses mots. Ils bondissaient tels des lemmings hors de sa bouche. La retenir à tout prix. La retenir pour ne pas être seul.

– Le marché de l'emploi, Arthur, dit-elle. Si je reste à Saint Louis, je risque de passer à côté d'opportunités.

– Je comprends. Les vicissitudes du monde universitaire. C'est bien pour ça que je ne peux m'engager que pour l'avenir *prévisible*. L'avenir imprévisible, eh bien… on ne peut pas le prévoir, n'est-ce pas ?

– Je ne te reconnais pas.

La perplexité d'Ulrike était légitime. Arthur n'était pas du genre à traiter l'avenir imprévisible par-dessus sa jambe. L'avenir imprévisible était la plus grande source d'angoisse, un élément déterminant de son union avec Ulrike. Il avait souvent l'impression que toute sa vie n'était qu'un long sursis avant qu'on ne lui présente il ne savait quelle addition.

– Laisse-moi une chance. S'il te plaît. Il y a beaucoup plus de place qu'ici. Ce serait un grand progrès pour toi. C'est confortable. Le quartier est super.

– Mais ma vie est ailleurs.

– Où ça ?

– Partout. Berlin. L'Indiana. Je suis allée partout.

– Justement, il est temps que tu t'installes quelque part.

– Arthur…

– Reste. Juste un peu. Reste à Saint Louis. Tu n'aurais plus à vivre dans ce trou. Fini le campus, fini les bizuts qui vomissent dans les couloirs. Tu habiterais une vraie maison dans une vraie rue. Chouteau Place. Tu y es déjà allée ? Sans doute pas. Et tu veux savoir pourquoi ? Parce que c'est *privé*. Notre petit quartier à nous.

– Cette maison est à toi ?

– Oui. Enfin, plus ou moins. Elle le sera totalement dans très peu de temps.

– Quand ?

– Quand mes enfants seront repartis.

– Comment ?

– Ne t'inquiète pas pour ça. Laisse-moi m'en occuper. Fais-moi confiance.

– Je ne sais pas…

– Pense à l'argent que tu économiserais en venant t'installer chez moi. Je sais comment cette université traite ses professeurs. Viens t'installer chez moi et tu n'auras plus à payer un sou de loyer.

– Si je fais ça, ce ne sera pas pour l'argent.

– Non, bien sûr.

– Ce sera pour nous.

– Je dis ça, ce serait un *bonus*. C'est un bonus appréciable, de ne plus payer de loyer.

– Je vais y réfléchir.

– Très bien. Et maintenant, mange ton saumon. Je l'ai préparé spécialement pour toi.

Le lendemain, Arthur retourna chez lui pour la première fois depuis des semaines.

Cela le surprenait encore que durant dix-sept ans, de 1996 jusqu'à la mort de Francine en 2013 et, par intermittence, encore quelques mois après, il avait passé là le plus clair de son temps, là, dans cette enclave élégante et autonome, peuplée de professeurs, d'esthètes, d'émigrés côtiers et autres personnes liées à l'université. Que durant dix-sept ans ses pas avaient été amortis par des tapis d'Orient et son ventre rempli de coq au vin et de frites au four Ore-Ida, mariage culinaire improbable et néanmoins irrésistible qu'il avait imposé à Francine. Durant dix-sept ans, il avait pris de longues douches fumantes et n'avait presque jamais réutilisé une serviette sans l'avoir au moins passée au sèche-linge. Ah, le confort ! Ce n'était qu'à présent, soumis à la parcimonie conforme à ses principes, qu'il mesurait le rôle joué par sa femme pour rendre tout cela possible. Durant près de deux décennies, il avait eu le beurre et l'argent du beurre, critiquant la culture consumériste tout en profitant du cocon dont Francine avait entouré sa famille. Sans elle, il n'aurait jamais vécu cette vie, occupé ce lieu.

Il mit le levier de vitesses sur PARKING et sortit sur son terrain. Des chants d'oiseaux résonnaient çà et là dans Chouteau Place. Arthur referma sa portière et avança dans l'allée. Ses pieds se réacclimatèrent aux détails de la topographie de celle-ci, fissures, bourrelets et autres malfaçons. Il s'arrêta devant une touffe de pissenlit enracinée dans une crevasse du revêtement. Il s'agenouilla pour l'observer de plus près. Des feuilles dentelées montaient d'une racine sortant du sol. Deux fleurs oscillaient sous son souffle. Il était si paisible, ce quartier privé, qu'il était facile, à l'intérieur de son enceinte, de perdre de vue la marche du monde et de se consacrer tout entier aux irrégularités de l'asphalte.

Arthur rassembla la touffe et l'arracha.

Il se releva, s'étira, puis inspecta le petit jardin. Se renfrognant, il alla chercher un déplantoir dans le garage et revint ramasser la crotte vigoureuse du caniche croisé du voisin repérée sur le bord du terrain, crotte qu'il renvoya, avec détermination, dans le jardin dudit voisin.

La cuisine était telle qu'il l'avait laissée : d'une propreté presque clinique. Le congélateur était encore rempli de kugel et autres plats de Chivah, nourriture qui, de l'avis d'Arthur, n'avait pas à sortir de là. Sur la porte du réfrigérateur, des coupures de presse, un dessin d'école d'Ethan, la pyramide alimentaire du département de l'agriculture, un schéma scotché par Francine :

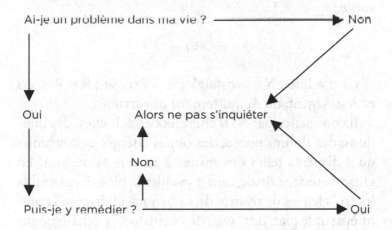

Seules les mangues et les poires en train de pourrir dans la corbeille à fruits, et les moucherons massés dessus désignaient une maison inhabitée.

Arthur passa l'aspirateur dans le salon. Il vida les pièges à souris et jeta les cadavres dans les buissons bordant le jardin de derrière. Armé d'un vaporisateur d'ammoniaque saturée d'un parfum d'agrumes et d'un chiffon, il nettoya les vitres de la cuisine puis celles des autres pièces. La moquette du sous-sol était restée imprégnée d'une odeur de fumée après l'incendie, mais ce détail pouvait être utilisé à son avantage. Le bulbe olfactif était étroitement lié à la mémoire et aux émotions. En remettant en ordre les chambres d'Ethan et de Maggie, il se toucha accidentellement le visage, et ses doigts humides de désinfectant lui firent couler des larmes chimiques qui lui brouillèrent la vue.

Il réaccommoda. Selon l'analyse d'Arthur, le succès de la visite de ses enfants dépendait de la formule suivante :

$$(P + N)(\tfrac{1}{2}E) + R = A$$

où P = Pitié, N = Nostalgie, E = Excuses, R = Regrets et A = Argent, ou Acquittement des arriérés.

Il commença par N. Il chercha des peluches, des doudous, des albums photo, des objets chargés de souvenirs qu'il dispersa telles des mines à travers la maison. En guise de touche finale, afin d'éveiller la pitié, il rassembla les trois lettres de relance de sa banque et disposa la première sur le plan de travail de la cuisine, la deuxième sur l'étagère décorative entre l'entrée et la salle à manger, et la troisième au pied de l'escalier. Ainsi, si ses enfants entraient par la porte latérale, comme de coutume chez les Alter, le chemin vers leurs chambres à l'étage leur raconterait une histoire.

Le lendemain matin, il poursuivit sa tâche. Après le petit déjeuner, il grimpa sur le lit de Maggie et tira sur le nœud au bout de la corde qui pendait au centre du plafond. Un panneau rectangulaire s'ouvrit doucement. Arthur tira plus fort, et une échelle aux barreaux rouges descendit en rechignant, avant d'atterrir avec un *pfft* sur la moquette blanche à longues mèches.

Le grenier des Alter était un trou noir où disparaissaient toutes les vieilleries de la famille. Entrer et sortir par cette échelle escamotable était juste assez difficile pour que personne ne soit tenté d'aller récupérer quelque chose, malgré l'ampoule ingénieusement installée en haut par Arthur et qui s'allumait lorsque l'échelle était complètement dépliée. Alors que sa tête pénétrait dans les combles, Arthur découvrit le bric-à-brac accumulé là par sa famille : dictionnaires et CD-ROM, appareils stéréo, balles de tennis dans des tubes en plastique. Trois générations de routeurs Internet. Sous une lucarne triangulaire, une demi-douzaine d'albums photo en cuir étaient ouverts, aguicheurs, sur le sol. À côté, un masque de pharaon en papier mâché partageait une poubelle avec des chaussettes roulées en boules. Emballé dans un torchon et hermétiquement enfermé dans un Tupperware, près d'un livre de mythologie grecque, un hamster autrefois bien-aimé attendait qu'on l'enterre. À gauche d'Arthur, un amas de minidinosaures, un télescope démonté, une pile de Haggadah Maxwell House de Pessah, des marionnettes à doigts représentant les dix plaies d'Égypte, un sachet à fermeture à glissière rempli de billes et, en plusieurs exemplaires, les jeux de société canoniques : Monopoly, Risk, Destin. Et de la poussière. Elle était partout. Recouvrait, faisait sien chaque objet.

161

Au fond, dans un coin, Arthur trouva ce qu'il cherchait. Une boîte en carton sur laquelle était écrit – avec ou sans ironie, il ne savait plus – SOUVENIRS. Il souleva le couvercle pourrissant. À l'intérieur, comme il l'espérait, un projecteur de diapositives.

Arthur s'installa devant la boîte. Une à une, il retira chaque diapositive 35 mm du panier et la tint en l'air pour en examiner l'image à la lumière. Selon l'inclinaison, celle-ci était plus ou moins nette, le cadre de pellicule noire plus ou moins coloré, les contours des visages et des paysages plus ou moins bien définis. La plupart des diapositives retournèrent dans le panier, mais il en mit quelques-unes de côté dans une boîte à chaussures. Lorsqu'il eut parcouru la totalité du panier, il redescendit du grenier, qui s'assombrit lorsque l'échelle remonta.

Cet après-midi-là, Arthur se rendit dans un grand magasin d'articles de bureau de Brentwood, la boîte à chaussures sous son bras droit. Sans aucune aide de la part de l'écurie de lycéens incompétents employés par la chaîne, il finit par réussir à convertir les petites diapositives noires en fichiers numériques, qu'il imprima alors en couleurs sur du papier photo glacé.

– C'est *vous*, là ? s'étonna, en désignant un tirage, l'un des vendeurs surmenés au prénom inscrit sur un badge.

– Ne salissez pas le papier avec vos doigts, dit Arthur.

Il fit encadrer les quatre meilleures photos dans un magasin voisin et les accrocha dans la salle à manger, sur des clous neufs qu'il planta lui-même dans le mur.

Il recula pour les admirer. Une, deux, trois quatre. Toutes bien alignées. De se trouver là en leur présence, il sentit la pièce se transformer en un espace volatil. Électrisé. Ces photos disaient quelque chose de puissant. Sur quoi, au juste ? Sur la générosité, la bonté, les nombreuses identités que pouvait renfermer un corps. Il se tint fièrement devant elles jusqu'à ce que le soleil se couche et que l'obscurité envahisse la pièce.

L'estomac d'Arthur grogna. Il avait oublié de remplir le réfrigérateur. Il sauta dans la Spero et roula vers le sud, jusqu'au Schnucks de Richmond Heights. Il se gara sur le vaste parking encombré et s'approcha du magasin, pareil à un mausolée de brique géant. Des sacs de fertilisant étaient entassés à l'extérieur, près de piles de chaises de jardin en PVC et d'un casier de fleurs pour plate-bandes. Leur odeur boisée et fécale surprit Arthur, qui se pressa d'entrer.

Le magasin était bondé. Les étudiants faisaient le plein pour les vacances ; ils filaient sur le carrelage vers le rayon des alcools, raflaient les chips de maïs et jetaient des paquets de viande à griller du congélateur au caddie. Les vieux avançaient lentement et timidement à travers cette agitation effrénée, s'arrêtant pour vérifier le prix d'un sac de légumes surgelés ou pour renifler un morceau de fromage. Arthur se faufila avec agressivité jusqu'à l'alimentation générale et commença à remplir une barquette en plastique des olives les plus exotiques et les plus parfumées qu'il put trouver.

Une idée lui vint à l'esprit. *Il faudrait que je prenne des choses qu'ils aiment, eux.* Voilà ! Ça, c'était un bon père ! Arthur sourit en s'inclinant vers les olives, comme un salut adressé à lui-même.

Mais qu'est-ce qu'ils aiment ?

163

Francine et lui n'avaient jamais été aussi d'accord sur un sujet que sur l'alimentation à donner à leurs enfants. Francine, de temps en temps confrontée à des problèmes de poids, fut la première mère de Chouteau Place à faire régulièrement la route jusqu'au marché de producteurs de Soulard. Elle voulait ce qu'il y avait de mieux pour ses enfants, certainement pas les gâteaux de Jell-O et la pâte à tartiner au Chamallow avec lesquels elle avait grandi, ce qui impliquait de grandes quantités de légumes verts et beaucoup de poisson et de fruits de mer – « Tout ce qui vient de la mer est bon pour le cerveau », soutenait-elle –, le plus frais possible dans un État entouré par les terres. Arthur, qui détestait le gaspillage, ne demeurait pas en reste et diluait à cinquante pour cent les jus de fruits de ses enfants. Personne ne savait faire durer une bouteille de deux litres mieux que lui. Le jour où Ethan but son premier gobelet de jus de pomme non coupé chez un copain au CM1, les yeux lui sortirent de la tête.

Arthur se fraya un chemin à travers la foule. Il se souvenait, lorsqu'il venait ici avec Maggie, les caprices qu'elle faisait pour qu'il lui achète les snacks sucrés et radioactifs qu'elle trouvait chez ses copines. Mais bon, c'était une adulte à présent, il lui achèterait ce qu'elle voulait. En s'engageant avec son caddie dans le rayon des céréales, cependant, et en se retrouvant face aux rangées interminables de boîtes aux couleurs aveuglantes – les verts acidulés, les roses éclatants, les jaunes soleil ; les textes spectaculaires, les personnages de dessin animé –, il dut plisser les yeux pour garder l'équilibre. Quel racolage ! Qui avait besoin d'une telle variété ? Les magasins gris aux rayonnages à moitié vides des Soviétiques avaient eu du bon. Prenez les rations auxquelles vous avez droit et tirez-vous. Ni plus, ni moins – pas de *choix*. Le choix du consommateur était une liberté ridicule et surévaluée.

Une petite fille assise dans le caddie de sa mère fit tomber une boîte du rayon d'en face et envoya des boulettes de blé soufflé enduites de sucre coloré rouler sur le sol, où elles se rassemblèrent aux pieds d'Arthur. Elle se mit à pleurer, et sa mère, ces bouchons blancs, qu'on voyait partout, fichés dans les oreilles, continua de pousser son caddie en laissant Arthur planté au milieu des boulettes de blé. Il secoua la tête. Non. Là, c'était trop. Il fit demi-tour. Les enfants se passeraient de céréales.

Le soir venu, Arthur alla se promener à pied. Il alla vers l'est et longea le quartier des administrateurs, le défilé de pseudo-manoirs, palais de stuc et châteaux de pain d'épice bordant Forest Park sur Lindell Boulevard. Il contemplait ces demeures luxueuses aux architectures si discordantes. Il songeait à l'avenir prévisible.

Le passé se rappelait néanmoins à lui. Le complexe de l'hôpital Barnes-Jewish se dressait derrière les arbres du parc, haute cité des malades, ses différents bâtiments reliés par des passerelles aériennes comme pour se rapprocher les uns des autres.

La fierté de son travail effectué sur la maison – et c'était une fierté singulière, vraiment, comme n'en procurent que les tâches manuelles pénibles, tâches peu souvent permises à Arthur qui, comme ses collègues et voisins, vivait dans le domaine en parfait état de son esprit – ne l'empêcha pas de douter de son plan.

Ce plan, quel était-il ? Quand ses enfants auraient atterri à Saint Louis, que se passerait-il alors ?

Il allait falloir les séparer. Isoler d'abord Ethan, tenter de le rallier à sa cause. Ensuite Maggie. Mais comment ? Arthur l'ignorait. Qui étaient-ils, ses enfants ? Quelle était leur vie ? Pour autant qu'il s'en souvienne, Ethan habitait quelque part à Brooklyn et travaillait dans il ne savait quel genre de cabinet de conseil. Quant à Maggie, elle ne lui avait pas reparlé depuis l'incinération. Arthur secoua la tête. Il ne leur avait pas prêté suffisamment d'attention. Il n'avait pas accès à leur cœur.

Il avait pourtant besoin d'eux. Il pouvait tenir pendant encore quelques années, bien sûr, mais chaque semestre qui passait le rapprochait d'une retraite qui, contrairement à sa mort, ne viendrait peut-être jamais. Et ce prochain entretien avec le doyen… Il allait falloir réagir.

Qu'était-il censé faire, s'en aller ? Un homme plus audacieux aurait peut-être retenu cette solution. Les hommes de la génération d'Arthur étaient connus pour prendre la fuite devant les problèmes de ce genre. Mais pour aller où ? Que deviendrait-il ?

Il suivit la route, en réfléchissant à sa situation, jusqu'à ce qu'il arrive au bout du parc. Là, les arbres disparurent, et il se retrouva devant le Chase Park Plaza Hotel. Face à cette gigantesque pyramide couleur sable, cette monumentale ziggourat des années 20, Arthur prit conscience, tout à coup, de son état de fatigue – il marchait depuis plus d'une heure – et repartit en direction de University City.

7

– Ça te plaît de vivre ici ?

– Ici, c'est-à-dire…

– C'est-à-dire ici. Dans cette maison. À Saint Louis. Dans « le Midwest », quoi.

Maggie était assise sur son lit, épaule contre épaule avec Francine, penchée sur *Les Concepts fondamentaux de la psychologie clinique*. Il lui restait deux examens à passer pour terminer sa première année. L'un d'eux portait sur le domaine de sa mère, et elle était venue du campus à pied pour lui demander son aide.

– Pourquoi tu dis ça comme ça ? demanda sa mère.

– Comme quoi ?

– Comme une chose qui fait peur. « Le Midwest. »

– Parce que je parle de, euh, la *construction*, l'idée, plus que de… de…

– La région géographique.

– Voilà.

– Tu veux dire, « le cœur du pays ».

– Ouais.

– « La vraie Amérique ».

– Voilà.

Dans ce souvenir de Maggie, sa mère avait ses indomptables cheveux frisés retenus derrière la tête par une barrette argentée de la même couleur étincelante que sa montre préférée, qu'elle portait au poignet parmi un assortiment de larges bracelets tintinnabulants.

– Pourquoi cette question ?

Maggie se tira l'oreille.

– Je ne sais pas, je ne me vois pas déménager pour quelqu'un comme tu l'as fait.

– Ça ne te plaît pas, ici ?

– Ça va. Je veux dire, c'est là qu'est ma vie. Je ne connais rien d'autre.

– Mais…

– Mais on n'est pas « du Midwest », t'es d'accord ? Nous, on est « de l'université ». On appartient à ce *milieu universitaire*.

– Tu n'as pas tort. Même si, moi, j'en suis, du « cœur du pays ».

– D'accord. Mais sans vouloir te vexer, toi et papa, vous ne connaissez que des profs. Et ils habitent tous Chouteau Place. Et toi aussi, tu dis « le cœur du pays » comme une chose qui fait peur.

Francine sourit.

– Tu ne me vexes pas.

– Bref, ce n'est pas ce que je veux dire.

– Qu'est-ce que tu veux dire, alors ?

– Que je ne me vois déménager pour personne, point.

– Tu es indépendante. C'est une chose que j'admire chez toi. J'y suis pour quelque chose, je pense. Je t'ai bien élevée.

– Mais toi, tu l'as fait. Tu as déménagé.

– Ce sont des choses qui arrivent.

– Pourquoi tu as fait ça ?

– Pour de nombreuses raisons…

– Par exemple…

Francine tambourina des doigts sur le dessous du livre.

– Par exemple, quand on dit que la vie conjugale requiert de la fluidité, de l'adaptabilité, des compromis, on veut généralement dire de l'une des deux parties.

– De la femme.

– C'est souvent le cas.

– Qu'est-ce qu'il en pense, papa ?

– De quoi ?

– De nous avoir amenés ici. De ton sacrifice. Je ne sais pas, il se sent coupable ?

Francine fit bouffer ses cheveux.

– Ton père se sent coupable de beaucoup de choses. Mais pas de ça. Non, je ne crois pas qu'il s'en veuille pour ça.

– Il s'en veut pour quoi, alors ? demanda Maggie.

– Eh bien, ce n'est sans doute pas facile d'être aussi ambitieux qu'il l'est. Qu'il l'était. Parce que, quand on est ambitieux à ce point et que ça ne marche pas comme on l'escomptait… ça peut être dur à encaisser.

– Qu'est-ce qui n'a pas marché ?

Maggie referma le livre, plus intéressée à présent par le cas clinique de son père.

– Il avait cette idée, dit Francine. C'était sa vie. D'une certaine manière, c'est devenu la mienne aussi.

Elle poussa un soupir et secoua la tête :

– Quand j'étais jeune, rien ne m'attirait plus qu'un homme qui avait une idée.

– C'était quoi, cette idée ?

Devant la fenêtre de la chambre de Maggie, un cardinal perché sur une branche hérissait ses plumes. Francine le regarda s'envoler avec de vifs coups d'ailes.

– Ah, fit-elle en se raclant la gorge. Qu'est-ce que tu connais à la gestion des déchets en Afrique ?

Avant d'avoir son idée, Arthur avait eu de l'ambition, et c'était à ce moment-là qu'il avait rencontré Francine Klein. Il était arriviste et déterminé, qualités qu'elle trouvait séduisantes, surtout lorsqu'il les exerçait pour elle. En Arthur elle voyait un esprit fougueux et productif au travail, un esprit comme elle aurait rêvé de posséder elle-même. Ardent. Sans compromis. Leur relation avait été renforcée par une série d'alertes de grossesse – un préservatif déchiré, des problèmes de pilule ; le destin, cette grand-mère juive, qui réclamait sans cesse un bébé – et, à l'été 1977, ils partageaient un trois-pièces exigu à Kenmore Square. Avant que la Boston University n'injecte des millions de dollars dans un projet de rénovation urbaine qui allait faciliter la fermeture du Rathskeller et l'ouverture d'un Barnes & Noble, Kenmore était le genre de quartier dégradé qu'on ne regrette qu'après sa disparition, un ensemble minable de gargotes et de cliniques distribuant de la méthadone. Il faisait bon y être jeune et amoureux.

Étudiante en psychologie, Francine avait acquis un vocabulaire qu'elle avait appliqué avec beaucoup d'enthousiasme à ses parents. Toute son enfance, elle avait rêvé d'habiter n'importe où plutôt que Dayton, d'appartenir à n'importe quelle famille plutôt qu'à la sienne. Mais à présent, dans son sixième semestre de doctorat, elle entretenait le dernier germe de compassion qu'elle avait conservé pour sa mère, qui, elle le comprenait désormais, n'était qu'une comédienne inadaptée, peut-être un peu dermatillomane sur les bords, ayant gâché les meilleures années de sa vie à canaliser son mari, dépressif unipolaire perturbé par tout un tas de problèmes œdipiens que Francine elle-même avait bien du mal à cerner. Mettre un nom sur les choses procurait un soulagement inattendu. Elle décida que sa mère, bien que restant fondamentalement impardonnable, avait été victime de son esprit et de l'époque à laquelle elle avait vécu.

Cette nouvelle compassion s'accompagna d'une autre révélation plus troublante. Mme Klein, qui appelait deux fois par semaine pour savoir si Francine était enfin enceinte, avait peut-être raison. Il fallait peut-être écouter le destin. Étaient-ils de mèche, tous les deux ? Toujours est-il qu'en décembre 1980, à l'âge de vingt-sept ans, Francine décida – s'aperçut ? – qu'elle voulait avoir un enfant.

Arthur n'était pas convaincu.

– Je croyais, dit-il, que tu détestais ta mère. Toutes les mères, en général.

– Je n'ai jamais dit ça.

– Tu le dis tout le temps. Hier, dans la cuisine, tu as dit : « Plus je vieillis et plus je pense que ma mère n'était pas une exception, mais la règle. »

– Ce que j'ai voulu dire, c'est que j'ai compris que, comme beaucoup de femmes de sa génération, elle souffrait sans le savoir de problèmes transmis génétiquement ou exacerbés par le système dont elle était prisonnière et que, donc, quand elle faisait son numéro, c'était plus un symptôme que…

– Et tu as ajouté combien c'était à la fois extrêmement agaçant et un grand soulagement, parce que ça voulait dire que tu étais normale, mais ça te privait en même temps du droit de te plaindre.

– Arthur ! Je n'ai jamais parlé du « droit de me plaindre ». J'ai parlé du « sentiment d'avoir surmonté un obstacle en tant que fille de personne atteinte d'une maladie mentale ».

– Ce n'est pas le souvenir que j'en ai. De toute façon, il va falloir remettre cette conversation à plus tard. Je ne peux pas m'embarquer là-dedans. Il n'y a pas de place pour ça dans mon cerveau en ce moment.

Elle roula sur le côté dans le lit et faillit en tomber, éjectée par l'ambition d'Arthur, qui commençait à envahir son attention à la manière – pensait-elle prémonitoirement – d'une maîtresse. Elle l'aurait aimé moins distant. Elle aurait voulu qu'il se concentre sur ce qu'il avait devant lui – elle, par exemple. Mais cette façon de voir loin était une qualité qu'elle lui enviait, c'était ce qui l'attirait chez lui. Qu'on puisse se piquer d'être un possible agent de l'Histoire, un « grand esprit », la dépassait. Lorsqu'il était de bonne humeur, son ambition était grisante. C'était une sorte de formidable ivresse. Lorsqu'il était malheureux, en revanche, comme à présent, il semblait arrogant et irréaliste. Dans ces moments-là, il lui donnait la nausée.

Elle mit son humeur maussade sur le compte du stress. Jusqu'à récemment, il avait développé pour son entreprise de génie civil un projet qui lui tenait à cœur, la création d'une substance peu coûteuse et à prise rapide dont il espérait qu'elle remplacerait un jour le béton. Elle faisait intervenir un enduit spécial concocté par Arthur et qui réduisait la quantité de ciment requise pour fabriquer le mélange. Il y travaillait depuis un an, consultait des ingénieurs en matériaux aux quatre coins de la ville, passait ses soirées au bureau pour effectuer des tests de résistance et prenait du retard sur ses autres missions. Mais sa création, bien que d'un coût de production peu élevé, s'avéra moins résistante que le béton et incapable de supporter des structures importantes comme des ponts, des coques de navires ou des centres commerciaux, même renforcée d'une armature métallique. Arthur avait été furieux lorsque son supérieur avait annulé son projet.

– C'est une substance *nouvelle*, plaida-t-il. Vous ne voulez pas lui accorder une chance ?

– Peu importe qu'elle soit nouvelle, rétorqua son supérieur, si elle n'offre pas d'usage applicable.

– Nous en trouverons un. Faites-moi confiance. Je trouverai quelque chose.

– Ça n'a pas de sens. Personne n'a besoin de béton bon marché à prise rapide. Il n'y a pas de demande pour ça. Tout le monde est satisfait du béton tel qu'il est. Je vous ai laissé aller jusqu'au bout parce que vous étiez enthousiaste, et parce que vous avez promis que ça ne

173

vous perturberait pas dans votre travail, or ça vous perturbe, c'est évident.

– Oui, j'étais enthousiaste ! Et je le suis encore ! Je tiens quelque chose, je le sens.

– Je vais vous poser une question, dit le supérieur. Répondez honnêtement. Développez-vous ce projet parce que vous pensez qu'il pourrait répondre à un vrai besoin ? Ou le développez-vous pour avoir quelque chose à développer ?

– Je rejette cette formulation.

– En d'autres termes : faites-vous ça pour quelqu'un d'autre que vous-même ?

– Je trouverai une application.

– C'est trop fragile, Arthur. Ça ne sera jamais homologué. Pas dans ce pays.

Il se trouvait dans un box des toilettes, le *Time* de mi-janvier ouvert sur les genoux, lorsqu'elle lui vint. Son idée ! Elle électrisa son corps tout entier. S'il parvenait à rendre sa substance expérimentale utile dans un autre pays – un pays chaud et sec, où le mélange prendrait rapidement ; un pays faiblement réglementé ; un pays ayant terriblement besoin de se développer, où on apprécierait son action – s'il parvenait à cela, il serait plus qu'un ingénieur. Il serait un génie humanitaire. Il contempla le visage à lunettes du tout nouveau Premier ministre du Zimbabwe, qui le regardait en souriant sous sa moustache en brosse, sur le magazine. Il porta celui-ci à ses lèvres et l'embrassa.

Il tira la chasse et sortit précipitamment des toilettes. Il n'était que quatre heures et demie, mais, au lieu de retourner à son bureau, il alla directement à la salle de pause où il rangeait ses skis de fond, les emporta dehors et les chaussa. La neige s'était amoncelée sur Boston. Elle blanchissait la ville, engloutissait les voitures. Il fila par les rues non dégagées en jetant un ski devant l'autre sur la poudreuse et en balançant les bras. Arrivé en bas de l'immeuble de Kenmore Square, il se débarrassa de son matériel et le laissa à la porte, gravit péniblement les trois étages et exposa, essoufflé, son plan à Francine.

– Tu vas faire *quoi* ?

Elle était assise à la table, ses livres et papiers étalés devant elle.

Il haletait, ses joues rosies par le froid.

– Je vais construire des toilettes extérieures à bas prix, solides et hygiéniques, dans toute la campagne du Zimbabwe.

Francine cligna des yeux.

– Tu es sérieux ?

– Très sérieux. Qu'en penses-tu ?

Ce qu'elle en pensait ? Elle ne voulait pas qu'il y aille, voilà ce qu'elle en pensait. Mais elle ne voulait pas être de ces femmes qui empêchent leur compagnon de poursuivre son rêve. Il était trop tôt dans leur relation pour semer ce genre de rancœur à long terme. Et puis, il fallait le reconnaître, il y avait quelque chose d'excitant à le voir là, les yeux brillants, saupoudré de neige et plein de motivation. Cela lui allait mieux qu'une vague ambition frustrée. Si elle permettait ce voyage, se dit-elle, cautionnait ce rumspringa pour adulte, il comprendrait à qui il avait affaire. D'ici quelques mois il reviendrait, écœuré de liberté, prêt à fonder un foyer.

– Oui, dit-elle. Je pense qu'il faut foncer.

175

Avec sa bénédiction, il rédigea une proposition et chercha des financements. Elle l'aida à rédiger et envoyer les demandes, au sacrifice de ses propres échéances universitaires. Mais à peine les courriers partis, Arthur se vit promptement et sans pitié éconduire par presque toutes les associations qu'il avait sollicitées : Save the Children, la Communauté de développement d'Afrique australe, Samaritan's Purse, Médecins sans frontières, Ingénieurs avec passeports. Les mois fondirent avec la neige, et Arthur se découragea. Alors que Francine ne l'avait jamais vu boire plus de deux bières en une soirée, il en buvait maintenant trois, quatre, cinq, six. Il se mit à grossir. Et on parle là d'un homme qui ne s'accordait aucun plaisir, qui comptait pratiquement chaque grain de riz, qui s'imposait la faim, qui ne gaspillait rien et ne pensait qu'à faire éclater son talent au grand jour.

Elle fut en secret un peu soulagée de cet échec. Au moins, il resterait auprès d'elle. Il finirait bien par rebondir. Il avait essayé, ça n'avait pas marché. Peut-être, à présent, mettrait-il son ambition au service de leur relation. Peut-être, à présent, fonderaient-ils un foyer.

À l'automne, leur vie retrouva un semblant de normalité. Francine se remit sur sa thèse en parsemant les conversations d'allusions stratégiques aux nouvelles naissances d'enfants dans leur entourage. Arthur retourna travailler en faisant semblant de ne pas l'entendre.

Puis, ce printemps-là, un courrier inhabituel atterrit dans la boîte d'Arthur. L'enveloppe lui était adressée de la part d'une association appelée les Humbles Frères en

Christ. Dans une lettre dactylographiée, ils se décrivaient comme « un groupe visant à éradiquer la pauvreté, abolir la faim, anéantir totalement les maladies soignables à travers le monde ». Arthur pleura presque de joie en découvrant, à la fin de la lettre, leur intention de financer son projet.

Francine fut dévastée.

– Tu es sûr de… cette Église ? demanda-t-elle. Je n'en ai jamais entendu parler. Je ne veux pas jouer les rabat-joie, mais il serait peut-être prudent de ne pas s'emballer.

– Je prends ce qu'on me donne, trancha-t-il.

Leur manque de popularité, les Humbles Frères le compensaient par leur enthousiasme – et leur argent. Leur toute nouvelle société d'édition exempte d'impôts fit même imprimer cent exemplaires de la proposition détaillée d'Arthur, petits ouvrages à couverture cartonnée rouge, estampillée de son nom. Arthur en fut si fier que, pour la première fois devant sa compagne, il pleura.

Ces propositions reliées eurent un effet démesuré sur Arthur, qui avait grandi dans une maison sans livres. Enfant, il s'était révélé naturellement intellectuel et avait manifesté des facultés critiques précoces, mais ses parents n'étaient pas des lecteurs. Il passait ses dimanches à la bibliothèque municipale de Sharon, à se perdre dans les rayonnages. Ses lectures étaient celles d'un garçon préadolescent ordinaire – biographies de savants, romans sur le base-ball –, avec une prédilection pour les aventures musclées du défenseur de l'Empire britannique le lieutenant Giles Everhard (Croix de

Victoria, Grand-Croix de l'Ordre du bain), telles que les racontaient les romans de T. S. Worthington. Ce bon lieutenant était une crapule, un débauché, un antihéros impétueux qui sillonnait les mers pour le compte de Sa Majesté la reine Victoria et multipliait les conquêtes féminines. La morne et froide ville de Sharon, dans le Massachusetts, ne faisait pas le poids face aux îles exotiques dépeintes dans *Everhard aux Antilles*, ni face au Sud-Ouest américain d'*Everhard et les Peaux-Rouges*. Les parents d'Arthur n'en avaient cure. Sa mère, une femme sévère atteinte d'un syndrome de la Tourette non diagnostiqué et d'une manie, sans lien avec ce dernier, de rappeler à son fils qu'il n'était qu'une petite merde, jetait tous les livres qu'il rapportait à la maison. Elle ne leur reconnaissait aucune valeur. Quant à son père, seul dentiste fauché au monde, il n'était pas d'un grand secours, dévoré qu'il était par sa haine de lui-même et par son penchant pour la boisson, qui l'attirait au bar irlandais du coin et faisait de lui un monstre de foire pour ses coreligionnaires. Qu'Arthur ait à présent un livre avec son nom dessus était un camouflet pour eux deux. Quel dommage que son père ne soit pas encore en vie pour voir ça ! Il roula jusqu'à Sharon et laissa un exemplaire à sa mère. Elle ne l'appela jamais pour lui dire ce qu'elle en avait pensé.

— C'est tout elle, fulmina-t-il. C'est tout elle, ça.

— Calme-toi, dit Francine.

— Elle pourrait au moins me mentir ! Me dire qu'elle y a jeté un coup d'œil ! Je l'ai appelée ce matin, et devine… Pas un mot. Tu avais raison à propos des mères. Ce sont les pires. On ne peut pas leur faire confiance. Point final.

– Ce n'est pas ce que j'ai dit. Et puis tu la connais. Tu ne peux pas attendre d'elle qu'elle t'encourage. Elle ne l'a jamais fait. Il va falloir que tu sois fier de toi. Moi, je le suis.

Arthur enfouit son visage dans ses mains.

– Ça ne suffit pas.

D'autres courriers suivirent pour régler les détails. Ce fut décidé : Arthur irait au Zimbabwe.

Ce pays offrait alors beaucoup d'espoirs. Grenier à céréales du continent africain, l'un des premiers exportateurs mondiaux de blé, de maïs et de tabac, il était depuis peu indépendant grâce à l'action d'un militant charismatique du nom de Robert Gabriel Mugabe. En mars 1980, Arthur Gabriel Alter s'envola de Boston pour Londres, puis de Londres pour Salisbury, qui serait bientôt renommé Harare, capitale du pays où il devait amener son idée à se réaliser.

Sur Air Zimbabwe, il se fit surclasser pour une somme insignifiante. Avant le décollage, il eut droit, en tant que passager de classe Club, à des serviettes chaudes et à une coupe de champagne. Une fois en vol, il profita de dix heures de boissons à volonté et d'un dîner de poisson fumé et de gâteau à la farine de maïs, service qui souffrirait de coupes drastiques dans les mois à venir. De l'autre côté de l'allée centrale était assis un Zimbabwéen d'origine anglaise, un corpulent Kipling au bronzage permanent. L'homme avait une grosse moustache et un pied handicapé. Une cicatrice rose s'étendait de la base de son cou jusqu'à l'endroit où sa chemise était boutonnée, au milieu de la poitrine. Surprenant le regard d'Arthur braqué sur elle, il expliqua : « La guerre. » Arthur se souvint d'un poème appris à l'école : *Bouquet d'épices, arbre à cannelle / Qu'est l'Afrique pour moi ?*

Au retrait des bagages à Salisbury (bientôt Harare International) Airport, un homme mince en costume à coupe boxy et lunettes de soleil tenait un panonceau en carton portant le nom ALTER. Arthur le suivit jusqu'à une Mercedes blanche.

À Boston, il s'était organisé pour passer quelques jours dans la famille d'un collègue zimbabwéen, Louis Moyo. Le dernier jour d'Arthur dans l'entreprise, Louis l'emmena déjeuner. Lorsque l'addition arriva, il tendit à Arthur une poignée de billets de cent dollars. « Je t'ai prêté de l'argent ? demanda Arthur. – Non, non, dit son collègue. C'est pour mes parents. Donne-le-leur, s'il te plaît. Le dollar américain a cours bien plus loin que tu ne penses. Et avant d'oublier… » Il sortit alors de sa serviette un *Playboy* dont la couverture montrait une rousse à la peau laiteuse, penchée, seins nus, au-dessus d'un flacon de vernis à ongles renversé, ses mamelons effacés à l'aérographe. « Pour te remercier », expliqua-t-il. Et d'ajouter : « Là-bas, dans la brousse ? Tu risques d'en avoir besoin. »

Qu'est l'Afrique pour moi : / Soleil de cuivre ou mer merveille.

Les Moyo habitaient une vaste maison de briques jaunes à Salisbury, avec une pelouse aussi impeccable que dans n'importe quelle banlieue chic de Boston. Ils avaient veillé pour l'attendre.

180

Louis Moyo Sr. était un homme aimable aux joues flasques, toujours prompt à se rabaisser par une plaisanterie. Prévenant envers Arthur, il tenait à dire des choses comme : « Vous devez être épuisé. » Sa femme, Promise Moyo, avait plus d'assurance et ne cessait de servir à Arthur du thé et des gâteaux. Farouchement indépendante, avant de rencontrer son mari elle avait fait construire et dirigé une usine de confection de vêtements. Louis Sr., qui, de son propre aveu, avait des contacts au gouvernement mais aucune compétence particulière, avait fait en sorte que l'usine de sa femme fournisse ses uniformes à l'armée nationale du Zimbabwe. « Dans la vie, il faut connaître les bonnes personnes », dit-il à Arthur en tenant Promise par la taille.

Ce premier soir, après l'avoir laissé dans la chambre d'amis, Louis Sr. revint frapper à la porte.

– Je voulais vous souhaiter une bonne nuit, dit-il. Mais d'abord, il faut que je vous demande… Notre fils ne vous a rien donné pour moi ?

Arthur avait oublié la question de l'argent.

– Si, dit-il. Une minute.

Il s'accroupit près de son sac, dos à M. Moyo. Ayant discrètement prélevé trois billets de cent dollars de la liasse – il n'avait pas oublié la remarque de Louis sur la valeur du dollar américain –, il se retourna et tendit le reste au père de son collègue. Le visage de M. Moyo se détendit, et ce fut avec le sourire qu'il souhaita à son invité de bien dormir.

Arthur passa deux semaines reposantes chez les Moyo. M. et Mme Moyo avaient tous deux fait leurs

181

études à l'étranger – Louis Sr. à Rochester, dans l'État de New York, et Promise à Toronto – et étaient intrigués par l'actualité politique américaine. Arthur répondit tant bien que mal à leurs questions sur Reagan. Comment les États-Unis pouvaient-ils élire président un acteur d'Hollywood ? Arthur expliqua qu'en gros le votant américain moyen était un enfant gâté, doté d'un insatiable appétit pour le divertissement.

À son tour, il apprit des choses sur le Zimbabwe. Les Moyo étaient optimistes quant à l'indépendance. Arthur, impressionné par leur cuisine bien équipée, leur machine à laver séchante Whirlpool et leur douche à haute pression, était lui aussi optimiste. Entre l'hospitalité de ses hôtes, le confort moderne de leur maison et le temps constamment ensoleillé, il commençait à préférer Salisbury à Boston.

Il y dormait formidablement bien – *L'Afrique ? Un livre qu'on feuillette / Nonchalamment jusqu'à ce que vienne le sommeil* – et trouvait chaque matin en se réveillant du thé chaud et du lait qui l'attendaient sur un plateau devant sa porte, laissés là par la domestique des Moyo. Au petit déjeuner, devant son bol de bota, il lisait le *Herald*. Promise lui apprit à cuisiner le maïs grossièrement pilé qu'on appelait *miele-meal* en prévision de son séjour dans la brousse. Après le dîner, il fumait des cigares d'import en compagnie de Louis Sr. Un soir, les Moyo l'emmenèrent voir un match de foot au stade Rufaro, où ils passèrent devant la foule et se garèrent sur un parking privé rempli de Mercedes, avant de gagner la loge présidentielle *via* une entrée barrée d'une corde.

– Ç'a été l'une des périodes les plus heureuses de sa vie, dit Francine à sa fille. Les lettres qu'il m'écrivait à ce moment-là étaient pleines de confiance, pleines de certitude.

Deux semaines après, Arthur dit au revoir aux Moyo et les remercia de leur hospitalité. Promise le serra dans ses bras et insista pour qu'il revienne les voir. Montant à bord d'un vieux car soviétique à la peinture écaillée, il se mit en route pour Chiredzi, la petite ville, à quatre cents kilomètres au sud, où l'attendaient les Humbles Frères. Alors que le car s'éloignait de la propre et moderne Salisbury, avec ses tours de béton et ses jacarandas violacés, le brutalisme de ses toits orné de bourgeons en train d'éclore, Arthur fut soudain envahi par le mal du pays, une tristesse retardée par son acclimatation locale. Il pensa à Francine, seule à Boston.

La ville disparut derrière lui. Les bâtiments s'espacèrent, remplacés par des kopjes rocheux et de petits massifs isolés de marulas et de mopanes. L'air sentait l'essence, le feu de bois, la viande grillée et le savon. Une route rouge-brun fendait le paysage vallonné, bordée de voyageurs attendant des deux côtés. Le car avançait avec des bruits de ferraille et se remplissait peu à peu. Lorsqu'il tomba en panne, quelque part dans la province de Masvingo, Arthur et les autres hommes valides descendirent pour pousser.

C'était le soir lorsqu'il arriva à destination. Chiredzi était un petit centre administratif du Lowveld, économiquement dépendant des plantations de canne à sucre proches de la frontière avec le Mozambique. Les

Humbles Frères avaient installé une antenne à quelques kilomètres au sud du centre-ville.

Arthur marcha jusqu'à ce qu'il arrive à leurs locaux, un bâtiment en parpaing de plain-pied avec un toit de tuiles rouges. Au loin, on apercevait des groupes de huttes, certaines montées sur pilotis au-dessus de la terre rougissante. Il fut accueilli à l'entrée par un représentant filiforme de l'Église, qui se présenta : il s'appelait Rafter Benson.

– Il n'y a que vous, ici ? demanda Arthur.

– Que nous, dit-il, confirmant les pires craintes d'Arthur. Attendez, je vais prendre votre sac. Ouh là ! c'est lourd, dites donc.

Rafter avait des cheveux blond paille et des jambes fines comme les pattes d'un oiseau de dessin animé. Il expliqua qu'il vivait là depuis deux mois, qu'il préparait les lieux pour l'arrivée d'Arthur.

– J'ai lu votre bouquin mille fois. Je n'y ai pas compris grand-chose, mais vous avez l'air de savoir de quoi vous parlez, ça, c'est sûr.

– Vous êtes missionnaire ?

– Non, non, pas du tout. Les Humbles Frères en Christ ne font pas de prosélytisme. Pas explicitement. Nous préférons une approche plus humanitaire. Nous apportons de l'aide à ceux qui en ont besoin. Et si, pendant le processus, certains d'entre eux finissent par vouloir adopter notre mode de pensée, eh bien, ce n'est pas nous qui allons les en empêcher.

– Vous connaissez donc bien cette partie du monde ?

– Moi personnellement ? Non. C'est mon premier poste de bénévole.

– Et l'Église ? Les Humbles Frères sont bien implantés dans la région ?

Rafter eut l'air surpris.

– On est là pour quoi, vous et moi, à votre avis ?

– C'est nous les points d'ancrage ?

Arthur secoua la tête :

– J'espérais que vous connaîtriez un peu le coin. Ou au moins que vous pourriez me mettre en contact avec d'autres bénévoles qui pourraient…

– Eh non ! On est pour ainsi dire en terre inexplorée.

Rafter sourit :

– Ça va être une aventure pour tous les deux. Allez, venez à l'intérieur, vous allez m'expliquer ce qu'on va faire ici.

Il s'agissait, en premier lieu, de redonner de la dignité au peuple. D'après ce que savait Arthur, une grande partie du Zimbabwe rural n'était toujours dotée d'aucun système sanitaire élémentaire. Les habitants les plus pauvres faisaient leurs besoins dans la brousse et polluaient Dieu savait combien de puits et sources d'eau. Ceux qui avaient la chance d'habiter suffisamment près de latrines – ces cabanes rudimentaires construites au-dessus de trous creusés dans le sol – pour s'y rendre à pied n'étaient guère mieux lotis. Chères à construire correctement, les latrines demandaient beaucoup d'entretien et puaient terriblement. La plupart tombaient en morceaux, s'enfonçaient sous leur propre poids dans la terre surfertilisée, et on finissait généralement par les laisser pourrir, totems à la gloire des déchets humains. Mais dans un pays soucieux de se moderniser, Arthur avançait que chaque habitant – pas seulement les Moyo et leurs amis fortunés – méritait de faire ses besoins dignement, en toute intimité, dans des toilettes durables et faciles à nettoyer. Chaque habitant méritait de vivre une vie pleine et féconde, sans craindre des maladies évitables.

– Ah, fit Rafter en posant le sac d'Arthur. Je sens déjà que ça va être un privilège de travailler avec vous.

Le bâtiment ne comportait pas de pièces distinctes, ce n'était qu'un long couloir, style ranch. À une extrémité, deux lits de camp. De l'autre, un stock de conserves et de fournitures diverses, lampes de poche, piles. Au milieu, un évier et, dessous, un bassin hygiénique.

– Prenez le lit que vous voudrez, dit Rafter. Ou les deux. Vous pouvez les rapprocher et en faire un double. Moi, ça m'est égal. Ça ne me dérange pas de dormir sur le sol.

Durant les semaines qui suivirent, Rafter se rendit utile en rassemblant le sable et le ciment à ajouter à l'enduit spécial d'Arthur, dont la consistance n'était pas sans rappeler celle du porridge de *miele-meal*. Il chercha des lieux et participa à l'élaboration d'un prototype. Sa servilité pathologique faisait de lui un excellent assistant mais rendait sa compagnie pénible. Il demandait constamment à Arthur s'il était bien installé, s'il pouvait faire quoi que ce soit pour lui. Il se considérait comme un simple serf sur le grand domaine terrestre de Dieu, mais là, au Zimbabwe, devant la rareté des églises et des autres témoins de Son existence, il reportait sa dévotion sur Arthur. Pour paraphraser le hit de Stephen Stills qui n'arrivait qu'à présent, avec dix ans de retard, sur les ondes zimbabwéennes : Si tu ne peux pas servir le dieu que tu aimes, sers celui que tu as sous la main.

Un soir, Arthur commit l'erreur de demander à Rafter comment il s'était retrouvé chez les Humbles Frères en Christ. Rafter parla jusque tard dans la nuit de son enfance en Virginie-Occidentale et de l'église manipulatrice de serpents où il avait été ordonné prêtre à l'âge de six ans. Il avait fugué à quinze ans et découvert le bouddhisme dans un wagon de marchandises vide en sautant de train en train vers le nord, ce qu'il avait fait jusqu'à ce qu'il soit recueilli par une secte de Juifs messianiques du New Jersey.

– Mais c'est là, dit-il, chez les Humbles Frères, qu'est ma place.

– Comment le savez-vous ? demanda Arthur.

– Oh, je le sais. Cette fois, je le sais.

– J'avoue que je n'avais jamais entendu parler de votre communauté.

– Nous sommes assez nouveaux.

– Ça fait bizarre d'apprendre l'existence d'une « nouvelle Église ». On ne s'attend pas à ce que les Églises soient « nouvelles ».

– Il fut un temps où Jésus n'était qu'un promeneur anonyme en Galilée.

– Vous devez avoir raison. Vous êtes basés où ?

– Dans le Montana. À Butte.

Arthur avait des doutes sur cette organisation, mais elle le soutenait, et le travail avançait bien. Chaque fois qu'il écrivait pour demander des matériaux, ceux-ci arrivaient à Chiredzi deux semaines plus tard sans que personne ne pose de questions.

Pourtant, pourtant... Francine lui manquait. Sa compagnie, sa perception d'elle-même, sa confiance en lui. Boston, aussi. Il devint accro au *Playboy* de Louis. Il comptait les jours aux pick-up Save the Children bringuebalants qui passaient devant le bâtiment de l'église toutes les deux semaines – il portait sur les bénévoles de cette association un regard amer ; *Vous auriez pu m'avoir moi*, songeait-il – et aux camions Coca-Cola réfrigérés, transportant vaccins et sodas dans la même longue chaîne de livraison.

Pour appeler chez lui, il devait se rendre à Chiredzi à pied, prier pour que les lignes téléphoniques fonctionnent, attendre une demi-heure, parlementer quinze minutes avec des opératrices à Salisbury et à Nairobi, et payer plus de quatorze dollars, tout ça pour deux minutes de communication hachée avec Francine. Et lorsqu'on les mettait enfin en relation, il cherchait ses mots. Il fallait être prudent. La distance amplifiait tout, imprégnait les plus banales conversations de lourds sous-entendus. Un commentaire anodin pouvait être interprété et réinterprété d'innombrables manières inattendues. Les silences étaient des coups mortels. Il était presque impossible de ne pas céder à la paranoïa, de ne pas se demander, le cas échéant, pourquoi elle n'avait pas décroché, ou si ce crachotement parasite n'était pas un soupir, un « Chut ! » joueur intimé à un homme couché à côté d'elle. L'angoisse le dévorait.

Ils ne se parlaient en moyenne que deux fois par mois, aussi, ces deux fois-là, se sentaient-ils obligés de se présenter sous leur meilleur jour. Il n'était pas question d'exprimer la tristesse ou la frustration – ni les frustrations quotidiennes, comme le retard de production engendré par la pénurie de treillis soudé, ni (surtout pas) celle de la distance elle-même. Il n'y avait de la place que pour la joie et la passion. Parfois, ces sentiments leur venaient naturellement, mais dans le cas contraire ils les simulaient.

Rapidement, ils tombaient dans les platitudes. *Tu me manques*, disait-elle après quelques secondes de silence insoutenable, et il répétait les mêmes mots comme un perroquet. Avoir quelque chose à dire. *Tu me manques. Je t'aime.* Quelle horreur d'entendre *Je t'aime* en sachant que ce n'était dit que pour meubler ! Mais de quoi parler ? Leurs vies prenaient des directions différentes. Jour après jour, ils avaient de moins en moins de choses à partager. Qu'avait-elle à faire des installations sanitaires et lui de *L'Interprétation des rêves* ? Chaque minute passée au téléphone était tendue. Suffisait-il de cela pour cesser d'aimer quelqu'un ? Une poignée de semaines et douze mille kilomètres ?

Lorsqu'il n'appelait pas Francine ou ne travaillait pas sur son prototype, Arthur faisait connaître sa présence aux familles habitant les huttes autour de Chiredzi. On y parlait le shona, principalement, un peu le shangani, et quelques mots d'anglais. Arthur s'efforçait d'expliquer, en termes simples et avec des gestes, ce qu'il faisait là, mais l'aspect corporel de son projet se prêtait mal au mime. Sa mission de communication accomplie, il jouait au foot avec les enfants, qui improvisaient des cages à l'aide de filets antimoustiques devant chez eux. Certains portaient des noms shonas, mais d'autres, influencés par les colons britanniques et les travailleurs humanitaires américains, avaient reçu des noms anglais. Outre les Kudakwash et les Kunash, les Emmanuel et les Jonathan, Arthur rencontrait des Sugar (en l'honneur des plantations de canne à sucre voisines) et des Nixon (comme le président américain), des Blessing et des Goodlife. Jamroll Matimbe, un jeune garçon baptisé ainsi en raison du roulé à la confiture qu'un étudiant en médecine anglais de passage avait donné à sa mère le matin de sa naissance, se prit d'affection pour Arthur et se mit à venir le voir dans les locaux de l'église. Plusieurs jours par semaine, il arrivait habillé de vêtements occidentaux d'occasion, des chemises écossaises ou à motif cachemire et à col pelle à tarte, et regardait Arthur travailler.

Bien que Jamroll parle très peu l'anglais, et Arthur encore moins le shona, ils aimaient bien être ensemble. Arthur détaillait son projet à Jamroll tout en travaillant. Articuler ses raisonnements à voix haute lui aérait l'esprit. Jamroll écoutait patiemment, commentait parfois dans sa propre langue. Ils ne se comprenaient ni l'un ni l'autre, mais ces rythmes conversationnels familiers apportaient du réconfort à Arthur, heureux de parler à quelqu'un d'autre que Rafter.

Outre la barrière de la langue, leur amitié était compliquée par le poids de Jamroll. Arthur avait appris que la malnutrition sévissait sous deux formes dans les zones rurales du pays : le marasme, amaigrissant, et le kwashiorkor, une carence protéique engendrant un gonflement. Il était clair que le petit souffrait du premier. Le centre de sa poitrine s'incurvait vers l'intérieur, et à travers un voile de peau Arthur distinguait son sternum et le contour de ses côtes.

Arthur tentait de comprendre son état par le pouvoir de l'imagination empathique. Après tout, c'était un être humain comme lui. Il se souvenait d'un été passé chez sa tante Terry, la sœur de sa mère, lorsqu'il avait à peu près l'âge de Jamroll. Terry ne s'était jamais mariée et vivait seule dans l'est de Boston, où elle avait amassé une quantité spectaculaire de figurines en étain. Elle parlait sans cesse des prochaines élections présidentielles et de la position délicate dans laquelle ce scrutin la mettait : démocrate convaincue, elle soupçonnait Kennedy d'agir en secret pour l'Opus Dei. Elle ne savait préparer qu'un seul plat, une invention de sa part qu'elle appelait « fish pizza » et servait à Arthur tous les soirs au dîner. Arthur ne la voyait jamais manger, mais, invariablement, elle s'asseyait à table avec lui et y restait jusqu'à ce qu'il ait terminé. Vite écœuré par le goût infect du filet de poisson recouvert de fromage fondu, il se mit à le glisser dans sa serviette lorsqu'elle regardait ailleurs, avant de s'excuser pour aller le jeter aux toilettes. Il se passa de dîner tout l'été. Le soir, dans son lit, il avait l'estomac qui gargouillait et n'arrivait pas à dormir. Une nuit, il alla fouiller les placards de la cuisine, mais n'y trouva qu'un pot de moutarde. Rien non plus dans le réfrigérateur. À l'époque, il n'avait pas compris pourquoi sa mère l'avait envoyé chez cette femme bizarre. Plus tard, il se demanda s'il n'avait pas eu pour rôle de la surveiller pour l'empêcher de se suicider. Toujours est-il qu'il rentra à Sharon en sachant ce que c'était que d'avoir vraiment faim. Ce fut précisément cette expérience qui lui permit de se projeter dans le corps de Jamroll et de traverser le gouffre entre leurs deux vies. L'empathie ! Il comprenait ce gamin tout à fait. Il partagea avec lui ses rations de denrées non périssables, haricots, compote de pomme, lait en poudre, même s'il savait que ce n'était qu'une solution temporaire à un problème systémique. Les choses s'arrangeraient pour Jamroll, espérait-il cependant, comme elles s'étaient arrangées pour lui-même après avoir quitté sa tante Terry et cessé d'être – pour ainsi dire – son « sujet colonial ».

Au mois de juillet, le prototype se dressa fièrement, à moins d'un kilomètre de l'antenne de l'église, en contrebas du puits le plus proche. Un large cylindre, haut de deux mètres soixante-quinze. Ouvert en haut pour la lumière et l'aération. Des quatre familles des environs, Arthur l'avait placé au plus près de celle de Jamroll.

– « Moïse bâtit un autel », dit Rafter en contemplant leur œuvre, « et lui donna pour nom : l'Éternel est ma bannière. »

Arthur passa les semaines suivantes installé près des latrines, pour expliquer à des autochtones intrigués, rabattus par Rafter, le fonctionnement de l'installation. Il leur expliquait comment mélanger son enduit spécial avec le ciment, le sable et l'eau, avant de verser le tout sur le grillage à poules. L'enduit, insistait-il, autant que possible, leur permettait d'économiser le ciment. La superstructure, équipée d'une porte de bois montée sur gonds à ressort, reposait sur une dalle circulaire percée d'une ouverture au-dessus d'une fosse profonde. Le coût total en matériaux par unité était de douze dollars. Pour le nettoyage, il suffisait d'un peu d'eau et de savon. Arthur les regardait fièrement se succéder à l'intérieur pour tester l'installation. Plus jamais les paysans du district de Chiredzi n'auraient à chier dans un cabanon délabré. Ou pire, en pleine nature, près d'un cours d'eau.

Rafter photographia Arthur posant près des latrines avec Jamroll. Arthur conserva une pellicule, et Rafter envoya les autres à ses supérieurs. En retour, les Humbles Frères envoyèrent à nouveau de l'argent. Arthur devait aller construire d'autres latrines plus loin vers l'ouest, près de Triangle, la ville sœur de Chiredzi, et vers le sud, dans la Hippo Valley. Il recruta de jeunes hommes de la ville et les forma au processus de construction. Il délégua de plus en plus à Rafter et aux hommes de Chiredzi. Les latrines Alter se mirent à apparaître un peu partout dans le Masvingo.

En septembre, un télégramme parvint à Arthur dans les locaux de l'église.

ARTHUR,
REJOIGNEZ-NOUS CE WEEK-END POUR UNE FÊTE. VOUS VOUS REPOSEREZ DE VOTRE DUR LABEUR
BIEN À VOUS,
LOUIS MOYO SR.

La Mercedes blanche vint le chercher quelques jours plus tard.

– Que faut-il que je fasse en votre absence ? s'enquit Rafter.

Arthur lui donna deux petites tapes sur la joue.

193

– Continuez de construire.

Il dormit durant tout le trajet jusqu'à Salisbury. Le dossier du siège de cuir marron était froid sous sa nuque ; le chauffeur ne prononça pas un mot. Quand, au coucher du soleil, la Mercedes ralentit puis s'arrêta dans l'allée des Moyo, Arthur se réveilla en s'étirant. À la vue de la maison de briques jaunes, son estomac se serra de honte. La première fois qu'il était venu à Salisbury, son point de comparaison le plus proche était Boston, mais à présent qu'il avait passé plusieurs mois dans la brousse, parmi la frange la plus pauvre de la population du pays, l'opulence des Moyo ne l'impressionnait plus. Elle l'écœurait.

Il resta nauséeux tout au long du dîner, que Promise avait préparé avec l'aide de sa domestique. Arthur avait trop faim pour refuser la nourriture, mais manger ne fit qu'aggraver son état.

– Nous sommes ravis de vous revoir, Arthur, dit Promise durant le repas.

– Vous avez bien nettoyé votre assiette, mon garçon, fit remarquer Louis Sr. On ne vous nourrit pas correctement dans la brousse ? Ha !

Arthur regarda d'un sale œil le ragoût de bœuf en train de refroidir dans l'assiette de Louis Sr.

– Votre travail avance bien ? demanda Promise.

– Oui, dit-il. Notre prototype est en état de fonctionnement. Il s'agit maintenant de le répandre. Vous n'imaginez pas la gratitude des gens.

– Oh, si, dit Louis Sr.

– Personnellement, en tout cas, je suis très admirative de votre action, Arthur, dit Promise.

Et d'ajouter en souriant :

– Qu'un Américain vienne jusqu'ici… pour des toilettes ! Qui l'eût cru ?

Elle rit.

– La situation est grave dans ce pays, dit Arthur.

– Il y a une vraie réticence à la modernisation, expliqua Louis Sr. Il faut suivre le rythme si on ne veut pas se retrouver sur le bord de la route.

– Il a raison, acquiesça Promise.

Arthur termina son thé en grimaçant.

– Je vais aller me coucher, si ça ne vous dérange pas.

Il eut un sommeil agité.

La fête, donnée chez lui par un intime de la famille pour le dixième anniversaire de sa fille, eut lieu le lendemain après-midi sur une pelouse verdoyante. Des tables de buffet proposaient aux invités des alcools de premier choix et des cocktails de crevettes, les dodus crustacés roses arqués par-dessus le bord des coupes, la tête plongée dans la sauce comme pour s'en gaver eux-mêmes. Pintade rôtie et filets de springbok trônaient sur des plats en argent. Arthur réussit à mettre sa colère de côté pendant vingt minutes, le temps de manger. Puis, après deux Johnnie Walker, il la sentit remonter.

– Monsieur Moyo, dit il, alors que la pelouse commençait à pencher. Excusez-moi, mais où ces gens ont-ils trouvé *tout ça* ?

Louis Sr. sourit.

– C'est-à-dire ?

– Dans le Sud, je ne trouve *rien*. Shampooing, rasoirs, piles… même le papier hygiénique est rare. Si j'ai besoin de quelque chose, je peux me le faire envoyer par mes soutiens, mais je vois ces villageois et je me dis, comment ils peuvent supporter ça ? Ils sont au courant ? Pour les crevettes et pour le whisky ? Je croyais… je croyais que ce pays était communiste.

Louis Sr. s'esclaffa.

– Ah, mon ami, dit-il, son sourire soudain abject. C'est le communisme à l'africaine : ce qui est à moi est à moi, et ce qui est à toi, partageons-le.

Arthur s'excusa et alla vomir dans les buissons au coin de la pelouse.

Cette nuit-là, il rêva qu'il était membre de la Royal Navy, avec un harem de femmes bronzées à défendre, mais chaque fois qu'il portait la main à sa ceinture pour sortir son sabre, il s'apercevait, embarrassé, que son fourreau était vide.

Il ne rentra pas à Chiredzi le dimanche comme prévu. Chamboulé, il fit un crochet par un monastère et hôpital trappiste de Chisumbanje, où il resta toute une semaine à aider de son mieux les malades et à seconder les moines dans leur production de pain et de bière. Il regagna l'antenne des Humbles Frères avec la gueule de bois et une foi renouvelée en sa mission.

– Qu'est-ce qui vous a retenu si longtemps ? demanda Rafter, qui, au retour d'Arthur, faisait des passes à Jamroll avec un ballon estampillé « Humbles Frères » devant le bâtiment de l'église.

– Je me suis arrêté en route. Qu'est-ce que j'ai raté ?

Jamroll fit une passe à Arthur, qui bloqua le ballon sous son Adidas Superstar. Une goutte d'eau tomba sur l'embout en caoutchouc de la basket. Il leva les yeux vers le ciel en train de s'obscurcir, puis regarda à nouveau Jamroll.

Le gamin haussa les épaules.

– La saison des pluies, dit-il, en anglais.

En décembre, les averses devinrent violentes et fréquentes. La construction des latrines Alter ralentit. Mais lorsque le ciel se dégagea durant une semaine au milieu du mois, aucun des jeunes hommes recrutés par Arthur ne vint travailler. Jamroll, lui aussi, était introuvable. Arthur envoya Rafter en ville pour voir ce qui se passait.

Rafter revint de son expédition, sa chemise relevée devant la bouche.

– Haladie dufomé ! dit-il.

– Quoi ?

Rafter découvrit sa bouche.

– Maladie du sommeil.

Il cacha ses mains sous ses manches longues.

– Qu'est-ce que vous faites ?

– Je réduis la surface d'exposition. Arthur, il faut se protéger.

– J'ai laissé une bétonnière près du prototype. Venez avec moi.

– Arthur…

– Allez. Venez et expliquez-moi.

– La maladie du sommeil, répéta Rafter en suivant Arthur et en jetant des regards inquiets autour de lui. Elle est transmise par la mouche tsé-tsé. Elle s'attaque au système nerveux central.

– Il y a une épidémie ?

197

– Le Chiredzi General est plein. Ils n'acceptent plus personne.

– Nos gars sont là-bas ?

– Je ne crois pas que vous compreniez, Arthur. La maladie est partout.

– Elle est mortelle ?

– Elle peut l'être. Ça dépend. Ils n'ont plus de lits. Les malades sont étendus à même le sol.

– Vous pensez que Jamroll…

Rafter leva les bras au ciel.

– Dans l'immédiat, je suis plus inquiet pour nous. Pour vous.

– Qu'est-ce qu'on fait, alors ?

– Je ne sais pas. On se met en quarantaine, je suppose. On voit si ça se tasse. J'ai appelé le QG, j'ai laissé un message. Je ressaierai demain. Il faut se protéger de tout ce qui pourrait…

Sa voix s'étrangla alors qu'ils arrivaient devant le prototype. Un léger bourdonnement s'en échappait.

– Arthur, dit-il en tendant un bras tremblant. Regardez.

Arthur suivit le doigt de Rafter jusqu'au sommet de la cabine. Un nuage de petits points noirs s'était installé autour du trou d'aération.

La mâchoire inférieure de Rafter tomba.

– Elles sont attirées par l'odeur, dit-il. Oh, mon Dieu…

Arthur fit un pas en avant.

– Qu'est-ce que vous faites ? demanda Rafter.

– Je veux voir.

– Vous êtes fou ? Ça doit être un vrai bouillon de culture, là-dedans.

– Il faut que je sache, dit-il d'une voix blanche. Il faut que j'en aie le cœur net.

Rafter le saisit par le col.

– Je ne vous laisserai pas faire ! Je ne vous laisserai pas tomber malade.

Les semaines suivantes furent cauchemardesques. Des rumeurs se répandirent dans toute la région. Les autochtones devinrent méfiants à l'égard des Blancs de l'église. Les enfants se rassemblaient pour jeter des pierres sur les latrines Alter jusqu'à ce que leurs mères viennent les chercher et leur recommandent de ne plus jamais s'approcher d'une de ces choses. Rafter cessa de parler, victime d'une dépression dont toute la foi du monde n'aurait pu le protéger. Sa confiance – en Arthur, en les préceptes des Humbles Frères – avait été irréversiblement ébranlée. Sans doute en référa-t-il à ses supérieurs, car fin décembre l'Église envoya à Arthur une lettre musclée et suspendit aussitôt son soutien financier.

Il fallait qu'Arthur réserve un billet d'avion pour rentrer chez lui, et vite. Quelques jours après avoir reçu la lettre de l'Église, il se rendit en ville par le chemin le plus long, dans l'espoir de passer inaperçu. Il se sentait vidé, laminé. Il n'avait pas la force d'affronter les Moyo. Il avait à peine celle de s'affronter lui-même. En suivant les circonvolutions indolentes du sentier en direction de l'arrêt de car de Chiredzi, il buta sur une pierre et tomba à plat ventre. Les minutes s'écoulèrent. Il ne fit aucun effort pour se relever. Cela lui semblait dans l'ordre des choses, d'être allongé là, par terre. *Tu n'es qu'une merde,* songea-t-il. Il avait la place qu'il méritait.

Mais le soleil se couchait, et les téléphones de la ville étaient inaccessibles la nuit. Il poussa un soupir et se remit debout tant bien que mal. S'épousseta les coudes, s'essuya les mains sur son jean. Ce fut à ce moment-là qu'il les aperçut.

Devant, sur le côté du sentier, se trouvait des latrines Alter. Que faisaient-elles là ? Qui avait bâti des toilettes sur ce sentier tortueux, et aussi près de la ville ? Il ne se rappelait pas avoir approuvé cet emplacement.

Il s'en approcha prudemment. L'installation ressemblait à la sienne, mais le mur de la cabine, constitué d'un genre de ferrociment, était circulaire et enroulé en spirale. Pas besoin de porte. Exception faite de la forme du mur, c'était pratiquement des latrines Alter. Mais avec une différence majeure : de la base de la dalle, derrière la cabine, montait un tuyau noir de ventilation, haut d'environ trois mètres. Et ces latrines, comme il put le constater, n'étaient pas neuves. leur surface était marquée d'éclats et de taches.

Il fallut un moment à Arthur pour prendre la mesure de ce qu'il regardait. Lorsque enfin il comprit – que l'air descendait par le trou de défécation et remontait de la fosse par le tuyau, que les mouches pouvaient entrer par l'ouverture en spirale mais, une fois dans la fosse, étaient attirées par la lumière en haut du tuyau, que le haut du tuyau était recouvert d'un filet antimouches, que cette conception était de loin supérieure à la sienne et que ces latrines étaient là depuis au moins quelques années –, il

200

sut pourquoi il avait eu tant de mal à trouver des financements.

Son idée n'était pas son idée. Il avait proposé une
solution à un problème déjà résolu. Les Humbles Frères,
dans leur ignorance, ne l'avaient pas remarqué. Et
Arthur, aveuglé par l'orgueil, était passé à côté. Ses
genoux tremblèrent, et, à nouveau, il s'écroula.

II

8

Les Klein n'étaient certes pas la famille la plus malheureuse de Folsom Drive, mais ils n'étaient pas non
plus la plus heureuse. La dépression du père mathémati-
cien de Francine faisait chuter la moyenne de leur
contentement. Il dormait seize heures par jour, et même
durant ses périodes d'éveil il travaillait au lit, ne se
levant que pour effectuer des mictions bruyantes et tor-
turées ou aller s'asseoir, sourcils froncés, dans son fauteuil en similicuir dans le salon. Chaque fois que l'une
de ses filles osait lui demander ce qu'il faisait, assis là
avec cet air lointain, il répondait de sa voix la plus
sombre : « Je travaille sur mon livre. » Elle était mariée à
un cadavre, se plaignait à ses amies la mère de Francine
au téléphone, et Francine, l'oreille tendue dans la pièce
voisine, supposait qu'elle n'avait pas tort : papa Klein, si
costaud soit-il, avait le regard vide d'un mort.
Cependant, pour l'enfant de huit ans qu'elle était, c'était
perturbant d'entendre sa mère exprimer ses sentiments
aussi crûment. Jusque-là elle pensait que son père était
simplement perdu dans ses pensées, aux prises avec une
théorie de haut vol, à la recherche inlassable de x.

La maison de plain-pied des Klein n'avait rien d'exceptionnel, sinon sa taille. C'était l'une des plus petites de la rue, ce qui irritait Mme Klein au plus haut point. Elle se rattrapait par une gestion méticuleuse de l'intérieur. Sur tous les murs, au-dessus de la moquette et des sièges rêches, elle accrochait des pastels d'arlequins qu'elle peignait elle-même. Elle surveillait les lieux telle une gardienne de musée et imposait à la maisonnée des règles draconiennes. Silence. Pas de chaussures dans la pièce familiale. On ne souffle pas sur les tableaux.

C'était de Mme Klein qu'il fallait se méfier. Cette femme fluette à la choucroute enduite d'Aqua Net était une fine observatrice de la dynamique sociale, un génie de la critique armé d'un arsenal de vacheries déguisées en compliments. Elle disait volontiers des choses comme : « C'est un miracle que tu sois si photogénique », ou : « Tu as la carrure d'épaules qu'il faut pour porter ce corsage. » Elle appartenait à chaque groupe et association de femmes de la ville dans le seul but de casser du sucre sur le dos des autres membres. Francine, qui avait appris à anticiper les remarques de sa mère et à s'y adapter, s'en sortait mieux que Rebecca. Moins souple qu'elle, moins douée pour le compromis, sa sœur cadette, qu'on appelait Bex, se disputait constamment avec leur mère.

La cruauté de Mme Klein ne se relâchait qu'une fois par semaine, pour Shabbat, soir où elle insistait pour que son mari se joigne à la famille dans la cuisine. Elle allumait les bougies, puis s'empressait de fermer les yeux pour prier en hébreu. Lorsqu'elle les rouvrait, le Shabbat inauguré par ses mots, la première chose qu'elle voyait était la lumière. De même, elle se conduisait bien de Roch Hachana à Yom Kippour. Francine attendait l'automne avec hâte pour cette raison-là, car, durant ces dix jours de pénitence, sa mère se montrait d'une extrême gentillesse, multipliant, en privé comme en public, les gestes de bonté dans le but d'être inscrite et scellée dans le Livre de Vie.

Les filles étaient encore petites lorsque le livre de leur père – ce n'était pas un traité, s'avéra-t-il, mais un manuel sur le calcul différentiel à l'usage des étudiants en licence de mathématiques – fut publié et plébiscité par les spécialistes, et adopté par de nombreuses universités du pays. Cette soudaine aubaine engendra l'achat de la maison vacante voisine et d'une deuxième voiture, une Impala verte. La maison était destinée à la mère de papa Klein, décision très mal prise par Mme Klein, elle-même désireuse de mètres carrés supplémentaires dans Folsom Drive et qui estimait sa belle-mère indigne de sa charité.

À cette période-là, Francine commença à se soucier d'équité. Lorsqu'elle demanda à sa mère pourquoi ils avaient deux voitures alors que les parents de son amie Ellie n'en avaient qu'une, Mme Klein répondit, sans ménagement : « Parce que le père d'Ellie boit son salaire. » Ce fut grâce à sa grand-mère, à présent installée à côté et qui s'occupait des filles plus souvent qu'à son tour, que Francine se fit une idée de ce qu'était la justice.

– Ton père a eu de la chance, dit grand-mère Ruth en réponse à la même question. Voilà ce que je propose :

à partir de maintenant, tu donneras à Ellie la moitié de ton cookie tous les jours au déjeuner.

– Pourquoi ? s'enquit Francine.

– Pour rééquilibrer les choses. Pour les rendre égales.

– Mais la moitié d'un cookie n'est pas égale à une voiture.

Grand-mère Ruth sourit, ses yeux pétillant de cet éclat héréditaire, commun à toutes les femmes de sa lignée.

– Tu es très maligne, tu sais ?

– Mais la voiture…

– Oui, tu as raison. La moitié d'un cookie n'est pas égale à une voiture. Mais à force, avec le temps, ça finit par faire assez de cookies pour changer la donne.

La leçon resta. Le jour où Bex reçut une raclée de la part de leur père – on les appelait alors non pas « raclées », mais « fessées », ce qui impliquait une main ouverte dont Bex n'avait pas eu la chance de bénéficier –, Francine fut scandalisée.

– Qu'est-ce qui s'est passé ? dit-elle en inspectant le bleu sur le bras de sa sœur.

– Je me suis servie du téléphone après six heures, sanglota Bex en secouant les épaules (elle avait enfreint l'une des règles de leur mère). J'appelais Marie pour les devoirs, je le jure !

Le lendemain soir, Francine attendit six heures et une minute et appela les Renseignements. Lorsque son père s'approcha d'un pas lourd, elle raccrocha, ferma les yeux et tendit son bras gauche.

– À mon tour, maintenant, dit-elle, dans l'espoir qu'un bleu semblable réconforterait sa sœur et ramènerait une sorte d'équilibre dans la fratrie.

Les pupilles de papa Klein pivotèrent derrière leurs cataractes laiteuses. Il resta planté là un moment, puis regagna son bureau en grommelant.

Lorsque Francine rapporta l'incident à sa grand-mère, celle-ci en eut le souffle coupé. Elle porta ses mains à son nuage de cheveux blancs pour le rajuster, et sous lequel affluaient les larmes.

– Il y a parfois des limites, dit-elle, à ce qu'une personne peut réparer.

Les petites Klein raffolaient des sorties à thème. Leur restaurant préféré, lieu où de nombreux enfants fêtaient leur anniversaire, était un bar enfumé et éclairé de bleu de North Main Street qui s'appelait le Tropics. Le Tropics, avec son toit de pagode en paille, ses pochettes d'allumettes ornées de pin-up et ses serveuses à l'allure polynésienne, enchantait les fillettes. Elles aimaient tout ce qui était exotique, tout ce qui n'était pas originaire de l'Ohio, mais elles voyaient de surcroît dans un restaurant à thème comme celui-là un lieu où l'on pouvait disparaître à l'intérieur d'une imagerie, où avait cours tout un nouvel ensemble de coutumes. Il régnait tellement de règles chez elles, appliquées avec la férocité capricieuse d'un tyran... Quel plaisir, du coup, d'habiter un espace différent, dont l'existence même défiait la culture dominante de leur foyer ! Quand, âgées respectivement de huit et de dix ans, elles obtinrent le séjour à Disneyland qu'elles réclamaient, peu leur importa de ne pas être assez grandes pour profiter des manèges pour adultes dont elles avaient rêvé. Cela leur suffisait d'être là, plongées dans un monde possédant sa propre esthétique, sa propre monnaie, sa propre philosophie. Le plaisir de baigner dans un thème.

À leur entrée au collège, Mme Klein entama le processus de les différencier. « Francine, c'est la grosse tête, disait-elle d'une voix bêlante à qui voulait l'entendre. Et Rebecca, c'est la rigolote. » Ce genre d'affirmation avait pour effet de vexer les deux intéressées.

Cette distinction n'était de plus pas très pertinente. Bex recherchait l'amusement par des moyens plus évidents que Francine – elle se maquillait, allait à toutes les fêtes, riait la bouche ouverte de façon suggestive –, mais Francine était très contente de rester bouquiner à la maison. Son idée du plaisir était simplement plus calme et solitaire. Et à l'intelligence livresque de Francine, on pouvait opposer la vivacité épicurienne de Bex qui lui donnait de l'assurance et lui valut une réputation de briseuse de cœurs longtemps avant que Francine ne sache quoi que ce soit de l'amour.

À mesure que les filles grandissaient, leur corps semblait s'adapter à la conception que leur mère avait d'elles. Toujours mince et conventionnellement séduisante, Bex perdait ses taches de rousseur et mettait les bouchées doubles sur son rire. Fluctuant selon son calendrier scolaire, le poids de Francine montait en flèche avant les examens et dans les périodes de stress.

Malgré leurs différences, Bex plaçait sa sœur sur un piédestal. Elle sentait que ses parents accordaient plus de valeur aux dons de Francine qu'aux siens. Mme Klein était trop misanthrope pour être mondaine, et papa Klein était une absence, il vivait dans l'angle mort de la famille. Malheureusement pour Bex, le charisme n'était pas une vertu dans leur maison. Elle admirait le comportement modèle de Francine, ses bonnes notes et sa pondération, et Francine, de son côté, écoutait avec une pointe de jalousie les récits de sa petite sœur sur les fêtes dans lesquelles elle s'incrustait et les garçons qu'elle embrassait.

À seize ans, cependant, Francine se visualisait mal en modèle. Son moral était assez bas pour rivaliser avec celui de son père. Cela faisait à présent des années que les Klein vivaient des droits d'auteur sur le manuel de mathématiques, et ils avaient la mine désespérée des gens récoltant les fruits d'exploits passés sans aucune perspective d'en accomplir de nouveaux. La dépression s'installait comme une sorte de peste à l'intérieur de la maison. Et pour ne rien arranger, le lycée public de Francine à Meadowdale ne s'était pas remis des émeutes survenues trois ans plus tôt à la suite du meurtre d'un Noir sans arme, Lester Mitchell, par un tireur blanc non identifié. Entre les élèves noirs, qui représentaient soixante-dix pour cent de la classe, et leurs camarades blancs, les relations étaient tendues. Des jumelles, Aida et Ida, qui venaient au lycée en bus depuis un quartier moins favorisé que celui des Klein, harcelèrent Francine pendant huit mois d'affilée pour les avoir selon elles regardées bizarrement en cours de gym.

Il était bien possible que Francine les ait regardées bizarrement, occupée à rêvasser durant une bonne partie de ses deux premières années de lycée, et en particulier en cours de gym. Elle traversait l'adolescence en somnambule, en enchaînant les classes sans effort ni enthousiasme et en passant de longs moments seule

211

dans sa chambre après les cours. Elle évitait sa mère, évitait les jumelles, évitait de se regarder dans la glace. Elle se trouvait grosse et moche. La solitude lui convenait, mais le sentiment la tenaillait qu'il y avait mieux de l'autre côté.

C'était le cas. Lasse de Meadowdale, elle convainquit ses parents d'utiliser une partie de l'argent du manuel pour l'inscrire dans une école secondaire privée à une demi-heure au sud de chez les Klein, où elle s'épanouit. Les classes étaient limitées à douze élèves et les profs avaient tous des diplômes supérieurs. Elle eut un semblant d'aventure avec un jeune prodige de la clarinette. Elle aurait pu se sentir coupable des chances qui lui étaient offertes (et dont ne pouvaient profiter, par exemple, Aida et Ida) si elle ne s'était pas autant éclatée. Car ce fut à ce moment-là, en classe de première, en 1970, que Francine tomba amoureuse de Paris.

Ce coup de foudre, sans doute un peu influencé par un très mignon prof de prépa titulaire d'une maîtrise de littérature française, tenait surtout à sa vision de Paris en anti-Dayton : sophistiqué, blasé, cultivé. Elle en rêvait souvent. Paris – toute une ville organisée autour d'un thème ! Le thème de Paris ! Chez elle, devant la glace, elle se mit à travailler de nouveaux visages français, chacun appartenant à un personnage jusqu'ici inexploré et qu'elle découvrait en elle : la critique d'art perplexe, la spectatrice s'érigeant en juge, la maîtresse négligée. Elle s'habilla en noir et commença à fumer. Ce nouveau centre d'intérêt coïncidait merveilleusement avec une période d'angoisse existentielle due aux hormones et de désaffection croissante vis-à-vis de ses parents, si bien que Francine pouvait dissimuler sa frustration face à sa vie familiale derrière des citations savantes (« L'enfer, c'est les autres ») au lieu de devenir agressive comme sa sœur.

Elle ne tombait le masque que pour sa grand-mère. Avec grand-mère Ruth, Francine pouvait exprimer en termes pas du tout branchés, pas du tout français, combien elle aimait la langue et la culture, le R guttural et l'existentialisme féministe, même les ternes tableaux de glaneuses du milieu du XIXe siècle, qui la bouleversaient d'une manière indescriptible. « Un jour, dit grand-mère Ruth, tu iras à Paris et tu m'enverras une carte postale. » Francine acquiesça. « Je le ferai, promit-elle. Je le ferai. »

En terminale, elle eut pour prof une trentenaire à la voix rauque qui s'appelait Joanne et avait des problèmes de limites. C'était comme si elle avait attendu les années 70 toute sa vie. Elle portait des chaussettes montantes et des minijupes écossaises, version sexy de l'uniforme d'étudiante. Quelques années plus tard, elle serait discrètement renvoyée pour avoir couché avec des élèves masculins qui ne savaient pas tenir leur langue. Francine buvait ses paroles. Irradiante de savoir, Joanne la prit sous son aile et la prépara au voyage qu'elle finirait par faire dans la Ville lumière. Là-bas aussi, il y avait des règles à respecter, mais des règles élégantes, sensées ! Ne jamais apporter de vin à un dîner. Ne jamais sortir en baskets. Acheter du pain frais tous les jours. Francine apprit également à ne jamais offrir de chrysanthèmes, considérés comme morbides et réservés à la décoration des pierres tombales pour la Toussaint. Il y avait tant à apprendre.

213

Excellente en français, elle termina ses derniers mois de lycée en se réjouissant à la perspective de se spécialiser dans cette matière au Wellesley College, université féminine loin de chez elle où sa mère, plus que jamais mariée à un cadavre, était en train de craquer et s'attaquait de plus en plus à son épiderme.

– Pourquoi faut-il que tu ailles si loin ? demanda celle-ci en grattant une croûte sur sa joue, les doigts tremblants. Tu es *lesbienne*, maintenant ?

– Non, dit Francine, le cou enfoncé dans un col roulé noir. Ils ont un excellent programme de français.

– Ça m'étonnerait qu'il n'y ait pas d'autres bons programmes de français entre ici et le Massachusetts.

– C'est l'un des meilleurs du pays.

– Qu'est-ce que je vais devenir, moi, quand tu seras partie ? Tu y as pensé ?

– Tu as encore Bex pour deux ans. Et elle parle d'aller à Ohio State, non ?

– Rebecca est une écervelée. Ce n'est pas une fille sérieuse. Elle n'a pas ton intelligence.

Francine détourna les yeux.

– Désolée.

– Promets-moi de t'acheter de nouveaux vêtements.

– Qu'est-ce qu'ils ont, mes vêtements ?

– Ils sont noirs. Tu ne portes que du noir. Qu'est-ce que tu as, tu es déprimée ?

– Maman…

– Je te le confirme. Tu ne l'es pas.

Un frisson en arrachant la croûte, puis :

– Tu n'as aucun droit d'être déprimée, tu m'entends ? Aucun.

Lorsque grand-mère Ruth mourut, Francine fut la seule à sembler avoir de la peine. Elle pleura une semaine entière. Elle ne s'était jamais sentie aussi seule. Pendant ce temps, sa mère annexa la maison voisine et se mit à parler d'un projet illégal de construction d'extension afin de réunir les deux habitations en une seule maison tout en longueur. Pas de discours, pas d'*in memoriam*. Il revint à Francine de rédiger l'avis de décès, qui fut publié en dernière page du *Dayton Daily News*.

Myrtle Klein, sa sœur, David Klein, son fils, et Francine et Rebecca Klein, ses petites-filles, ont la douleur de vous faire part du décès de Ruth Klein, survenu le 16 mars 1971 à son domicile de Dayton, à l'âge de 74 ans.

– Trop de virgules, dit Mme Klein en lisant le texte par-dessus l'épaule de Francine. On a du mal à suivre.

Dans l'ensemble, n'ayant pas de point de comparaison, Francine ne considéra avoir eu une enfance destructrice que plusieurs années plus tard, lorsqu'elle commença à étudier sérieusement la psychologie, orientation déterminée (essentiellement) par une rencontre fortuite avec un exemplaire des *Jeux et des hommes* que sa mère avait oublié de remettre à sa place dans la bibliothèque du salon.

L'été qui suivit son année de terminale fut marquée par l'arrivée de deux courriers importants. D'abord, il y eut le questionnaire de vie commune. Le Wellesley College voulait connaître les habitudes de Francine : si

elle préférait étudier dans sa chambre ou à la bibliothèque ; si elle aimait écouter sa musique à fort volume.
Elle ne savait trop quoi répondre. Comment pouvait-elle
connaître ses habitudes d'étudiante alors qu'elle n'était
pas encore étudiante ? Comment dire qui elle était alors
qu'elle n'en savait rien elle-même ? Elle s'était préparée
à aller apprendre la langue et la civilisation françaises
sur la côte Est. Elle ne s'était pas préparée à aller
apprendre à vivre.

Une question en particulier la chagrinait. Était-elle
fumeuse ? À strictement parler, oui, elle fumait. Mais
pas depuis toujours. Seulement depuis deux ans. Elle
avait été non-fumeuse bien plus longtemps qu'elle
n'avait été fumeuse. Elle ne fumait que depuis qu'elle
s'intéressait au français, et encore, la cigarette n'était
qu'un accessoire de la langue. Elle n'aimait pas se définir
comme fumeuse. Elle était francophile, donc elle fumait.
De plus, elle ne voulait pas que sa mère tombe sur ce
questionnaire et lui fasse la leçon sur les cigarettes.
(Mme Klein redoutait que les toxines présentes dans
l'air n'endommagent ses tableaux.) Francine cocha NON.
Elle n'était résolument pas fumeuse.

Le deuxième courrier, qui arriva un mois plus tard,
était une lettre de Mary Rooney, que l'université avait
choisie pour partager la chambre de Francine sur la base
de leurs réponses au questionnaire. Elle disait :

Chère Fran (je peux t'appeler Fran ?),
   J'ai vraiment hâte d'habiter avec toi. Ça va être
super à Wellesley, j'en suis sûre. Ma grande sœur y
est allée et elle a adoré. Je suis de Bala Cynwyd, en

Pennsylvanie. J'aime le hockey sur gazon mais je n'aurai sûrement pas le temps d'en faire à la fac. Question : laquelle de nous deux doit apporter la stéréo ? J'aimerais qu'on en ait une dans la chambre. Je peux apporter la mienne, à moins que tu aies déjà décidé d'apporter la tienne.

Amitiés,
Mary Rooney

Peut-être était-ce la nervosité d'entrer à la fac, mais ce mot anodin agaça Francine, en particulier la supposition qu'elle possédait une stéréo – elle en possédait une, mais quand même ! Ce n'était pas le cas de tout le monde ! Qui était cette Mary pour faire une telle supposition ? Il y avait des gens, comme sa copine Ellie, qui n'en possédait pas. De toute façon, Francine ne pouvait pas apporter la sienne car elle la partageait avec Bex – non que les Klein n'aient pas les moyens d'en acheter deux, mais une des règles bizarres de Mme Klein était : Rien en double.

En septembre 1971, Francine partit pour le Massachusetts en se jurant de ne jamais revenir chez elle – pas avant d'être devenue une adulte indépendante, d'avoir sa propre vie. Elle fut aussitôt séduite par la Nouvelle-Angleterre et par le campus, parfait condensé olmstédien de la région. Le lac, le paysage glaciaire, les conifères prenant leurs couleurs d'automne – elle était sous le charme. Elle habitait l'imposant Cazenove Hall. Mary Rooney s'avéra être une personne agréable (Francine regrettait cependant d'avoir menti pour la cigarette, ce n'était pas pratique de fumer en cachette) et la bonne ambiance à l'intérieur de la résidence l'aida à traverser la difficile période d'adaptation. Elle sympathisa avec des filles au parcours insolite et originaires de lieux mystérieux : une physicienne géniale de la péninsule supérieure du Michigan, une lesbienne ayant renoncé à l'empire du commerce de détail dont elle devait hériter, une poétesse possédant une résidence d'été sur un cap du nom de Cod. L'absence masculine ne lui posait pas vraiment de problème. La vue des garçons lui manquait, leur idiotie charmante, mais elle était là pour apprendre et acquérir de l'expérience, pour être prise au sérieux. Wellesley était le genre d'établissement qui faisait de vous une femme sérieuse. Et puis il y avait Boston, ce car qui vous emmenait du campus à Harvard Square et vous déposait en plein milieu de toute cette richesse historique et intellectuelle, toute cette excellence habillée de briques rouges et cernée de fer forgé.

La maison se rappelait de temps en temps à son bon souvenir. Mme Klein insista pour que sa fille choisisse une deuxième spécialité parce que le français était une matière « faible ». Francine opta pour la psychologie. « Ma foi, dit sa mère, deux matières faibles valent mieux qu'une, je suppose. » La psycho, c'était moins glamour, mais Francine était faite pour ça. Il lui faudrait quelques années avant de s'avouer qu'elle avait dans cette matière un talent qui lui faisait défaut en français, malgré son enthousiasme pour ce dernier. Lorsqu'elle ouvrait le *DSM*, elle avait l'impression de lire une carte routière de l'esprit de ses parents.

Le début de son parcours universitaire ne tendait cependant que vers une seule chose, un seul lieu, un lieu où mettre ses connaissances en pratique, un lieu où fumer dans les rues sans se cacher : Paris. Au printemps de sa deuxième année, elle s'inscrivit à un module de deux semestres qui la mènerait là-bas.

L'appartement était situé dans le 5ᵉ arrondissement, près de la station de métro Censier-Daubenton. Le matin, le week-end, la conscience massée par le brouhaha du marché de la rue Mouffetard, Francine se réveillait en sentant les odeurs mêlées du pain frais et du saucisson à l'ail, et en entendant les cris des vendeurs appelant l'attention sur les ananas du Honduras et les citrons de Californie, les œufs de pigeon, les lapins, la charcuterie. Elle cohabitait avec une copine de fac, Linda Sussman, corse à vingt-cinq pour cent et connue à Wellesley comme étant la PBFdC – la Plus Belle Fille du Campus. Grâce à quelques photos choisies envoyées au préalable outre-Atlantique, Linda avait réussi à se trouver un petit ami à Paris avant même de poser le pied en Europe. Comme elle, Jean-Charles avait les yeux bleus. Son père était égyptologue.

Assez rudimentaire, l'appartement avait une petite cuisine tout en longueur et un salon doté d'une alcôve faisant fonction de seconde chambre semi-privée, mais qu'importait ? C'était Paris. Chaque matin, Jean-Charles et son ami Guillaume, étudiant en cinéma, apportaient des baguettes. Francine et Linda les attendaient avec du café, du beurre et de la confiture. Ces quatre-là, plus les deux Pierre (le Blond et le Brun) et une ancienne héroïnomane prénommée Cécile, se retrouvaient tous les midis pour déjeuner aux Quatre Sergents, en face du lycée

Henri-IV, après les cours du matin. Sentimentalement, la situation était complexe. Guillaume était sorti avec Cécile et l'avait aidée à décrocher, mais Cécile avait maintenant des vues sur Pierre le Blond. Linda, avec son option philosophie et son petit nez du Connecticut, avait provoqué la rupture de Jean-Charles avec son ex à lui, qui était la sœur de Guillaume. Nourrie par toutes ces histoires si françaises (et par les approches occasionnelles de Guillaume), Francine adorait chaque minute qu'elle passait aux Quatre Sergents. Il y avait au fond de la salle un juke-box proposant un choix de titres américains, et, de temps en temps, Pierre le Brun mettait « Johnny B. Goode » et chantait avec un accent à couper au couteau. Ils étaient si souvent aux 4S que les patrons, M. et Mme T., s'arrêtaient régulièrement à leur table pour leur demander si personne n'avait besoin de cigarettes. Francine ne manquait alors jamais de se manifester, en partie parce que chaque fois que M. T. lui rapportait un paquet de Rothmans rouges, il le posait devant elle et disait, avec un clin d'œil : « Rouges et mûres comme les tomates en Californie. »

Si être américaine lui donnait un certain mystère exotique, ce n'était rien comparé à la popularité accrue qu'elle tirait de sa cohabitation avec Linda. Linda était faite pour une ville comme Paris, où voir et être vu avaient tant d'importance, où les sièges des cafés faisaient face à la rue. La bande des 4S s'était constituée autour d'elle. Même Guillaume, dont la sœur avait eu le cœur brisé lorsque Jean-Charles l'avait plaquée pour Linda, ne pouvait que s'incliner devant sa beauté.

Le samedi après-midi, Francine allait au cinéma. Linda réservait généralement cet après-midi-là à

Jean-Charles, lorsqu'elle ne le passait pas à la bibliothèque Sainte-Geneviève à étudier (si difficile soit-il d'imaginer un canon comme Linda Sussman penchée sur un objet aussi anachronique qu'un livre), mais Guillaume, pour qui la décontraction de Francine était un changement bienvenu par rapport à Cécile et à ses manipulations de junkie, était souvent ravi de l'accompagner. Ils ouvraient *Pariscope* et parcouraient la liste des films à l'affiche. Ce fut l'année de l'éducation culturelle de Francine. Elle découvrit Hitchcock, Antonioni, Godard, Fellini. Durant tout son séjour à l'étranger, elle ne vit que deux films contemporains : *American Graffiti*, sur l'insistance de Linda Sussman, en proie au mal du pays, et *La dialectique peut-elle casser des briques ?*, sur celle de Guillaume.

Ce fut également une année d'études conventionnelles, quoique empreintes d'un parfum européen d'intellectualisme et de théorie dont même Wellesley, avec toute sa rigueur, était exempt. Comme sujet de mémoire, Francine avait choisi le phénoménologiste Maurice Merleau-Ponty. Dans le vaste champ de la philosophie, Merleau-Ponty occupait une place plutôt mineure, mais Francine s'identifiait à lui. Elle n'avait pas l'ambition démesurée de Guillaume (qui aspirait à lancer un nouveau courant cinématographique) ni la faculté de capter l'attention comme Linda Sussman. C'était simplement une fille intelligente, suffisamment pour connaître ses limites. Ce n'était jamais elle qu'on remarquait dans ses cours à Wellesley, elle n'était pas un Sartre. Elle, elle était un Merleau-Ponty – fine, fiable, apportant une pierre discrète mais déterminante à l'édifice. Et le domaine de

Merleau-Ponty, la phénoménologie, présentait d'autre part cet avantage qu'en se consacrant à lui, Francine rédigeait en réalité un mémoire de psychologie – en langue française, mais ça, c'était secondaire.

Le jour de la fête de l'Armistice, toute la bande des 4S prit le train pour se rendre au Café König de Baden-Baden, où, enhardis par l'Histoire, ils commandèrent des croissants et parlèrent tout haut en français avant de détaler, la tête chamboulée par le danger. Ils passèrent la nuit à Strasbourg, chez les parents de Guillaume.

– Alors, Francine, racontez-moi, dit la mère de ce dernier. Que comptez-vous faire de votre vie ?

Francine fut décontenancée par la question. Elle s'aperçut que sa mère à elle ne la lui avait jamais posée.

– Eh bien, dit-elle en se raclant la gorge, je crois... Je crois que j'aimerais étudier, puis exercer la psychologie.

La mère de Guillaume parut perplexe, puis marmonna quelques mots à son fils.

– Ah ! fit-elle soudain. La psychologie ! C'est bien.

Puis, hochant la tête d'un air entendu :

– C'est parfait. Je suis sûre que vous y arriverez. Vous serez formidable !

Francine coucha avec Guillaume deux fois cet hiver-là, mais elle n'éprouvait pour lui rien de plus que de l'amitié, et elle en était ravie. Elle n'avait pas besoin de plus. Cécile plaqua Pierre le Blond, retomba dans l'héroïne, puis, avec l'aide de Guillaume, décrocha à nouveau. Rien ne pouvait arriver à la bande des 4S que l'amitié ne puisse réparer.

Au printemps, dès qu'il fit assez chaud pour pouvoir voyager, Francine et Linda s'organisèrent un séjour en

Autriche. Peu de temps avant de mourir, grand-mère Ruth avait rédigé un chèque de mille dollars, qu'elle avait donné, de ses mains tremblantes, à Francine. Francine avait encaissé le chèque mais n'avait pu – jusqu'à présent – trouver à cet argent un usage digne de sa grand-mère.

Au dernier moment, Linda tomba malade de la coqueluche et ne put l'accompagner. Francine aurait pu proposer à Guillaume de la remplacer, mais y renonça. Un peu d'isolement lui ferait du bien, se dit-elle.

Bus, trains, aéroports – elle géra seule toute la logistique, assez fière d'être cette jeune voyageuse parcourant l'Europe en solitaire. Elle se rendit à Innsbruck, y trouva une chambre et respira bientôt ce que les gens devaient entendre par « l'air de la montagne ».

Sa tranquillité fut de courte durée.

Elle ne comprit jamais comment, à plus de sept mille kilomètres de là, sa mère parvint à la localiser dans son bed and breakfast d'Innsbruck, mais elle y parvint. La patronne appela Francine à l'intérieur et lui passa le téléphone.

– Allô ?
– Francine ! C'est ta mère.

Francine grimaça en entendant la voix hystérique.

– Maman ?
– Je viens de te le dire. Écoute… Tu es là ?
– Oui.
– Tu m'entends ?
– Oui.
– C'est au sujet de ton père.
– Tout va bien ?

223

– Non, non, *non* ! Tout ne va pas bien, non ! Ton père est malade. C'est affreux, affreux. Si tu l'avais vu… Il ne pouvait plus déglutir. Tu comprends ? Il ne pouvait plus *déglutir*. Son visage était comme de la bouillie. Ses mots sortaient d'une drôle de manière. Là, il est à l'hôpital. Francine, il faut que tu rentres.

– Où est Bex ?

– Elle est là.

– Mais papa, ça va ?

– Ça va aller. On le ramène à la maison demain. Mais ce n'est plus pareil. Non, ce n'est plus pareil. Il va falloir que tu rentres.

– Maman, je suis en Autriche.

– Raison de plus pour rappliquer tout de suite.

– Je ne peux pas rentrer. Pas maintenant.

– Tu es allée en France, tu t'es bien amusée. Maintenant, il est temps de rentrer. Tu as des responsabilités. Ton père ne pouvait plus *déglutir*. Son visage était comme de la *bouillie*.

Pour Francine, l'idée de rentrer à Dayton pour s'occuper de son père était inconcevable. Insupportable. Le provincialisme ! L'étroitesse d'esprit ! Les tableaux d'arlequins de sa mère ! La maison vide à côté, la maison de grand-mère Ruth, récupérée, réaménagée – non. C'était impossible. Pas alors qu'il restait deux mois avant la fin du semestre. Et l'été. L'été à Paris !

– Je regrette, dit-elle. Je ne peux pas.

– Francine. Ne sois pas une sale gosse. Ne me laisse pas seule avec lui.

– Tu as Bex. Ça devrait suffire.

– Ce n'est pas ta sœur que je veux ! C'est toi ! Rentre !

Francine se livra à un petit calcul mental. Il lui restait suffisamment d'argent pour tenir jusqu'à la fin du séjour, si ses amis l'aidaient un peu.

– Je regrette.

– Francine Klein, je te *somme* de rentrer. Je t'ai donné la *vie*, je t'ai élevée toute seule, sans l'aide de personne, j'ai veillé à ce que tu aies *toujours quelque chose dans ton assiette*, je t'ai inscrite dans cette école privée… Tu vas rentrer, tu m'entends ? Tu vas rentrer. C'est normal. C'est… ce n'est que *justice*.

Le mot cueillit Francine. *Justice*. Des larmes mouillèrent ses taches de rousseur. Mais elle était bien décidée à ne pas rentrer à Folsom Drive. Juste ou pas, c'était au-dessus de ses forces.

– Non, maman, dit-elle. Je reste.

Sur quoi elle raccrocha, retourna s'asseoir à sa table sur la terrasse et termina son jus d'orange. Les montagnes se dressaient, grandioses, derrière la rangée de bâtiments colorés et bien alignés du centre-ville, si proches, semblait-il, qu'on avait l'impression de pouvoir les toucher. Les sommets étaient coiffés de neige.

– *Noch eins ?*

Elle leva les yeux. Debout devant elle, la patronne montrait son verre du doigt. Francine dut sembler troublée, hébétée, car le temps qu'elle retrouve ses esprits et commence à formuler une réponse, la patronne ajouta, en anglais :

– Un autre ?

9

La tornade avait arraché le toit du hall B.

Il n'avait fallu que trente heures à l'équipe d'entretien pour rétablir à quatre-vingts pour cent le fonctionnement de l'aéroport, déterminer quelles portes rouvrir, isoler les zones qui avaient besoin de l'être, effectuer quelques réparations cosmétiques et rétablir un niveau de trafic que la direction de l'aviation civile, sous la pression des grandes compagnies, pouvait juger « sûr », mais pour un visiteur ignorant cette information, le piètre état de l'aérogare – les vitres recouvertes de planches, les portes barrées de scotch ATTENTION, les néons éteints – était préoccupant. On ne pouvait voir qu'un mauvais présage dans ce rafistolage évident. Et, malheureusement pour Arthur, ses enfants n'avaient pas besoin d'une preuve supplémentaire que Saint Louis était une ville minable, abandonnée par l'Histoire et rapiécée de bric et de broc.

Biais de confirmation, songea-t-il, malgré lui. *Oui, Francine, je sais.*

On était vendredi. Le soleil se couchait. Traversant Overland sur l'I-170, fonçant vers l'aéroport tel un astéroïde voué à détruire l'humanité, la Toyota Spero de

226

Francine était remplie de lumière. Pendant des années, Arthur avait conduit une Honda orange au capot creusé de cratères, mais après la mort de Francine il l'avait vendue pour quelques billets et avait réquisitionné la Spero. La lumière qui inondait celle-ci conquérait au même moment le centre-ville, une lumière d'après-tempête, d'une intensité déconcertante, déviée par la parabole du Gateway Arch avant de se répandre, chromée, dans les débris éparpillés par le vent. Voilà, songea Arthur, c'était de ça qu'il s'agissait ce week-end. De lumière et non de dégâts. De l'or qui tachetait l'habitacle de la voiture et non des planches de contreplaqué fixées sur la rangée de vitres explosées de l'aéroport.

Mais lorsque la Spero s'engagea dans l'allée des Arrivées, un gros nuage blême retenait le soleil, et toutes les vieilles angoisses d'Arthur ressurgirent.

Trois jours.

Tant de choses pouvaient mal se passer.

L'allée des Arrivées disposait de places de parking temporaires en épi. Arthur se gara sur l'une d'elles, baissa sa vitre et rêvassa. Malgré son humeur agitée, il ne put s'empêcher de remarquer le tableau pitoyable autour de lui. Les jambes lipœdémiques des voyageurs obèses. L'apparat sans conviction des uniformes à épaulettes des pilotes. Les deux véhicules qui l'encadraient étaient un monospace blanc conduit par un jeune pasteur et un pick-up bleu à l'attache-remorque garnie d'une paire de testicules décoratifs. Un diptyque du Midwest.

Sa nervosité porta le bouillon de ses pensées à ébullition. Il tendit sa ceinture de sécurité et la sentit comprimer sa poitrine. Il laissa venir l'asphyxie.

À la radio, on parlait d'un bombardement au Cachemire.

La situation n'était pas si sombre. La maison était d'une propreté impeccable. Il l'avait nettoyée de fond en comble. Ses mains sentaient encore les agrumes de synthèse. Il était fier du travail qu'il avait accompli, et l'idée d'un retour triomphant à Chouteau Place commençait à lui plaire. Il avait appelé Ulrike la veille pour l'assurer à nouveau de l'efficacité de son plan et de la sincérité de sa promesse.

– J'ai besoin du week-end, avait-il dit. Du vendredi au lundi. Ensuite, ils repartiront, et on sera tranquilles. Il n'y aura plus que toi et moi.

– Tu es sûr de ton coup ?

– Absolument, sûr et certain.

– Parce que j'aurais déjà dû donner ma réponse pour Boston.

– Dis-leur… Dis-leur non ! Dis-leur que tu ne bouges pas d'ici. Tu vas devenir une star à Danforth, c'est évident.

– Je n'ai pas un seul ami dans cette ville.

– Des *amis* ? Mais qui en a ?

– Arthur…

– Ça va être super.

– Si je reste, tu te rends compte que ce sera pour toujours.

– Encore une fois : pour l'avenir prévisible.

– Pour l'avenir tout entier, Arthur. C'est ici que sera ma vie.

– Bien sûr ! Bon, on ne peut pas tout prévoir…

– C'est ce genre de langage qui me fait hésiter !

– Ce que je dis, c'est qu'on peut faire tous les projets qu'on veut, mais que, par définition, on ne peut pas connaître l'avenir à l'avance.

– Mais tu fais des projets pour nous.

– Oui.

– On va vivre ensemble.

– Oui.

– Et tu en es sûr.

– Oui... autant que je peux l'être d'une chose imprévisible parce qu'à venir.

– Arthur !

– D'accord, d'accord. Bon. Qu'est-ce que tu veux dans la vie ?

– Faire mon travail. Mener mes recherches. Je veux devenir professeur titulaire.

– Et comment comptes-tu atteindre cet objectif ?

– En écrivant un livre.

– Exactement. Et de quoi as-tu besoin pour écrire ce livre ?

– De temps. D'espace.

– Parfait. Alors voilà : j'ai le plaisir de t'annoncer que tu as été acceptée.

– Acceptée ?

– À la résidence Arthur Alter pour les Historiennes au Corps souple.

– Arthur...

– Le gîte et le couvert sont inclus. Les faveurs sexuelles ne sont pas exigées mais fortement recommandées.

Long silence.

– C'est d'accord. Je vais leur dire non.

– Bien.

– Arthur ?

– Oui ?

– Je t'aime beaucoup.

– Je ne te déteste pas non plus. Allez, je file. Je te tiens au courant.

L'avenir était radieux, étincelant, opulent. Il convoqua la sensation des cuisses d'Ulrike contre les siennes, son petit cul rond posé tel un coussin sur ses genoux.

Le sang engorgea son visage. Il chercha précipitamment la boucle de sa ceinture des doigts et la libéra en haletant.

Les voyageurs commençaient à sortir au goutte-à-goutte de l'aérogare et se regroupaient par famille sur le trottoir. Comment désignait-on un grand groupe de familles, se demanda Arthur, quel nom collectif utilisait-on ? Troupeau ? Essaim ? *Meute.* Forcément. Massée sur le trottoir, une meute de familles piétinait sur cinq rangs vers les voitures en stationnement.

Il s'agit de la première attaque importante depuis que le gouvernement de coalition...

Une perle de sueur salée piqua l'œil d'Arthur.

Les militants ont ouvert le feu au hasard...

– Lâchez-moi ! cria Arthur en frappant le volant de la paume.

Un coup de klaxon retentit tel un pet dans le parking.

Parmi la meute à présent clairsemée, Arthur identifia la silhouette d'un jeune homme solitaire allant et venant près des portes qui tentaient vainement de se refermer. Tour à tour, il caressait un bras de son gilet à torsades et tripotait la fermeture Éclair de son sac de voyage en toile. Les vêtements et le bagage étaient luxueux, mais Arthur reconnut le corps caché dessous. Les jambes, leur démarche pesante, trahissaient leur propriétaire.

Ethan.

Tout ce qu'on pouvait dire d'Ethan, c'était que ç'aurait pu être pire. Arthur avait des collègues dont les fils étaient de vraies ordures, des petits cons cupides qui, dès les premiers signes de sénilité de leur père – étourderie, nouveaux traitements médicamenteux, sympathies politiques cryogénisées – revenaient les voir munis d'un bouquet de brochures et armés des conseils d'un ami avocat sur les dispositions à prendre pour la maison. La maison habitée par leur père. D'accord, ces collègues d'Arthur n'étaient plus très vifs, leurs pensées étaient un peu éculées, mais ils ne méritaient pas d'être ainsi trahis, foutus dehors, par leur propre fils.

Ethan n'était pas comme ça. Ethan n'abandonnerait jamais Arthur. Il était trop docile. Aujourd'hui encore, Arthur le voyait comme il était à l'âge de dix ans, petit garçon timoré qui apprenait à jouer au base-ball à Franklin Park et n'osait pas frapper les balles molles lancées par-dessous par Arthur, de peur que les vibrations de la batte ne lui cinglent les mains. Arthur et Francine l'appelaient « la plante verte ». Il avait cette immobilité, cette discrétion. Avoir un fils immobile et discret n'était pas le rêve d'un père, mais c'était préférable à la vengeance œdipienne.

Arthur aurait pu devenir lui-même un fils indigne si son père n'avait succombé à une crise cardiaque la veille de son quarante-neuvième anniversaire.

Ce n'était pas l'alcool qui avait tué Ben Alter, mais il y avait sans doute contribué. De même que l'échec. Il en avait reçu le gène. En double. C'était un homozygote EE. Inutile de chercher à embellir la réalité : Ben Alter avait vécu sans le sou, les mains plongées dans la bouche des autres. Arthur peinait à les imaginer, ces descentes journalières entre les gencives chaudes et humides de ses patients, à fraiser les caries, à installer amalgames et couronnes. Un travail ingrat. Ingrat mais, en théorie, lucratif. Personne n'*aime* la dentisterie. Ce qu'on aime, c'est l'argent. Mais Benjamin Gurion Alter n'avait même pas réussi à atteindre cet objectif-là. À se familiariser avec le profit. C'était difficile à la maison, ils avaient du mal à joindre les deux bouts, et ça aussi, Arthur en était certain, ç'avait dû le hâter sur le tapis roulant de l'aérogare de sa vie.

Longtemps, Arthur avait redouté la mort en général et celle de son père en particulier. Il était convaincu qu'il finirait de la même manière. Saisi d'une douleur fulgurante. D'un coup. Bim ! Terrassé par une myopathie héréditaire, une rupture d'anévrisme, une thrombose artérielle. Il était arrivé à quarante-six ans, quarante-sept, quarante-huit… et quand, à son réveil, le matin de son quarante-neuvième anniversaire, après avoir mal dormi, il avait constaté que rien n'avait changé, qu'il était toujours de ce monde, il avait compris qu'il aurait le bonheur d'avoir une vie plus longue – et le malheur de ne pas savoir qu'en faire. Il n'avait jamais eu peur de la finitude, de la cessation de la conscience, du néant éternel. Non, ce qu'Arthur redoutait le plus, c'était une mort compliquée, qui laisse des choses non résolues.

Comme celle de son père. La paperasse. La succession. Les affaires restées en souffrance. Une mort qui reflète les échecs de sa vie. Avec des conséquences administratives, et du désordre.

Une mort de débiteur.

La foule sur le trottoir se dispersa et Arthur aperçut sa fille, l'air sombre, près d'Ethan, en veste de treillis. Ses cheveux frisés, cuivre rouillé, lui arrivaient aux épaules. Elle ressemblait à sa mère, épaisseur féminine en moins. Son visage était émacié. Cependant, le simple fait que Maggie, sa fille agressive et moralisatrice, soit là à Saint Louis, était prometteur. Elle serait moins facile à manœuvrer que son frère, mais sa présence signifiait qu'Arthur avait une chance.

Le gouvernement surveille attentivement la situation...

Il éteignit la radio, klaxonna.

Ethan lui fit un signe de la main. Arthur le lui rendit. Tandis que ses enfants venaient vers lui, il ouvrit sa portière, se pencha pour s'en servir d'écran et cracha sur la chaussée. Une dernière purge du venin.

– Les enfants, dit-il en se levant pour les saluer.

Ethan s'avança, bras ouverts. Arthur l'étreignit de mauvaise grâce et respira une bouffée d'eau de toilette. C'était toujours gênant de serrer un homme adulte dans ses bras.

– Content de te revoir, papa.

– Moi aussi, fiston.

Sa fille jeta son grand sac marin dans le coffre. Si Ethan était une plante verte, Maggie était un pissenlit, une mauvaise herbe rusée qui s'insinuait dans le jardin. Une emmerdeuse, certes, mais d'une ferveur admirable.

– Maggie, dit Arthur.

– On conduit la voiture de maman, je vois.

– Bienvenue à toi.

Elle grommela quelque chose et se glissa à l'arrière.

D'accord, songea Arthur. *Elle m'en veut toujours. Très bien. C'est bon à savoir.* Il se remit au volant.

– Alors, dit-il en faisant vrombir le moteur de la Spero. Qui a faim ?

L'adoration d'Arthur pour le Piggy's Smokehouse, un restaurant de grillades du centre-ville, rivalisait, dans sa religiosité, avec toutes les traditions culinaires ancestrales qu'il connaissait. Le plateau du Seder. Les crêpes de la Chandeleur. Oui, dans la tête d'Arthur, quand il imaginait ramener ses enfants dans sa vie, cela commençait au Piggy's, tous trois réunis autour d'une table de pique-nique et riant aux éclats, la langue brûlée par les épices.

Le Piggy's préparait ses grillades dans les règles, c'est-à-dire à la mode de Memphis et non, détail crucial, à celle de Saint Louis, qui faisait l'économie de la marinade sèche et du lent fumage sans lesquels la cuisson d'une viande au barbecue n'avait aucun sens. Ce restaurant était un sanctuaire pour Arthur, un refuge, un lieu d'évasion, un équivalent hors campus de la bibliothèque des études africaines. (Ayant reçu une éducation traditionnelle, Francine, la seule Juive semi-pratiquante de la famille, ne s'était pas donné la chance de s'ouvrir au goût du porc. Elle en détestait l'odeur et n'avait jamais mis les pieds dans cet établissement. Arthur voyait les choses autrement. Il n'était juif que de tempérament et se serait considéré comme agnostique sans l'indéniable judéité de l'utérus dont il sortait.) Le Piggy's avait ouvert en 1996, quelques mois avant l'arrivée des Alter à Saint Louis. Mais il avait été goulûment accepté par la ville, et son charme était si suranné qu'Arthur l'avait longtemps cru déjà là depuis des décennies. Lorsqu'il avait fini par apprendre que ce n'était pas le cas, que son ancienneté dans cette ville était comparable à la sienne, il s'était mis à voir dans le Piggy's et dans son évolution – l'ouverture d'une deuxième puis d'une troisième salle, l'ajout progressif à la carte d'assiettes mixtes et du frito pie – le reflet de son parcours personnel. Arriver à Saint Louis, élever ses enfants. Les voir aller à l'université et devenir des adultes. En amenant Ethan et Maggie là à présent, il espérait qu'ils se rappelleraient les nombreux après-midi passés sous ces poutres ; que le porc, le maïs et le coleslaw dans leurs petits paniers garnis de papier paraffiné évoqueraient les possibilités illimitées de l'école primaire, la chaleur familiale, la vulnérabilité de la jeunesse.

Mais lorsqu'ils entrèrent dans ce restaurant sans prétention, aux murs couverts de logos, Arthur n'obtint pas la réaction espérée. Maggie soupira entre ses dents, on aurait dit de l'air s'échappant de freins pneumatiques.

– Le Piggy's ? dit-elle. Vraiment ?

– Quoi, quel est le problème !

Elle haussa les sourcils.

– Tu plaisantes, là…

– Je ne vois pas de quoi tu parles. Venez. Allons nous installer.

Son fils s'assit à côté de lui, sa fille en face. Au-dessus de la table style pique-nique, un mobile de cochon-tirelire tournait paresseusement sur lui-même, son fil ondoyant dans le souffle d'un ventilateur de plafond.

Ethan prit l'initiative d'appeler un serveur. Il leva la tête, une main mollement tendue tel Adam sur le plafond de la chapelle Sixtine. Arthur, un instant distrait par l'indolence efféminée du geste, observa son fils et se demanda si les manières de tous les homosexuels du monde n'étaient pas biologiquement liées.

Il mit cette théorie de côté.

– Le voyage s'est bien passé ?

– Ethan s'est fait surclasser en première, dit Maggie en s'adressant au ventilateur de plafond.

– Vous n'étiez pas assis à côté ?

Ethan rougit.

– C'était gratuit. C'est la compagnie qui me l'a proposé. Il me restait des miles de l'époque où… On a des privilèges quand on voyage beaucoup pour le boulot.

– Des « privilèges », le mot est bien choisi, commenta Maggie.

– Maggie, fit Arthur. Sois mignonne.

C'était là l'une de ses injonctions coutumières. Elle avait mille sens : calme-toi, tiens-toi bien, tais-toi… Ce que Moïse avait accompli en dix commandements, Arthur l'avait résumé en un seul. Une règle unique, générale et impénétrable. Plus qu'un simple rappel à l'ordre, elle forçait à se demander ce que signifiait « être mignon », et en quoi on ne l'avait pas été.

– Il y a eu une tempête ? demanda Ethan, une main toujours en l'air. Il était dans un sale état, l'aéroport.

– Une violente tempête.

– Mmh.

236

– Une tornade.

– Ah.

– Ouais.

Un serveur arriva à la rescousse. Arthur, soulagé, commanda des travers de porc avec une salade de pommes de terre et des haricots verts. Ethan hocha la tête et dit : « La même chose. » Maggie demanda de l'eau.

– On commande le plat en même temps, dit Arthur.

– Je sais, dit-elle.

Puis, se tournant vers le serveur :

– Je vais m'en tenir à mon eau.

– Tu n'as pas faim ? s'étonna Arthur. Tu es maigre comme un clou.

– Papa… dit Ethan.

Les joues de Maggie rougirent :

– Je suis végétarienne.

Le serveur se retira. Arthur réprima une grimace de colère :

– Depuis quand ?

– Depuis la seconde.

Le Piggy's avait joué un rôle déterminant dans la décision de Maggie de renoncer à la viande il y avait près de dix ans. Petite fille, lors des sorties obligatoires avec Arthur dans ce restaurant, elle écoutait son père se plaindre de son ménage et tenter d'établir avec elle un lien de traîtrise jusqu'à ce que le serveur vienne emporter son petit panier ravagé. Un jour, au retour, après un repas particulièrement acerbe, elle avait trouvé sa mère avec un pansement sur le doigt. « Qu'est-ce qui t'est arrivé ? lui avait-elle demandé. – Une bêtise, avait répondu Francine. Je me suis coincé le doigt dans une porte. » Mais Maggie s'était mis dans la tête – et elle ne s'était jamais vraiment défaite de cette idée – que les critiques formulées par Arthur au restaurant ce jour-là étaient à l'origine de la blessure de sa mère. Que, sous l'effet de quelque force métaphysique mystérieuse – Maggie était alors âgée de dix ans, et le monde n'était pour elle qu'un méli-mélo de ces forces-là : qu'est-ce qui faisait voler les avions ? Pourquoi les balles de tennis finissaient-elles par cesser de rouler ? –, les paroles de son père avaient causé un dommage corporel à sa mère.

Elle en était venue à associer la méchanceté ordinaire à l'odeur de la viande grillée. Celle-ci la rendait physiquement malade. Lorsqu'elle avait rencontré sa première personne végétarienne, la costumière de la version de *Rent* dans laquelle elle avait joué au lycée, une version abrégée et grossièrement expurgée de toute référence au sida, elle avait compris qu'il existait des arguments idéologiques contre la consommation de la viande, et, par extension, contre ces moments entre père et fille. Elle tenait son excuse. Peu de temps après, elle avait annoncé à Arthur qu'elle ne pouvait plus aller au Piggy's. Qu'Arthur ait oublié ce détail était un exemple parmi d'autres de la manière dont il flottait au-dessus de la vie de Maggie, inconscient des vagues propagées par ses actes.

– Je ne suis pas très surprise, poursuivit-elle, que tu aies oublié. Parce que c'est le cas, manifestement.

– Oublié quoi ? Que tu étais végétarienne ? Je pensais que c'était un truc d'ado. Je pensais que ça t'aurait passé.

– Que ça m'aurait *passé* ?

238

Arthur comprit tout de suite qu'il s'était aventuré en terrain miné. Elle redevenait l'adolescente qu'elle avait été – vache, belliqueuse, impitoyable.

– Ç'a été une décision assez importante pour moi. Dans la construction de mon identité. De ma personnalité. Mais encore une fois, je ne suis pas très surprise. Tu es tellement distrait, pas vrai ? Tu n'arrivais *jamais* à te rappeler la date de mon anniversaire. Mince ! Papa a oublié, ha ha ! Sacré papa, ce grand professeur toujours dans la lune.

– Je la connais, la date de ton anniversaire.

– Ah ouais ?

Arthur changea habilement de sujet.

– Mais là, on parle d'autre chose. N'oublie pas que je te connais depuis plus longtemps que tu ne te connais toi-même. Je te prie humblement de m'excuser si j'ai cru que ton refus de manger de la viande n'était que passager. Si j'ai cru que les ados passaient par des phases. Que tu aurais peut-être changé de régime alimentaire.

– C'était une partie importante de mon identité ! cria Maggie. Ça l'est toujours !

Ethan se protégea le visage des éclats de ces obus verbaux. Courtoisie des rapports : heure du décès, sept heures quarante-trois CST.

Ça le gênait que les choses fonctionnent ainsi : Maggie, qui prétendait détester Arthur et le provoquait à la moindre occasion, recevait, paradoxalement, toute son attention. Et Ethan, qui ne s'opposait jamais à lui, ne la ramenait jamais, se voyait traiter comme s'il n'existait pas.

Il regarda son père et sa sœur s'en prendre l'un à l'autre, se défouler tour à tour de leur frustration, chacun de leur côté de la table. Il était déçu de voir son père s'enflammer sur ces questions de végétarisme et de politique d'identité, et passer à côté de l'essentiel. Car il était évident que Maggie n'allait pas bien. Cela durait depuis l'incinération. Inutile d'être thérapeute pour noter la concomitance de certains détails. Ethan était bien placé pour connaître les étranges répercussions qu'un deuil pouvait avoir sur votre vie, la maîtrise qu'il vous retirait ; et quel meilleur moyen pour retrouver cette maîtrise que de s'imposer des règles strictes d'alimentation ? Maggie était irritable et impulsive, elle tenait cela de son père, et Arthur, aveuglé par son propre emportement, ne voyait pas ce que cachait celui de sa fille.

Ethan eut envie d'intervenir, mais il ne voulait pas prendre la défense de sa sœur si c'était pour se mettre son père à dos. Dans l'avion, influencé par le *SkyMall* dans la poche du dossier du siège de devant, il avait décidé de demander à son père de lui prêter de l'argent. De le renflouer, le temps qu'il se remette d'aplomb. Leurs rapports n'étaient pas formidables, mais il espérait qu'Arthur, tel un gouvernement comptant trop d'ex-banquiers parmi ses membres pour être impartial, le gratifierait d'un plan de relance.

– Désolé de te l'apprendre, Maggie, disait Arthur, penché en avant, appuyé sur les coudes, mais tu n'es pas tes convictions. Tes positions. Tes *postures*.

– C'est reparti...

– Être féministe, ça ne veut rien dire. Tu le sais, ça ? Même chose pour sioniste, écologiste, communiste, anarchiste... Eh ouais. Vois-tu, il y a des *ismes*, mais les *istes*, c'est de la foutaise. Les gens ne sont pas des idées, Maggie. Les gens ne sont pas des positions. Les gens sont des gens. Des besoins, des pulsions, des actes. C'est ça, les gens. Ils sont imparfaits. Centrés sur eux-mêmes. Ils s'efforcent d'éviter les coups.

Arthur s'amusait, à présent.

– Toutes ces conneries d'identité – je vois ça tous les jours sur le campus –, cette façon d'affirmer ses goûts et ses opinions, c'est un truc d'ado. Une phase. « Je suis ceci mais pas cela. » « J'aime ceci mais pas cela. » Cette mentalité de choisir sa propre garniture. C'est du marketing, tout ça. Tu t'en rends compte, quand même. C'est un moyen habile de te faire acheter plus de CD.

– Des *CD* ! Non mais tu t'entends ?

– Je regrette, mentit-il, mais c'est vrai.

Maggie vit rouge. Les raisons de détester son père étaient innombrables – émotionnellement, c'était un radin ; il avait trahi sa mère ; son cynisme avait pollué son existence comme une goutte de pisse dans une piscine –, mais le pire, c'était la façon dont, malgré son faible investissement parental, il avait façonné la vie de sa fille. Lorsqu'elle se rebellait, c'était contre lui. Elle s'était construite par opposition à lui. Il était le moule qui lui avait donné sa forme. Ou était-ce la forme qui donnait le moule ? Sa mère, qui en connaissait un rayon sur la Gestalt-théorie, aurait eu la réponse.

– Donc, par exemple, dit-elle, si quelqu'un, je ne sais pas, *courait les jupons*, ça ne ferait pas de lui *un coureur*

241

de jupons, c'est bien ça ? Parce que l'identité, c'est des conneries et qu'on est tous de simples pulsions. Mmh. Ouais, je vois ce que tu veux dire. Ça paraît très astucieux, et très commode.

Sur la vitre derrière sa fille, Arthur vit le reflet de son visage tendu. La sueur s'amassait à la naissance de ses cheveux. Une veine était gonflée sur son front. Le week-end n'était pas commencé depuis plus d'une heure et elle l'avait déjà coincé.

Il ouvrait la bouche, sans savoir ce qui allait en sortir, quand le serveur revint déposer un panier de savoureuse viande sombre et non casher sur la nappe vichy devant lui.

10

Boire de l'alcool, avait dit un jour Francine Alter à son fils, n'est pas une chose que font les Juifs. On était en 1997. Elle avait prononcé cette phrase parce que Ethan était subitement un adolescent et que, tout aussi subitement, il y avait des fêtes là où jusqu'ici il n'y en avait pas – dans les sous-sols, les garages, des fêtes où abondaient la bière rance et le saké (le saké : seule boisson alcoolisée qu'on trouvait chez tous les universitaires du Midwest et qu'ils ne buvaient jamais). Et les directives passaient toujours mieux lorsqu'elles étaient déguisées en commentaires sociaux. Mais Ethan avait à présent trente et un ans, sa mère était morte depuis presque deux ans, et il transpirait dans le noir devant l'armoire à alcools du couloir.

Il saisit une bouteille poussiéreuse de vodka polonaise de pomme de terre sur l'étagère du bas et but une lampée. Il avait survécu au Piggy's de la même façon qu'il avait survécu à son enfance : la tête baissée. En faisant comme s'il était ailleurs. Son père et sa sœur ne s'étaient pas écharpés, pas encore – cela n'avait été qu'un échauffement, une mise en bouche, un avant-goût de leur antipathie mutuelle. Tous deux dormaient à l'étage. Mais impossible de les éviter tout le week-end, impossible de faire abstraction des circonstances présentes. De son retour à Saint Louis.

Peu après avoir reçu la lettre de son père, il s'était donné pour mission d'apporter une conclusion à une affaire laissée en suspens. S'il parvenait à s'entretenir avec Charlie et à l'amener à voir la réalité en face – obtenir de lui une excuse, ou du moins une explication –, il pourrait certainement aller de l'avant. C'était ce sentiment d'inachevé, avait-il décidé, qui l'empêchait d'avoir de vraies relations, vraiment intimes. Après sa deuxième année de fac, il était entré dans une période de célibat physique et sentimental. Il avait presque réussi à oublier Charlie avant cette soirée au jardin botanique, avant que Charlie ne tende la main vers lui et ne le touche. Le contact de ses doigts l'avait fait replonger. Il les sentait encore, fantômes, sur son oreille. Il ne s'était jamais investi avec quelqu'un autant qu'avec Charlie. Shawn l'avait toujours soupçonné de le tromper. À l'époque, Ethan avait mis ça sur le compte du côté dragueur de Shawn, il avait cru que ça venait de lui. Mais le blond à l'allure soignée avait vu juste. Le cœur d'Ethan était ailleurs. Puis, en 2012, nouvelle rencontre fortuite, et rebelote. Charlie réapparaissait toujours au pire moment et ramenait Ethan à la souffrance, à l'amour.

On était en décembre. Francine venait d'être diagnostiquée de son cancer du sein, et Ethan était revenu à Saint Louis pour la voir. Reflétant l'humeur familiale comme sait le faire la météo dans les souvenirs, un vaste nuage floconneux assombrissait et dévitalisait la ville. Une nuit, insomniaque et se sentant seul alors que tout le monde dormait, Ethan réquisitionna la voiture et se rendit, un peu sans but, au Carnivora Club.

Le milieu gay de Saint Louis se retrouvait dans le Grove, un quartier d'affaires au sud-est de Forest Park, au bout de Manchester Avenue. Les bars là-bas étaient marqués par un esprit typiquement missourien – sans prétention, terre à terre, ouvrier. Sur un diagramme de Venn, on les aurait placés à l'intersection de l'Amérique profonde et de la débauche. Autrement dit, vous pouviez y commander un magnifique double cheeseburger au bacon, mais c'était un serveur vêtu de cuir qui vous l'apportait et dans une gamelle pour chien.

À l'écart, près du jardin botanique, le Carnivora donnait l'impression de pendre sous le noyau des autres, tel le plus lourd de deux testicules. C'était le refuge des pantouflards, ceux qui étaient trop vieux ou trop fatigués pour affronter la faune capricieuse du Grove, l'outrance des folles, les rivalités haineuses entre les patrons des bars. Situé à l'angle discret de deux rues à sens unique dans un quartier résidentiel entouré de voies rapides, le Carnivora était un endroit calme, pépère. Un panneau métallique KING OF BEERS se balançait au-dessus de l'entrée. Seule une enseigne clignotante, quatre mots en lettres cursives à la vitre, trahissait le style de l'établissement : LA CAGE AUX CARNIVORES.

Ethan se gara tout près. Il était épuisé, physiquement et existentiellement, anéanti par les visions des mois à venir : les conversations tendues, le jargon médical, l'impuissance, l'incertitude. Il avait besoin de changer d'air. Il avait besoin d'un verre.

Il trouva le Carnivora vide. Les coussins manquaient à deux tabourets. *Beignets de tomates vertes* luisait avec un temps de décalage sur deux téléviseurs fixés au-dessus du comptoir, de chaque côté d'une affiche en hommage à la fête ainsi qu'à l'eschatologie maya : PAR ICI, y lisait-on, POUR L'APOCALYPSE.

Ethan s'installa sur un tabouret. Le barman était un bear bavard, heureux d'avoir quelqu'un à qui parler.

– J'ai deux chiens, dit-il, sans préambule, d'une voix à la fois bourrue et élastique. De vrais connards. Mignons, attention. À croquer. Qu'on se comprenne bien, ils sont super, mais y a des fois, on a envie…

Il fit un geste d'étranglement avec ses mains. Ethan esquissa un hochement de tête. Les joies de Saint Louis.

Le Carnivora ne servait pas de bière pression, uniquement de la bière en bouteille et des cocktails. La spécialité de la maison était le « Blue Hawaii du mécano », une version col-bleu du cocktail tiki classique, dont la dose de rhum était doublée et où le Kool-Aid à la mûre remplaçait le curaçao. Ethan en demanda un. Le mélange sucré coula dans sa gorge. Il vida son verre et en demanda un deuxième. Le barman chantonnait « Barbeque Bess ».

– Les toilettes ? s'enquit Ethan.

– Au bout du couloir, dit le bear en indiquant la direction du menton. Attention à vous, là-bas.

Ethan descendit de son tabouret. Sur les écrans au-dessus de lui, Kathy Bates pétait les plombs sur un parking.

Il s'engagea dans le couloir en passant sa langue sur ses dents. Goût de sucre. Le couloir était plus long qu'il ne paraissait et s'obscurcissait vers le fond. Ethan remarqua un grognement étouffé provenant (semblait-il) de derrière la porte des toilettes pour hommes.

Peut-être était-ce l'effet de l'alcool, ou de l'insomnie, ou de la nouvelle du diagnostic de Francine, mais Ethan – franchement, qu'est-ce qui lui prit ? – ouvrit la porte.

Dans la lumière vert pâle des toilettes, il vit ceci :

Un lavabo dont le robinet gouttait. Une mouche tournoyant en l'air. Et, assis sur la cuvette, la main gauche agrippée au lavabo et la droite posée à plat contre le mur, un type ordinaire au cou large, vêtu d'un maillot des Blues, en train de grogner. Il fallut un moment à Ethan pour identifier l'autre, celui qui, de dos, à genoux, avait la tête entre les jambes de l'amateur de hockey. Un détail pétrifia Ethan : imprimé sur le dos de son blouson, un emblématique pygargue à tête blanche s'envolait en criant par l'ouverture d'un A géant. Le type se retourna, et, dès qu'il aperçut ces yeux verts, Ethan s'enfuit. Il jeta quelques billets froissés sur le comptoir, reprit la voiture et rentra en brûlant une série de stops. Le lendemain, il appela Teddy à New York et le largua.

Cinq ans après que Charlie lui eut redonné espoir en lui touchant l'oreille, Ethan s'habituait à l'idée que c'était un geste d'homme soûl, qu'il y avait attaché trop d'importance. Charlie était l'un de ces hétéros qui faisaient des expériences, et Ethan avait été son laboratoire. Voilà ce qu'il croyait, jusqu'à cette scène au Carnivora. Il aurait tant voulu pouvoir aller chez Charlie le lendemain et demander – *exiger* – une explication. Mais on avait besoin de lui au chevet de sa mère.

Aujourd'hui, revenu dans la maison de son enfance pour la première fois depuis l'incinération et plus qu'un peu éméché, Ethan se sentait prêt. Cette fois, ce serait différent. Cette fois, il irait jusqu'au bout.

Il but une nouvelle lampée de vodka.

Puis une autre.

Il se laissa tomber au sol en se tenant à l'armoire à alcools. Il s'y adossa, fit face à l'ancien cabinet de sa mère. DR FRANCINE ALTER – THÉRAPIE COUPLE & FAMILLE. C'était là où, enfant, il avait entendu les mots *dysthymie, troubles anxieux* et *anxiété généralisée* pour la première fois, et s'était aperçu – avec une angoisse redoublée – qu'ils s'appliquaient à lui. Il avait mûri dans ce couloir en écoutant parler les patients de sa mère. On pouvait les entendre malgré l'isolation phonique, en s'approchant. Il apprit ce qu'étaient les limites en écoutant le couple incapable de se séparer une seconde. Il apprit ce qu'était la trahison en écoutant la femme à l'infidélité chronique, et ce qu'était le pardon, puis le déni, en écoutant son mari, qui refusait de renoncer à leur couple. Les Pfeffer, un couple que Francine suivait depuis des années, furent particulièrement riches d'enseignements. Sans le vouloir, ils donnèrent à Ethan des leçons pratiques sur le compromis, comme lors de leurs divisions quant à la question d'avoir d'autres enfants, sur le deuil, à la mort de Gerry Pfeffer, victime d'un AVC, et sur les horreurs de la dépression à bas bruit, lorsque Lauren dut s'occuper seule de la maison.

Ethan contempla la plaque. FRANCINE ALTER. Les mots n'étaient pas vraiment là, songea-t-il, à moitié endormi. C'étaient des absences, gravées dans le métal. Des creux. Des sillons. COUPLE & FAMILLE. Les lettres étaient des illusions, des dépressions définies par ce qui avait été retiré.

— Je peux en avoir ?

Ethan sursauta et leva la tête. Debout devant lui, Maggie regardait la vodka.

— Bien sûr, dit-il. Attention, c'est pas bon.

Maggie se baissa pour accepter la bouteille et but une petite gorgée mesurée.

— Ouh ! Dégueulasse.

— Je t'avais prévenue.

— « Vodka polonaise de pomme de terre » ?

Ethan regarda dans le vague.

— Ben quoi ? C'est un hommage à nos ancêtres.

Maggie s'assit à côté de lui et renifla le goulot.

— On est de Pologne, nous ?

Ethan reprit la bouteille.

— Je sais pas. Sûrement.

— De la région.

— D'un État satellite.

— Voilà.

Là d'où viennent les complexes de persécution.

— Ouais, ouais.

Maggie tendit la main vers la bouteille :

— Ça fait bizarre d'être ici, hein ?

Ethan acquiesça. Maggie but une gorgée et grimaça :

— Je sais pas, c'est pas comme dans mes souvenirs. On voit que maman n'est plus là. C'est très propre, mais… pas d'une propreté agréable, tu vois ce que je veux dire ?

– D'une propreté artificielle.

– Les plantes sont mortes et ça sent le Windex.

– On a une drôle d'impression. Comme si papa avait bougé des trucs. J'arrive pas à…

– Oh, il a bougé des trucs. Ça, c'est sûr.

– Et ce silence…

– Oui, hein ? Maman n'était pourtant pas une grande bavarde.

– C'était pas elle. C'étaient tous ses patients. Tous les gens qu'elle amenait. Y avait toujours du monde.

– Ouais. Ça me manque, ça.

– Ça causait tout le temps.

Maggie but une nouvelle gorgée.

– Tu devrais peut-être ralentir, dit Ethan. Comme ça, l'estomac vide…

Elle serra la bouteille contre sa poitrine.

– T'inquiète pas pour mon estomac. C'est mon problème, ok ?

– Ok.

Maggie se cambra.

– Tu crois que maman était bonne dans son travail ?

– Mmh.

Ethan expira bruyamment par le nez :

– C'est important ?

– Pas vraiment, dit Maggie. Mais j'espère qu'elle l'était.

– Elle savait gérer papa. C'est pas rien.

– Et elle était intelligente. Oui, hein ?

– Ouais. Mais là encore… c'est important ?

– Je veux me souvenir d'elle comme d'une personne professionnellement compétente. Et intelligente.

Maintenant qu'elle est partie, j'ai l'impression que son image est à construire et que c'est à nous de le faire. Qui, sinon ? Je ne veux pas me louper. Parce que quelle que soit l'image qu'on choisira, ce sera celle qui restera. C'est une lourde responsabilité. Je ne veux pas la rabaisser. Ou la définir de manière subjective, genre : « Voilà ce que ma mère signifiait *pour moi.* » Je veux me souvenir d'elle telle qu'elle était. Mais d'un autre côté, je ne veux pas l'idéaliser non plus. Il y a tellement de manières de se tromper sur quelqu'un.

– Tu te poses trop de questions, dit Ethan.

– C'est l'hôpital qui se fout de la charité.

– Ok, ok.

– Tu ne m'as jamais dit pourquoi tu avais laissé tomber.

– Laissé tomber quoi ?

– Ton boulot.

– Ah, ça…

Ethan secoua la tête :

– C'était pas pour moi. Trop culpabilisant. La moitié du temps, on faisait appel à moi pour justifier une décision déjà prise. Je n'étais qu'un prétexte.

– Je t'ai toujours soupçonné de penser que c'était au-dessous de tes compétences.

– Là, tu te plantes, Maggie. Tu te plantes complètement.

Elle gratta l'étiquette sur la bouteille.

– Je crois bien que c'est la première fois qu'on fait ça.

– Quoi ?

– Traîner. Comme ça. Entre adultes.

– Tu dois avoir raison.

– Je pense que papa nous a rendus un peu… solitaires. Je dirais bien « indépendants », mais ce serait lui faire trop d'honneur. Il n'a jamais cherché à nous *rassembler*, autant que je me souvienne.

– Y a la différence d'âge.

– Ce que je veux dire, c'est qu'à mon avis on ne nous a pas appris à interagir avec les autres. Ni entre nous.

– Tu ne peux pas tout lui reprocher.

– Non, mais ça, oui.

– Pourquoi ?

– Parce que, rota-t-elle.

Ethan rit.

– Tu as assez bu.

Maggie posa la bouteille, à moitié vide, sur un rond de clair de lune entre eux. Ils restèrent ainsi un moment, l'estomac chatouillé par la vodka. À l'étage, le bruit râpeux des ronflements d'Arthur donnait de la texture au silence, tandis qu'Ethan et Maggie regardaient fixement le nom de leur mère sur le cuivre.

– Je t'enlève pour la journée.

Samedi matin. Ethan était assis à l'îlot de la cuisine en compagnie de son père. Entre eux, une assiette de mini-donuts au chocolat et une brique de jus de pamplemousse, achetés par Arthur au Circle K de Delmar Boulevard avec l'urgence et la connaissance nutritionnelle d'un chasseur-cueilleur du paléolithique.

Ethan, des élancements dans la tête à cause de la vodka, dit : « Ok. » Sa recherche de Charlie attendrait le lendemain.

Il regarda son minidonut à moitié mangé et maudit son assentiment chronique. Qu'est-ce qui, chez son père, provoquait en lui une obéissance aussi servile ? Pourquoi était-il incapable de s'affirmer ?

Il inspira une grande bouffée d'air réparatrice. Passer du temps seul avec son père serait peut-être une bonne chose. L'occasion d'aborder la question délicate de l'argent. Du prêt. C'était un sujet sensible, étant donné l'héritage de sa mère, mais Arthur pouvait-il l'envoyer balader, lui, son aîné ? Son seul fils ?

Ethan savait ce qu'il voulait de son père, mais l'inverse ? En attendant de l'apprendre, il se contenterait de l'attention qu'il lui portait. Il vida son verre de jus de pamplemousse en imaginant celui-ci parcourant son corps, boisson purificatrice éliminant le stress, la nausée, la légère gueule de bois, et rejoignit son père dans la voiture.

La University of Missouri-St. Louis, ou UMSL (prononcer *eumseul*), et Danforth avaient ceci de commun avec deux sœurs rivales que l'une d'elles n'avait aucune conscience d'une rivalité quelconque. Danforth, la frimeuse, l'ambitieuse – elle avait été créée un siècle plus tôt que son homologue publique –, s'enorgueillissait d'un budget de sept milliards de dollars, d'une faculté de médecine parmi les dix premières du pays et d'un mépris total pour toute concurrence régionale. La fac de médecine, avec le programme qui l'y préparait, était la plus grande fierté de l'établissement : le magazine des anciens étudiants mettait souvent en lumière le centre hospitalier de l'université, « l'éventail étourdissant » de ses techniques cœlioscopiques, endovasculaires et robotisées, ses prouesses en chirurgie non invasive, sa capacité à retirer par la bouche l'appendice de ses patients. Ce haut niveau technologique était financé par les étudiants, qui, ne bénéficiant pas, comme Ethan et Maggie, de la « remise » accordée aux enfants du personnel, déboursaient soixante mille dollars par an et recevaient peu d'aide d'un fonds de soutien inexistant. (Si Danforth ne se cachait pas du manque de diversité économique de ses étudiants, elle avait résolu le problème de la diversité raciale en privilégiant l'admission des enfants d'aristocrates nigérians sur celle des Afro-Américains, plus enclins à demander des bourses. « Du moment qu'ils sont noirs », avait chuchoté un administrateur devant un micro ouvert lors d'un tristement célèbre discours du président en 2013.)

UMSL, elle, était endettée de huit millions. Elle avait récemment fait fusionner son École des beaux-arts, son Centre d'études des médias et son MBA Entrepreneuriat en un Institut centralisé des Affaires et des arts. Danforth était bourrée d'héritiers internationaux et de gens de la côte Est ; UMSL, établissement public, accueillait surtout des Missouriens. Mais malgré ces différences les deux universités n'étaient distantes que de dix kilomètres, un quart d'heure de route dans la Spero de Francine, en passant par les petites villes de Wellston, Hillsdale, Beverly Hills et Normandy.

– Qu'est-ce qu'on fait ici ? demanda Ethan tandis que son père entrait dans le parking du Centre culturel Dedbroke d'UMSL.

– Tu vas voir.

Ethan descendit de voiture et suivit son père à l'intérieur du bâtiment. Le hall d'entrée du centre était pauvrement décoré, quelques approximations de toiles « abstraites » et « modernes » sur les murs. De la merde de pigeon maculait les vitres à la Pollock. Au milieu du hall, Ethan avisa une silhouette en carton, une femme en deux dimensions, robe et chaussons lilas, jambes serrées, les bras en arc de cercle au-dessus de la tête.

Ses proportions étaient troublantes. Elle mesurait autour d'un mètre trente, une taille ni réaliste ni d'aucune échelle reconnaissable. Elle souriait à Ethan, le regard vide. « Qu'est-ce qu'on… » commença-t-il à demander à nouveau, mais une ouvreuse aux cheveux grisonnants et souffrant d'une talonnade apparut derrière lui et, en boitant, les poussa vers les portes de la salle. « Vous êtes en retard », les réprimanda-t-elle. Vous avez failli rater le spectacle. »

Ethan se laissa tomber sur le tissu rêche d'un fauteuil de spectacle. Plus de la moitié des sièges disposés en pente douce autour de lui étaient vides.

– Eh, dit-il. J'ai un service à te demander.

– Mm mmh ? grogna Arthur.

Le son épineux piqua les côtes d'Ethan.

– C'est pas facile.

– Ok…

– Je voulais te demander si…

Arthur haussa un sourcil.

– Si…

L'idée de mettre son désespoir en mots paralysa Ethan. Il avait horreur de mendier, d'exposer ses besoins, et ce n'était jamais facile d'avouer un échec à son père.

– Tu n'as… Tu n'as pas… Tu n'as rien remarqué de bizarre à propos de Maggie ? se dégonfla-t-il. Elle a l'air d'aller bien, tu trouves ?

Son père lui fit signe de se taire.

– Ça commence.

Tout à coup, les murmures autour de lui se réduisirent à un soupir. Les grincements hésitants d'un orchestre en train de s'accorder résonnèrent. Quelque part dans la salle à présent obscure, Ethan entendit la plainte nasale d'un hautbois.

Maggie fut réveillée à midi par des cloches d'église.

Quoique, non, ce ne fut pas le son des cloches qui la réveilla mais le silence qui l'entourait. Rien dans Chouteau Place pour les accompagner. On était samedi, elles ne se déchaîneraient vraiment que le lendemain, mais elles sonnaient cependant toutes les demi-heures, et leur son clair et provocant tira brusquement Maggie du lit. Ridgewood avait lui aussi ses églises, irlandaises, italiennes, catholiques gottscheers, mais le son de leurs cloches s'inscrivait dans un tout, dans un collage ethno-ambiant de sifflets, de riddims dembow portoricains et des bruits des scooters des livreurs chinois. Le paysage sonore ainsi créé était si constant et riche que Maggie se méfiait désormais de tout ce qui s'en écartait. Elle avait oublié le silence oppressant des banlieues du Midwest, oppressant et oppressif : comme les pyramides d'Égypte (peut-être construites par ses ancêtres), une telle majesté avait un prix. Une telle paix impliquait une agitation ailleurs. Quelqu'un en faisait les frais. Quelqu'un, quelque part, souffrait pour que le silence de ce quartier donne au vent dans les arbres un son de billets froissés.

La maison était silencieuse, elle aussi. Aucun signe d'Ethan ni de son père. Maggie descendit, ses pas lourds étouffés par le tapis d'escalier beige. Sur un bloc de feuilles jaunes était écrit, de la main négligente d'Arthur : SORTI AVEC ETHAN.

Seule, l'après-midi s'offrant à elle, Maggie entreprit de redistribuer la richesse de la famille.

Elle parcourut les lieux à la recherche d'objets intéressants, des objets ayant une valeur sentimentale ou marchande. Elle fit de la place dans son sac marin pour Susan B., son éléphante en peluche adorée (valeur sentimentale), placée par Arthur au pied de son lit, ainsi que pour la barrette en écaille de tortue (valeur sentimentale) qu'elle avait portée tous les jours à la maternelle pendant deux années d'affilée. Elle fit main basse sur une paire de boutons de manchette en or (valeur marchande) qu'elle n'avait jamais vue aux poignets de son père, préleva de l'argent liquide dans son tiroir à chaussettes et emballa quatre verres à vin en cristal dans une taie d'oreiller sortie du placard à linge. Elle planqua ceux-ci dans son sac à dos – deux pour boire, deux pour le prêteur sur gages.

Ces rares moments-là – lorsqu'elle triait, réattribuait des biens –, étaient les seuls où Maggie avait le sentiment de maîtriser sa vie. D'avoir son destin en main. L'argent de sa mère, son héritage, était totalement indépendant de sa volonté. Elle ne l'avait ni mérité ni demandé. Qu'était censée en faire Maggie ? Le claquer ?

S'éclater sous les lumières fiscales fantômes de la vie de sa mère ? Tirer littéralement profit de la pire chose qui lui soit jamais arrivée ? Qu'avait-elle à attendre de cet argent ? Il avait transformé son frère en loque !

Autant Maggie n'aimait pas les parasites, les étudiants pourris gâtés dont les parents finançaient la production de leurs mauvaises pièces et l'enregistrement de leurs morceaux de folk alternatif, autant elle se méfiait des actifs trop bien rémunérés. À partir d'un certain niveau de revenu, on avait du sang sur les mains. On ne s'en mettait pas plein les poches sans exploiter quelqu'un. Dans toute grande entreprise, il y avait des perdants, de grands perdants. Les pauvres. L'environnement. Maggie ne voulait pas participer à cela. Voilà pourquoi elle devait voler, ou redistribuer, de temps en temps. Éthique complexe que celle qu'elle s'était forgée, mais pas plus obscure, au fond, que la vraie économie, à laquelle elle ne comprenait rien.

Elle poursuivit sa quête d'objets. Celui qu'elle cherchait – c'était pour lui qu'elle avait fait le déplacement – était une montre de soirée Tiffany ayant appartenu à sa mère. Une montre carrée et incrustée de diamants, montée sur un bracelet de satin noir, son cadran sobre bordé de chiffres romains en or blanc. Affreusement ostentatoire du point de vue de Maggie, bien plus le style de Bex que celui de sa mère, mais sa valeur était également sentimentale. Obsédée par son souci de vivre comme un moine, de posséder le moins possible, Maggie avait oublié de rapporter à New York un souvenir de sa mère. Et le souvenir qu'elle voulait, c'était cette montre.

Pendant un temps, alors que Maggie était lycéenne, sa mère avait sympathisé avec la femme du manager des Cardinals de Saint Louis. Tout à coup, pour des raisons inconnues de Maggie – tout ce qu'elle savait, elle, c'est que la fille du manager en question était dans sa classe, et que c'était une démagogue de la pire espèce –, Francine s'était retrouvée embarquée dans les restaurants les plus chics de la ville : italiens (chez Tony), steakhouses (chez Al, chez Morton, chez Fleming).

La femme du manager et ses amies étaient de cinq à dix ans plus âgées que Francine, des blondes platine, d'une blancheur extrême, politiquement conservatrices. Pour Maggie, sa mère ne pouvait avoir qu'un intérêt anthropologique à dîner avec elles – pourquoi entrer dans leur bande sinon au nom de la science ? À moins que son but ne soit de manger à l'œil, car chaque fois qu'elle sortait sa carte bancaire, la femme du manager la regardait, l'air de dire : *Non, mais tu plaisantes ?*

Quoi qu'il en soit, sa mère n'avait rien à voir avec ce milieu.

À un moment de cette nouvelle amitié, qui dura une dizaine de mois au printemps 2006, la femme du manager organisa un dîner de charité au Chase Park Plaza Hotel. Les fonds collectés devaient aller à la recherche sur la maladie de Charcot. L'assiette était à trois cents dollars. À l'apéritif, les femmes des joueurs, pour beaucoup mannequins, se mêlèrent aux donateurs et parcoururent la salle en riant élégamment, la bouche fermée.

Francine traîna Arthur sur place. Il portait un costume marron.

– À ton avis, ça coûte combien d'organiser un dîner pareil ? dit-il. En nombre de bourses de recherche ?

– Chut, fit-elle. Et puis il faut dépenser pour collecter.

Profitant d'un passage d'Arthur aux toilettes, elle acheta un billet de tombola à cent dollars.

Après un discours de la femme du manager et un petit film poignant sur la dégénérescence des motoneurones, la femme du shortstop, une danseuse hollandaise dont le shortstop s'était disait-on épris lors d'une soirée à Amsterdam après les World Series, vint au pupitre et lut une suite de caractères alphanumériques identique à celle figurant sur le billet de Francine. Il fallut à cette dernière un moment pour comprendre la situation.

Maggie gardait de cette soirée un souvenir clair : sa mère entrant par la cuisine, les joues rouges de joie, sa robe à paillettes étincelante de lumière. Au creux de sa main, un écrin de verre. Elle avait retiré le couvercle et montré le contenu à Maggie.

– Elle est belle, hein ?

– Si on veut, dit Maggie, alors âgée de seize ans. Un peu too much, non ?

– À qui le dis-tu ! grommela Arthur.

Mais Francine n'écoutait pas. Elle regardait fixement la montre, cet objet luxueux et qui lui ressemblait si peu.

– Tu pleures ? demanda Maggie.

De petites larmes cristallines baignaient les yeux de sa mère.

– Faut me comprendre, dit celle-ci d'une voix fragile. Je ne gagne jamais rien.

Maggie n'avait jamais entendu sa mère parler ainsi. Elle ne l'avait jamais entendue s'exprimer en termes de victoire et de défaite. Quant aux aveux de faiblesse, ce n'était pas non plus le genre de Francine. Un instinct poussa Maggie à prendre sa défense, mais comment la défendre contre elle-même. Francine ne gagnait jamais ? Elle était la perfection, la bonté mêmes ! Comment se pouvait-il qu'une femme comme elle, si belle, si sage et si maligne, ait l'impression de ne jamais gagner ? Qu'en déduire à propos de Maggie, qui s'efforçait sans relâche de l'imiter ?

Aujourd'hui encore, elle en avait le cœur brisé.

Mais où était cette montre ? Pas dans le modeste tiroir à bijoux de Francine, pas sous le lit de ses parents, pas parmi les stylos et presse-papiers en porcelaine tigre éparpillés sur le bureau de sa mère. Maggie arpenta les pièces en vain. Elle se dit qu'il fallait la chercher dans le dernier endroit où elle s'attendait à la trouver. Mais dans une maison trop grande pour quatre, et plus encore pour trois, ces endroits-là ne manquaient pas.

Elle commença par le sous-sol. Rien au milieu des poufs poire avachis, sous la table de ping-pong aux pieds oxydés ou derrière le rameur récupéré par Arthur dans la benne à ordures devant le collège de Maggie. Rien dans la buanderie à la réfection inachevée, où une tache noire de brûlé maculait encore le mur derrière la machine à laver. Rien non plus dans le deuxième, troisième et quatrième derniers endroits où Maggie s'attendait à la trouver.

Cinquième endroit : la salle à manger. Maggie remuait des couverts en argent d'héritage dans un buffet cossu lorsqu'elle s'ouvrit le pouce sur un couteau frappé d'un monogramme. La douleur lui fit faire volte-face. Là, accroché au mur devant elle, s'étalait un message de la part de son père.

11

Arthur parti au Zimbabwe, Francine se permit quelques petits plaisirs. Libérée de la gestion méticuleuse de son compagnon, de son obsession de tout compter et de sa pingrerie inquisitrice (« Je sois de la douche – il y a deux savons. Tu as racheté du savon ? Pourquoi on a deux savons ? »), elle rompit enfin avec l'austérité. Elle alla au cinéma. S'acheta une doudoune. S'accorda une visite au musée des Beaux-Arts et rapporta de la boutique de souvenirs une lithographie sur papier glacé de Thomas Hart Benton, qu'elle encadra et accrocha dans le salon, au-dessus du fauteuil décoratif également acheté en l'absence d'Arthur. Rien de déraisonnable. Mais Arthur, dont le génie consistait à imposer sa volonté à ses proches, était dénué de l'esprit de consommation qui donnait son sens à la vie américaine. Rares étaient les choses qu'il ne considérait pas comme des luxes.

La solitude en était cependant un que Francine ne pouvait se permettre, ni émotionnellement ni matériellement. Arthur lui manquait – vraiment –, et sa bourse d'étudiante de troisième cycle ne suffisait pas à couvrir le montant du loyer.

Elle proposa à la location la seconde chambre, qu'Arthur et elle utilisaient comme bureau, en diffusant des annonces dans le quartier de Kenmore et ses alentours. Le temps d'un week-end interminable, toutes sortes d'individus défilèrent dans son appartement, punks provocants, marathoniens, catholiques irlandais, supporters des Sox, élèves d'écoles privées, artistes de Fort Point, grands maîtres des échecs de Harvard Square. Chacun d'eux avait quelque chose qui clochait. Trop excentrique, trop passionné, pas assez fiable. Une retraitée sexagénaire lui demanda où elle pourrait ranger ses chouettes en porcelaine. Un jeune des quartiers sud, mignon au demeurant, suggéra avec son accent non rhothique et assuré que Francine et lui dorment dans le même lit afin de gagner de la place. Alors qu'elle allait se résigner à payer seule le loyer et à se nourrir toute l'année de conserves bon marché, elle rencontra une candidate qui, à la lueur flatteuse de son désespoir, lui sembla une valeur sûre.

Cette valeur sûre avait un sourire franc, des yeux très écartés et des garants. Marla Bloch était elle aussi en troisième cycle de psycho, bien que devancée par Francine de deux ans dans le cursus. Autre point commun : l'Ohio. Marla arrivait tout droit de Cincinnati et n'avait curieusement pas honte de ses origines. Elle avouait ouvertement son étonnement devant les hivers de Nouvelle-Angleterre, les mauvaises manières des Bostoniens et les études de troisième cycle en général. Elle mettait en mots des pensées que Francine gardait pour elle, de peur que le vernis de sa sophistication de la côte Est ne se fissure. Elle disait des choses comme : « Il est touffu, ce texte ! », « Ça fait du bien de rencontrer une compatriote de l'Ohio ! » ou : « Pas facile à écrire, "amygdale" ! » Ces sentiments, Francine les partageait – oui, leurs textes étaient touffus, oui, les manières du Midwest de Marla étaient appréciables, oui, ce petit organe lymphoïde en forme d'amande était difficile à orthographier –, mais elle avait appris à ne pas les avouer. Marla Bloch s'en fichait. C'était une de ces filles entières et décomplexées que Francine avait connues chez elle et dont elle gardait un souvenir attendri.

Marla signa un chèque en blanc pour l'électricité, le gaz et l'eau, et les deux femmes se serrèrent la main.

Alors que, pour Arthur, même le North End était un piège à touristes, Marla, lorsqu'elle emménagea, scotcha une liste sur le réfrigérateur, une véritable liste, des dix choses qu'elle voulait faire et voir en priorité dans la ville pendant la préparation de son diplôme. Francine ricana en la découvrant.

– Pardon, excuse-moi, se reprit-elle. Je ne sais pas pourquoi j'ai réagi comme ça.

– Tu as ri.

Marla semblait perplexe.

– Non, non, je suis désolée, dit Francine. C'est une super liste. On commence par quoi ?

– Mais pourquoi tu as ri ?

– C'était involontaire, je t'assure. Je pensais à ce que dirait mon copain.

– Qu'est-ce qu'il dirait ?

Francine réprima une montée de cynisme.

– Rien. Il aurait trouvé que c'était une super idée. Allez. Commençons par l'Old State House. En fait, je n'y suis jamais entrée.

Accompagnée de la joyeuse et naïve Marla, Francine découvrit Boston. Sa nouvelle colocataire marchait sans gêne en tenant un plan devant elle, arrêtait les passants pour demander son chemin. Contrairement à Arthur, elle n'avait rien contre le fait de payer pour visiter les églises historiques, les musées et autres monuments. Et chaque fois qu'elle s'approchait de trop près d'un tableau ou entrait dans une église en pleine messe, elle n'hésitait pas à se moquer d'elle-même d'une manière laissant entendre qu'elle n'était pas si honteuse que ça. Francine voyait là le signe d'une bonne dose d'amour-propre.

Marla était une bavarde. Mais elle ne donnait pas l'impression, comme la mère de Francine, de parler pour assassiner le silence avant qu'il n'ait sa peau. Elle parlait pour passer le temps. Elle disait des choses sans prétention, ce qui lui passait par la tête. Et ce qui lui passait par la tête avant tout, s'aperçut Francine, c'était le sexe. Elle prétendait être « restée obsédée » par un garçon avec qui elle était sortie au lycée il y avait « un million d'années ». Elle racontait combien ils « s'éclataient au lit », revenait inlassablement sur la « grosseur » de son « machin » et les sensations que celui-ci lui procurait. Le mélange de franchise et de puérilité de Marla ne cessait de confondre Francine. Lorsqu'elle-même était en deuxième cycle à Wellesley, le sexe était politique. Gynocentrique. Et Arthur préférait le pratiquer, efficacement, qu'en discuter. Mais voilà que débarquait ce jeune chien fou de Marla Bloch, qui, malgré le nombre limité d'euphémismes à son vocabulaire, était inarrêtable sur le sujet.

Francine aurait aimé ne plus du tout penser au sexe durant l'absence de son petit ami. Se consacrer tout entière à ses études. Mais Marla voulait parler. « Causer garçons. » Plus d'une fois, après avoir partagé avec elle une bouteille de Cold Duck, Francine alla se coucher en se disant qu'elle avait intérêt à se méfier de cette fille.

Entre-temps, Arthur la quittait peu à peu.

Elle commençait à l'oublier. Elle perdit d'abord sa bouche, si bien que lorsqu'elle tentait de l'imaginer, la moitié inférieure de son visage était comme estompée à la gomme. Ses yeux noisette, rusés, nerveux, devinrent marron dans le souvenir de Francine. Ce ne fut que lorsqu'elle perdit les détails de son nez, le réduisant à la simple *idée* d'un nez, à un nez standard, qu'elle s'aperçut que ses oreilles – rondes ou pointues ? Lobes collés ou pendant librement ? – s'étaient discrètement échappées de sa mémoire depuis plusieurs jours.

Et pourtant… En l'absence d'Arthur, à mesure que l'image mentale qu'elle avait de lui se brouillait, devenait un fac-similé indistinct, les sentiments qu'elle lui portait se décuplaient. Elle se languissait de lui. Il lui plaisait, cet homme imaginé, cette approximation floue du vrai. Il surpassait tous ses souvenirs.

Après les partiels, Marla organisa une soirée. Elle était la seule étudiante du programme de Francine assez candide pour ça. « Je veux que ce soit une soirée déchaînée, déclara-t-elle, comme celles qu'on faisait à Ohio State. »

267

Après quelques hésitations, elle choisit le thème qui la titillait le plus et emmena Francine avec elle pour photocopier les invitations.

MARLA BLOCH
VOUS PRIE CORDIALEMENT D'ASSISTER
À SA PREMIÈRE SOIRÉE « DÉSHI'NIPPES » ANNUELLE
LINGERIE/SOUS-VÊTEMENTS UNIQUEMENT
NI CHEMISE, NI CHAUSSURES, NI PANTALONS, NI PROBLÈMES
AMIS & AMANTS BIENVENUS

– Marla, c'est ridicule, dit Francine. Personne ne va venir à une soirée en… en *lingerie*.

– Désolée, mais tu te trompes.

– Tu ne crois pas que c'est un peu… *immature* comme concept ? J'ai vingt-neuf ans. David, dans notre sous-groupe… Il a *quarante ans*.

– Tu te trompes. On donne aux gens exactement ce qu'ils veulent.

– Je me demande s'il n'a pas des enfants.

Marla fit rebondir l'une des bouclettes de Francine.

– Fran, soupira-t-elle d'un air entendu. Douce, innocente Fran. Écoute-moi. On est des filles. Et on donne à d'autres filles, et à des garçons, la permission de se voir. De se voir *en petite tenue*. Crois-moi. Ça va être un succès.

– On n'est plus au lycée.

– Les gens viendront.

– On n'est même plus vraiment à la fac.

– Francine Klein… Cette soirée, on va la faire. Ne jamais – je dis bien *jamais*…

Marla cambra alors les reins.

– ... sous-estimer l'intérêt de lever les tabous dans un environnement sécurisé.

Une semaine plus tard, l'appartement de Kenmore Square accueillait son premier événement festif depuis qu'Arthur Alter avait inscrit son nom sur le bail.

Une demi-heure avant la soirée, Francine buvait seule, recluse dans sa chambre, ayant revêtu une classique chemise de nuit pouvant légitimement faire office de pyjama si la soirée tournait court. À neuf heures, seuls quelques jeunes étudiants nerveux en début de cursus étaient assis sur le canapé du salon, l'entrejambe recouvert de coussins décoratifs. « Fais-moi confiance, lui dit Marla à travers la porte, derrière laquelle Francine était censée lire. Fais-moi confiance. Et je t'*interdis* d'aller te coucher, à moins d'être accompagnée. » Naturellement, à onze heures, le salon était rempli de doctorants, certains la trentaine bien avancée, en culotte/soutien-gorge ou en caleçon, inventant des raisons de se toucher l'un l'autre sur la cuisse ou l'épaule.

Lorsque Francine sortit de sa chambre, ayant déduit au brouhaha croissant qu'une soirée avait bien lieu, Marla, déjà passablement éméchée dans son kimono de satin, lança : « Francine Klein, mesdames et messieurs ! » Un crépitement d'applaudissements confus monta brièvement avant de retomber.

C'était la fête de la peau à nu et du ça. Les désirs refoulés se matérialisaient partout dans le petit appartement. Des jungiennes trop couvertes agitaient leurs bras gantés sur Prince. Un première année et sa tutrice étaient enlacés sur le canapé, les mamelons de la seconde et l'érection du premier tendant avec assurance le tissu satiné qui les contenait. Francine, en manque de sexe, eut une bouffée de chaleur. La sensation de ses cuisses se frôlant sous sa chemise de nuit suffit à teinter ses joues d'un rose révélateur.

– C'est chez toi ?

Un inconnu était appuyé contre son frigo. Il était enveloppé d'un drap noué à la manière d'une toge sur l'épaule gauche. Celui-ci s'arrêtait à mi-mollet, où il cédait brusquement la place à des chaussettes de ville noires.

– On se connaît ? dit-elle en se baissant pour prendre une bière dans le frigo.

– Je suis un ami de Marla.

Il la désigna du menton dans le salon, où un jeune au bronzage agricole inspectait le tissu de son kimono.

– Marla, oui. La grande facilitatrice. Ne me dis pas que tu es de…

– Cincinnati.

– Moi, je suis de Dayton.

– Sans blague…

– Est-ce que tous les gens de l'Ohio qui sont ici se connaissent ?

– Nous, les expatriés ? Bien sûr. J'allais dire, on ne t'a pas vue aux réunions.

– Ha ! Je ne crois pas avoir été invitée.

– Maintenant, tu l'es. On se retrouve tous les dimanches sur le pont de l'*USS Constitution* et on fait des parties d'euchre.

Il choqua sa canette contre celle de Francine.

– Moi, c'est Dave.
– Francine.
– Messner.
– Klein.

Dave Messner ressemblait à au moins trois garçons fréquentant la synagogue Beth Abraham de Dayton. Il avait de grandes oreilles et le front large. La partie inférieure de son visage était un hommage à la proéminence narinaire. Il avait vingt-huit ans et présentait déjà un schéma typique de calvitie masculine, facilement au stade 3 sur l'échelle de Hamilton-Norwood. Mais lorsqu'il souriait, comme à présent, ses traits s'adoucissaient et devenaient plus avenants.

Messner était dans la finance. Son boulot était parfois stressant, dit-il, mais il aimait la stimulation intellectuelle qu'il lui apportait. Francine retint *stimulation*.

– Actuellement, expliqua-t-il, je suis courtier dans une succursale bostonienne d'une banque d'affaires… Ah ! Essaie de dire ça plusieurs fois rapidement.

– Courtier, succursale, banque d'affaires, bredouilla-t-elle. Ouh là !

– Tu en veux une autre ?

– Oh, non, dit-elle en secouant sa canette. J'ai…

Mais elle s'aperçut que sa canette était vide.

– Bonne descente pour un membre de la tribu.

Francine rougit.

– Je suis désolé ! dit Messner. Pardon. Je plaisantais. Sincèrement. Attends, je vais me rattraper.

Il prit une bière derrière elle et tenta de l'ouvrir avec les dents. De la mousse lui jaillit dans les narines et lui aspergea le visage. Francine s'esclaffa.

271

– Ah, c'est drôle, hein ?

– Un peu.

– Je retire mes excuses.

Elle rit à nouveau et lui essuya le visage à l'aide d'un torchon.

– Excuses ou pas, tu es pardonné.

Il sourit :

– Merci bien.

– Mais je t'en prie.

Ils parcoururent la foule chahuteuse du regard. Quatre thésards en caleçon avaient inscrit des noms sur des fiches cartonnées, qu'ils s'étaient collées sur leur front transpirant : B. F. Skinner, Wilhelm Wundt et deux Erik Erikson.

– Tu vas sûrement être occupée, dit Messner, et je n'aurai peut-être pas d'autre occasion. J'ai une question à te poser : est-ce que je peux t'appeler ?

– M'appeler ?

– Pour discuter, un de ces jours.

– On ne peut pas discuter ici ?

– Si, mais c'est ta soirée. Tu risques d'être happée quelque part…

– Dans ce minuscule appartement ?

– … pour t'occuper de ceci ou de cela. Je ne sais pas. Alors… je peux ? T'appeler ?

C'était une bonne question. En théorie, selon les termes de son accord avec lui, Francine était célibataire jusqu'au retour d'Arthur. Officieusement séparée le temps de son séjour à l'étranger. Libre de papillonner pendant une durée limitée. Mais en avait-elle *envie* ? Là-bas, dans la brousse – dans sa tête se mêlaient des images de *National Geographic* et des *Dieux sont tombés sur la tête* –, Arthur ne devait pas beaucoup s'amuser. Que faire ?

– Je pense, oui. Tu peux m'appeler si tu veux.

Décapuchonnant le stylo qui pendait au bout d'une ficelle scotchée sur le frigo, celui avec lequel Marla avait écrit QUINCY MARKET, BATEAUX-CYGNES et ~~OLD NORTH CHURCH~~, il nota le numéro de Francine sur la paume de sa main.

– Je t'appelle bientôt, dit-il.

– D'accord.

Dehors, Boston était plongé dans une obscurité idéale. L'enseigne au néon Citgo ne s'allumait plus depuis deux ans. Dans le ciel, les étoiles flamboyaient comme des neurones excités.

Début juin, leurs conversations téléphoniques étaient devenues habituelles. À la fin du mois, ils se « voyaient », comme disait Messner. Ils faisaient des sorties. Rien que ça, c'était une révélation. Et c'était lui qui payait. Il l'invitait *au restaurant*. Il s'intéressait à ce qu'elle étudiait. Il était tout ce qu'Arthur n'était pas : ouvert aux autres, communicatif, raffiné. Prêt à se faire plaisir, à lui-même comme à elle. Il avait ce mélange d'humilité et d'assurance des anciens lycéens harcelés qui s'en sont sortis. Très prévenant, il décelait et s'inquiétait de la moindre micro-expression se manifestant sur son visage. Tout ce qui comptait à ses yeux, disait-il, c'était elle, et son travail à lui, dans cet ordre-là. « Je n'ai jamais été aussi heureux, avoua-t-il. Je vais au bureau le matin, je te vois le soir – je suis comblé. » C'était un homme à la fois généreux et rigoureux. La rigueur : c'était ce qu'Arthur et lui avaient en commun. Mais alors que celle de Messner engendrait la réussite sous forme d'espèces américaines sonnantes et trébuchantes, celle d'Arthur, ascétisme surexcité, faisait de lui une sorte de personnage absurde. Un homme vivant sous terre et tenant des propos délirants à propos du ciel.

Quelle place Arthur occupait-il dans tout ça ? Messner accélérait la progression de leur relation, et elle ne savait qu'en penser. Elle était célibataire, après tout, mais ce n'était que temporaire. Le célibat temporaire était-il vraiment un célibat ? La liberté était-elle toujours la liberté lorsqu'elle était assortie d'une date de péremption ? Elle parlait à Arthur, plus ou moins régulièrement, au téléphone, et ils s'écrivaient des lettres. Mais leurs coups de fil étaient toujours tendus – la pression de tirer le meilleur parti de la conversation limitée par la mauvaise qualité de la ligne – et les lettres mettaient des semaines à arriver.

– Davey et toi, vous êtes adorables, lui dit Marla un soir, alors que Francine rentrait seule après avoir dîné avec Messner, le ventre chaud de spaghettis aux noix de Saint-Jacques. Il est au courant pour ton homme à l'étranger ?

– Tu m'attendais pour aller te coucher ?

– Alors ?

Francine soupira.

– Non. Et, Marla, je préférerais que tu ne dises rien.

– Tu rigoles !

Marla sourit, puis :

– C'est notre secret.

– Parfait.

– Juste une chose : il t'a… ?

– Il m'a quoi ?

– D'accord. Il ne l'a pas fait.

– Pas fait *quoi* ?

– Si tu ne vois pas ce que je veux dire, c'est qu'il ne l'a pas fait.

Les lèvres de Marla se tordirent en un sourire malicieux.

– Davey est un gentil garçon, dit-elle. Mais il a ses préférences.

Francine ne tarda pas à comprendre. Par une belle journée de juin, tandis que le soleil flamboyait sans pudeur sur la surface ridée de la Charles, à sa demande Francine ligota Messner, le bâillonna avec une boule de caoutchouc et, tout en appliquant une légère pression sur sa gorge, versa des gouttes de cire chaude sur le torse glabre du courtier.

Au départ d'Arthur, la qualité du travail de Francine, de même que sa satisfaction générale de la vie – pour une jeune universitaire comme elle, les deux étaient inextricablement liées – avaient grimpé d'un coup si vite qu'elle se réveillait chaque matin en proie à une sorte de délire électrique. Une fièvre, une frénésie. Tout ce temps libre ! Elle pouvait étudier aussi tard qu'elle voulait, manger et dormir selon son organisation. Fini les séances de regonflage d'ego lorsqu'Arthur estimait avoir subi un affront au boulot. Fini les expéditions au magasin de surplus militaire pour acheter des chaussettes d'occasion, deux dollars pour autant de paires qu'on pouvait en tenir dans les mains. Elle se fit des amis et se forma auprès d'un jeune professeur dynamique qui portait des jeans et dont le cours consistait à disséquer *L'Humaine Nature*.

Mais depuis sa rencontre avec Messner, ses résultats avaient chuté. Il réquisitionnait ses soirées, divisait par deux le temps qu'elle passait sur ses bouquins. Elle fonctionna bientôt au même niveau sous-satisfaisant que lorsqu'Arthur était présent.

Le jeune professeur demanda à la voir un après-midi après le cours.

– Tout va bien ? demanda-t-il. Vous avez l'air… distraite.

Il jaugea Francine du regard et, hochant la tête :

– Mmh. Distraite.

– Ça va, dit-elle. Je suis un peu plus occupée que d'habitude.

– Des problèmes de garçons ?

– Euh…

– N'oubliez pas, dit-il en posant une main sur son poignet. Vous avez un potentiel énorme. Vous méritez quelqu'un de bien.

– D'accord.

Il la regarda droit dans les yeux.

– Attention, dit-il. Soyez exigeante.

Francine ne s'attendait pas à ce que son formateur la drague – elle savait que lorsqu'un homme dit : « Soyez exigeante », il veut dire : « Ne vous contentez pas d'un autre que moi » –, mais elle sentait que, dans une certaine mesure, il avait raison. Elle était distraite, c'était vrai. Messner avait une emprise sur elle. Était-ce le prix des histoires d'amour compliquées ? Un émoussement de son ambition, un frein à son potentiel ? Marla avait raison, elle aussi : Messner était un gentil garçon. Trop gentil, trouvait Francine. C'en était étouffant. Il lui envoyait des cadeaux, venait la chercher inopinément après les cours. Il lui donnait des conseils financiers spontanés, et toujours lorsqu'ils étaient au lit, pendant les préliminaires, imprégnant ces moments d'une étrange connotation transactionnelle.

C'était le genre d'homme qui ne supportait pas le silence. Lorsqu'ils se baladaient dans Franklin Park et qu'elle se taisait pour admirer le paysage – elle avait toujours eu une attirance pour les espaces verts et calmes, où, socialement, le silence s'imposait –, il se tournait vers elle et lui disait : « Ça va ? Tout va bien ? » Il avait sans cesse besoin d'être rassuré. Et, si Francine avait le malheur de protester, il se vexait : « Pardon de m'intéresser à toi, disait-il. Pardon d'essayer d'être un bon petit ami. » Il plaçait le terme *petit ami* à tout bout de champ.

En août, le père de Francine mourut. Parmi la myriade de complications qui s'ensuivit – les deux voyages successifs à Folsom Drive, les sautes d'humeur de sa mère, les condoléances hachées d'Arthur au téléphone, son retrait contrit du TP sur lequel elle travaillait cet été-là –, elle informa Messner qu'elle allait devoir s'isoler quelque temps.

– Hein ? dit-il, à l'autre bout de la ligne. Pourquoi ? J'arrive tout de suite.

– Non. Écoute. Il s'est passé quelque chose.

Elle secoua la tête et le mit au courant pour son père.

– Francine ! Oh… Merci de me l'avoir dit. Je suis content de voir que tu as confiance en moi. J'arrive.

– Dave…

Vingt minutes plus tard, il était là.

– Tu n'es pas censé être au bureau ?

– J'ai tout plaqué pour venir.

– Je ne savais pas que tu avais le droit de faire ça.

– Là, c'est important. Je suis ton petit ami. Je dois t'aider à affronter ce… cette tragédie.

– Dave, tu n'es pas… Écoute, il ne s'agit pas que de mon père, d'accord ? Ça fait un moment que je veux te parler de nous.

– La mort, ça rend fou.

– D'accord…

– Ne t'inquiète pas. Ne t'inquiète pas.

Il se leva et se mit à marcher de long en large :

– Je vais t'aider. Tu as besoin de quelqu'un qui ait la tête sur les épaules.

– Je veux gérer ça toute seule.

– Tu ne sais pas ce que tu dis. Allonge-toi.

– Je sais très bien ce que je dis.

– Comment tu te sens ?

– Ça va.

– Tu veux de l'eau ?

– Non.

– Je file t'acheter des mouchoirs en papier. Et du thé. Tu bois du thé ? Quel genre de thé tu aimes ?

– Dave… Dave… C'était il y a deux semaines.

Il cligna des yeux, incrédule.

– Deux semaines… ? *Deux semaines ?!* Pourquoi tu ne m'en as pas parlé plus tôt ?

– J'étais occupée. Ç'a été un peu la panique, comme tu peux l'imaginer.

Elle avait du mal à contrôler sa respiration.

– Et j'avais besoin d'être seule. Pour réfléchir.

– Être seule est la dernière chose dont tu aies besoin. Tu as besoin d'être soutenue. D'être entourée par ceux que tu aimes.

– Ne me dis pas ce dont j'ai besoin, s'il te plaît.

– Mais je…

– S'il te plaît. Va-t'en. Je t'appellerai dans quelques semaines.

– Il ne faut pas confondre ses besoins et ses envies…

De son index, elle lui rappela où était la porte.

– *Va-t'en.*

– Bon, dit-il en reculant.

Il mit la main sur la poignée, puis :

– Une question : est-ce qu'il y a de l'argent ?

– Pardon ?

– Il t'a laissé un capital ? Réponds, c'est important. C'est brutal, je sais, mais c'est important.

– Va-t'en, s'il te plaît.

– Dis-moi.

– Va-t'en !

– *J'ai des informations.*

Elle expira bruyamment.

– Quelles informations ?

Messner lâcha la poignée de la porte.

– Écoute… Tu peux me mettre dehors si tu veux, mais j'ai un tuyau. Et je tiens à t'aider. À t'en faire profiter. S'il y a de l'argent en jeu, il faut que tu m'écoutes. Je peux rester ?

– Cinq minutes.

Messner expliqua rapidement qu'un ami d'un de ses collègues savait avec certitude qu'on pouvait attendre de belles performances de la part d'un groupe actuellement sous-évalué, le groupe Z., un conglomérat possédant des filiales dans tous les secteurs, de l'informatique à l'agro-alimentaire, et que, si Francine le lui permettait, Messner investirait l'argent pour elle, en complétant l'investissement principal par des placements sûrs à long terme. Il en faisait autant de son côté.

– C'est un tuyau en or, dit-il. Un cadeau du ciel. Tu me remercieras dans quinze, vingt ans. Fais-moi confiance. Ne cache pas un magot sous ton lit dans une boîte à chaussures.

– Tu as terminé ?

– Oui.

– Il y a *un peu* d'argent, soupira Francine.

Les yeux de Messner s'agrandirent.

– J'en étais sûr.

– Pas grand-chose. Une petite somme. La plus grande partie doit revenir à ma mère.

– Elle ne restera pas petite longtemps.

– Dis-moi une chose, Dave.

– Je t'écoute.

– Et sois honnête.

– Toujours.

Francine expira.

– Tu es bon dans ta partie ?

Messner sourit.

280

– Le meilleur.

– Et tu sais de quoi tu parles ?

– Absolument.

– Et l'argent restera à mon nom, sous ma surveillance ?

– Fran ! Fran ! Oui ! Tout ça ! Fais-moi confiance.

– Bon. D'accord. Repasse demain, on en discutera. Mais là, tout de suite, j'ai besoin d'être seule. Et je continue de penser qu'on doit faire un break.

– Comme tu voudras.

Il sourit :

– Appelle-moi si tu changes d'avis.

Le sentiment de culpabilité est un sentiment qui métastase. Qui mute. Qui voyage. Après qu'elle eut placé son avenir financier dans les mains capables de Messner, celui de Francine parcourut ses veines et prit des formes dérivées : elle culpabilisait de ne pas passer de temps avec Marla, de trop manger. De négliger certaines obligations universitaires, de privilégier celles-ci au détriment d'autres obligations. Elle culpabilisait de culpabiliser, de se sentir coupable au départ. Elle finit par se dire que la cause première de son sentiment de culpabilité, celle dont découlaient toutes les autres, tenait au fait qu'elle était par nature incapable de ne pas culpabiliser, de profiter de la vie sans rien regretter. Elle ne s'interrogeait pas sur les raisons de l'intervention de Messner dans la gestion de l'argent de son père. Elle refusait d'envisager que son généreux conseil ait pu être un stratagème pour la forcer à le revoir. Plus le temps passait – tandis que, lentement mais sûrement, sous la houlette de Messner, son capital grossissait –, plus elle se sentait redevable envers lui. Et elle l'était. Ça aussi, ça nourrissait son sentiment de culpabilité, et ça l'incitait à continuer de le fréquenter. Quand arriva cet après-midi gris et glacé de décembre où, au volant de la Ford Vengeance de Marla, elle alla chercher Arthur à l'aéroport, il n'y avait plus rien dans sa vie dont elle ne se sentait pas coupable.

En apercevant Arthur à la sortie de l'aérogare, dans le brouillard de son souffle chaud sur le trottoir bordé de neige, elle fut saisie d'un sentiment de culpabilité plus vif, et plus tendre, que jamais avec Messner. En le voyant là en personne, à travers la vitre couverte de givre de la voiture, elle se rappela, émue, sa détermination, sa passion, la façon dont il fonçait dans la vie tête baissée et sans chercher à cacher ses défauts. Il était tout ce que Messner, doux et insidieusement prévenant, n'était pas. Elle l'aimait, cet hurluberlu qui attendait dans le froid.

Elle lui fit signe de monter. Il l'embrassa brièvement sur la bouche.

– Tu es gelé, dit-elle.

– Ouais, acquiesça-t-il.

Elle qui redoutait ces retrouvailles attribua la réserve d'Arthur à la météo, sans doute très différente de celle à laquelle il s'était habitué au Zimbabwe. Peut-être aussi subissait-elle une sorte de punition karmique pour sa liaison avec Messner. À vrai dire, elle avait tenté d'y mettre fin tout l'automne. Mais chaque fois qu'elle lui disait qu'il fallait qu'ils parlent, Messner sortait quelque chose de son chapeau – des billets pour un spectacle à New York, une réservation dans un restaurant à la

282

mode –, et Francine devait repousser la conversation et continuer, encore un peu, de le supporter, avec sa gentillesse et ses pratiques sexuelles un peu spéciales.

Elle résolut de le plaquer à la première heure le lendemain matin.

Tandis qu'Arthur et elle roulaient dans la ville engourdie par l'hiver, Francine tenta d'amorcer la conversation.

– La dernière fois qu'on s'est parlé au téléphone, je t'entendais très mal, dit-elle. Qu'est-ce qui s'est passé, là-bas, au juste ? Je ne m'attendais pas à te revoir si tôt. Je suis contente ! Mais un peu surprise.

Arthur regarda fixement par la vitre passager.

– Au fait, j'ai une colocataire, dit-elle lorsqu'ils furent arrivés, alors qu'elle gravissait devant lui l'escalier de l'immeuble. Elle a pris la deuxième chambre. Elle doit partir d'ici la fin de la semaine, le temps de trouver un nouvel appart et de déménager.

– D'accord.

Quelque chose n'allait pas. Arthur détestait les inconnus. Aucune protestation ? Que lui était-il arrivé ?

Francine ouvrit la porte de l'appartement et entra. Aussitôt, elle ressentit une impression d'hostilité. Sur le canapé, Marla la regarda et poussa un soupir théâtral. Messner faisait les cent pas dans le salon.

– Qu'est-ce que tu fais là ? lui demanda Francine.

– Tu m'as dit que tu devais t'absenter ce week-end, rétorqua Messner.

– J'avais besoin de temps…

– Et ça, c'est qui ?

Arthur s'avança et sortit de la torpeur qui l'envelop-
pait depuis son atterrissage à Boston.

– Moi, qui je suis ? Et vous ?

– Oh là là, fit Marla. Un vrai western.

Messner montra du doigt Marla puis Francine :

– Je suis l'ami de celle-ci, et le petit ami de celle-là.

– Ça, ça m'étonnerait.

– Ça vous étonnerait ?

Arthur adressa à Francine un long regard lourd de
sens avant de se retourner vers Messner.

– Absolument, dit-il, de la voix de l'homme dont
Francine était tombée amoureuse. Parce que, moi, je
suis son fiancé.

Messner leva les bras au ciel.

– *Son fiancé ?!*

Francine était abasourdie.

– C'est… euh…

– Je crois que vous feriez mieux de partir, dit Arthur.

– C'est quoi, ce bordel ! jura Messner. Tu ne m'as
jamais dit que tu étais fiancée !

– Eh bien…

– Elle l'est.

– Attends, attends, attends, dit Messner. Il était où,
tout ce temps ?

– Il était en voyage, dit Francine, penaude. En
Afrique. Au Zimbabwe.

– Qu'est-ce qu'il foutait là-bas ?

Elle soutint son regard furieux :

– Il aidait la population.

– Putain, j'y crois pas…

Messner se tourna vers Marla :

– Tu savais ?

– Euh…

– Tu savais ! Tu savais, putain ! Tout le monde était au courant sauf moi. Je me suis bien fait balader !

– Non, tu ne t'es pas fait balader, dit Francine. Si je peux t'expliquer…

– Il n'y a rien à expliquer. Tu es une menteuse. Une saloperie de menteuse et une personne dégueulasse. Tu m'entends ? Dégueulasse.

– Ouah ! fit Marla. Peu de gens ont la chance d'assister à une scène pareille dans leur vie.

– Je suis désolée que tu penses ça, dit Francine.

– J'y crois pas… J'y crois pas…

– Fais-toi une raison, grogna Arthur.

Les narines de Messner se dilatèrent :

– Je veux l'entendre de sa bouche à elle. Tu comptes vraiment épouser ce type ?

Marla se frappa les cuisses.

Arthur était suspendu aux lèvres de Francine.

Elle inspira. Expira. Se redressa. Et, avec une gravité convaincante, elle dit :

– Oui.

Pas une seule fois, ni lorsqu'ils furent réellement fiancés, ni lorsqu'ils furent mariés, Arthur ne demanda quoi que ce soit sur Messner. Qui il était, ce qui s'était manifestement passé entre Francine et lui : il ne voulait pas le savoir. Cela resta, pour Francine, l'acte le plus charitable à porter à son crédit. Ne pas poser de questions. Passer l'éponge. Il lui fit le cadeau le plus précieux, et le plus difficile, qu'un homme puisse faire à celle qu'il aime : une seconde chance sans condition, sans discussion.

Cette première nuit, au lit, après que Messner fut rageusement parti pour toujours, Arthur pleura et lui raconta tout. Les Moyo, Rafter, Jamroll, toute l'histoire. La maladie du sommeil. Les mouches tsé-tsé. Lorsqu'il eut terminé, Francine, qui pleurait elle aussi à présent – pour l'échec de son compagnon, oui, mais surtout pour la ville condamnée à supporter les conséquences de son ambition pendant encore des années, et pour la futilité relative de sa souffrance à elle en son absence –, s'essuya les yeux et le conduisit calmement dans la salle de bains. À genoux près de la baignoire, penchée par-dessus le bord de ce cercueil de faïence, elle le lava à l'aide d'un gant tandis qu'il salait l'eau de ses larmes. Elle lui dit que ça allait s'arranger. Qu'il avait cru bien faire. Et, reconnaissante de son silence sur l'affaire Messner, lui assura que les mouches étaient un facteur impondérable. Qu'il ne pouvait pas prévoir leur arrivée. Que l'homme ne pouvait maîtriser l'action de la nature. *Ce n'est pas ta faute, Arthur*, lui dit-elle, sans en être tout à fait convaincue. *Ce n'est pas ta faute*.

L'ayant baigné, Francine lui annonça qu'elle avait une surprise pour lui. Elle le sécha, l'allongea sur le lit. Lui banda les yeux à l'aide d'une cravate, qu'elle noua, serrée, derrière sa tête.

Lorsque la première goutte de cire chaude tomba sur son torse velu, il poussa un cri.

12

Ils roulèrent dans un silence masculin : tendu, idiot, solitaire. De l'autre côté de la vitre conducteur, trois cimetières contigus se partageaient une parcelle verte comme un terrain de golf hors des limites administratives de la ville, cachée de la route derrière la végétation surabondante. Panneaux absurdes (←→), poteaux utilitaires renversés. Le Missouri devient rural si vite que la campagne est là dès la banlieue, se dit Ethan, les yeux fixés droit devant lui, conformément à la règle n° 1 du silence masculin : regarder ailleurs.

Arthur flancha le premier.

– C'était bien.

Ethan hocha la tête.

– Mmh.

– C'était… élégant.

– Mm-mmh.

Le silence, où surgissent les souvenirs, fait souvent le lit de la tristesse, mais Ethan ne pouvait penser à autre chose qu'à ces dernières heures. Au spectacle qu'il venait de voir. Les fêtes, le sorcier, les oiseaux, le plongeon vers la mort. Par sa fenêtre, il vit une rangée de ranchs grevés d'une double hypothèque dégringoler du haut d'une colline.

– Alors ? fit Arthur. Qu'est-ce que tu en as pensé ?

– Ce que j'en ai *pensé* ?

– Oui.

– De la production par la University of Missouri-St. Louis du *Lac des cygnes* ?

– Oui.

Ethan secoua la tête, incrédule.

– Je… rien. Je ne sais pas. C'était quoi, le but ?

– Ils en ont fait un peu trop, je suis d'accord.

– Non, je veux dire… Papa… Pourquoi on est allés voir ça ?

Arthur se racla la gorge.

– Je pensais que ce serait rigolo.

– Un ballet ?

– Mm-mmh.

– Tu aimes la danse, maintenant ? C'est un nouveau hobby ?

– Non.

– Alors pourquoi on a passé deux heures et demie dans cette salle ?

– Pour toi.

– Pour *moi* ?

– Eh bien, oui.

– Comment ça ?

– Je m'intéresse. À toi. Là, c'est ce que je fais.

– À moi… Mais quel rapport entre moi et…

Tout à coup, Ethan comprit. Et il éclata de rire.

C'était un rire sans point de départ. Sans déclencheur. Mais il monta d'un coup à travers son corps, en ébranlant chacun de ses organes, en faisant vibrer chacune de ses veines.

Arthur se raidit :

– Quoi ? Qu'est-ce qu'il y a de drôle ?

Ethan tenta de répondre, mais son rire fonctionnait à présent en boucle et n'était que contre-réaction. Il s'autoalimentait, empêchait la parole.

– Alors ?

Tout le corps d'Ethan était dévoré par ce rire, un rire convulsif, échappant au langage, acousmatique, solipsiste, immodéré, sauvage.

– Qu'est-ce qu'il y a de drôle ! aboya Arthur.

Ce qu'il y avait de drôle ? Ce qu'il y avait de *drôle* ? Voilà ce qu'il y avait de drôle : Arthur avait beau partager des bâtiments avec le département des études de genre et avoir sans doute intégré dans son esprit les différences entre sexe et genre, les canons de beauté en tant que constructions sociales et les fantasmes normatifs imposant aux individus des rapports sexuels mutuellement désagréables, il avait beau comprendre le concept d'altersexualité, il ne comprenait pas, songea Ethan, hilare, les altersexuels eux-mêmes. Il ne le comprenait pas, *lui*. Tout à coup, le raisonnement d'Arthur (gay = ballet) s'exposait au grand jour, d'une simplicité qui ne lui ressemblait pas, si malavisé et réducteur qu'Ethan ne pouvait qu'en rire.

Ethan n'avait jamais manifesté le moindre intérêt pour la danse. Jamais. *Le Lac des cygnes*. À UMSL ! Il n'en revenait pas. Il en pleurait. Que son père veuille se rapprocher de lui en l'emmenant voir un ballet ne trahissait pas seulement une méconnaissance grossière de

289

sa personnalité. Elle dénotait également une faillibilité plus globale, un défaut dans la cuirasse d'Arthur, et ça aussi – toutes ces années passées à trembler devant un homme si manifestement à côté de la plaque, si outrageusement décalé par rapport à son fils et à son espèce en général –, ça alimentait le fou rire d'Ethan.

– Ethan !

Mais Ethan n'était plus dans le domaine de la conversation. Il était ailleurs. Les doigts d'Arthur blanchirent sur le volant.

Boston, 1994. C'était la fin de l'été. Le soleil chauffait le dessous des nuages et colorait tout de tons de miel. Des bannes paraient Yawkey Way. Le vent balayait les papiers et les épluchures de cacahuètes, frôlait la foule confuse, portait le murmure des vendeurs de billets à la sauvette (*Billets ! billets !*) et les voix à l'accent traînant des autochtones bourrus. Les saucisses flottaient dans les bains-marie. Par les béantes arches vertes du stade s'écoulait un flot de blousons et casquettes rouges, assorti aux bannières pavoisant la façade. Fenway Park.

Ethan savait qu'un dixième anniversaire était un événement, mais il n'avait pas imaginé tout ça. L'effervescence, les billets commandés à l'avance, le contact inattendu de la main de son père, sombre et couverte de poils hirsutes, tenant la sienne pour entrer dans le stade.

– On est tout en haut, dit Arthur.

Cette sortie était l'idée de celui-ci. Arthur avait toujours suivi le base-ball, mais, durant les semaines précédant le match, ce qui n'était qu'un intérêt éphémère avait pris une ferveur quasi religieuse. Au dîner, il avait cessé de se plaindre de son travail sur le Big Dig – les négociations sans fin avec la ville, les entrepreneurs corrompus, les dépassements de budget – pour discourir des manières dont les Red Sox devenaient plus attachants à chaque nouvelle saison perdue, de l'attrait exercé par une équipe vouée à l'échec.

– Avec les Sox, ce n'est pas l'équipe adverse que tu affrontes, avait-il expliqué. C'est ta propre déception. Tu les regardes jouer saison après saison, tu sais qu'ils vont se ramasser, mais tu regardes. Et quand tu perds, ce n'est pas la douleur d'avoir été vaincu que tu ressens. C'est la douleur d'y avoir cru. De t'être laissé aveugler une fois de plus par ta foi idiote. Tu vas voir, Ethan, tu vas tout de suite comprendre quand on y sera. Ce n'est pas nous contre eux. C'est chaque supporter en guerre contre lui-même. Une *ville entière* en guerre contre elle-même. Si on avait un peu de bon sens, on ferait de Bill Buckner notre mascotte. L'emblème de notre État. Cette balle de la victoire qui lui est passée entre les jambes en 86, ça résume parfaitement Boston. Est-ce qu'il n'est pas là, l'intérêt du base-ball, au fond ? Être soi-même l'adversaire, c'est quand même plus engageant que l'habituelle barbarie du nous-contre-eux qu'on voit dans les autres sports.

– Il a hâte de t'y emmener, avait traduit Francine. Dix ans, c'est important ! C'est la première dizaine.

Arthur avait régulièrement des élans d'enthousiasme, des phases d'excitation maniaque suivies de longues périodes de mélancolie. Mais là, c'était différent. Pour une fois, il voulait *partager* son euphorie. Et c'était sur

Ethan qu'il avait jeté son dévolu, c'était lui qu'il avait entraîné dans le tourbillon de son ardeur. Ethan s'était dit que son père n'était peut-être pas aussi indifférent aux enfants qu'il le croyait. Peut-être attendait-il cet anniversaire, cette première dizaine, pour s'intéresser à eux.

– Je vais te révéler un secret, dit Arthur lorsque le grand jour arriva enfin.

Un secret ! Ethan était aux anges.

– Au parc, le prix de la nourriture et des boissons est astronomique. Une bière te coûte quatre dollars de plus à Fenway qu'au bar du coin de la rue.

– Pourquoi ?

– Parce que c'est le parc qui fixe ses tarifs. Un peu comme un État souverain.

– Maman dit qu'il faut que je prenne un hot-dog « Fenway Frank ».

Arthur secoua la tête :

– Ça ne m'étonne pas. Mais ce serait tomber dans le piège des vendeurs du stade. Heureusement pour toi, ton père n'est pas né de la dernière pluie.

Il remplit deux sacs de papier kraft de bagels, de tranches de pomme, de chips Cape Cod et, pour Ethan, d'une brique de jus de fruit. Ethan s'émerveilla de l'ingéniosité de son père.

– Va chercher ta doudoune, dit Arthur.

– Pourquoi ? Il fait chaud.

– Vas-y.

Ethan alla la chercher dans la penderie du couloir et revint avec dans la cuisine.

– Enfile-la.

Elle lui donna du volume, l'enveloppa de sa propre chaleur. Arthur la lui ferma à moitié et fourra les sacs à l'intérieur de la poche ainsi formée.

– Ils ne soupçonnent jamais les gamins, dit-il avec un sourire narquois.

Ils trouvèrent leurs places dans les gradins, côté champ droit. Ils étaient loin de l'action – à des kilomètres, semblait-il, du marbre –, mais Ethan préférait être là, repoussé dans ce coin éloigné du stade, où moins de choses risquaient de détourner l'attention de son père. Ils voyaient mieux la pelouse quadrillée du grand champ que le diamant. Un morceau du panneau Citgo dépassait de derrière le Green Monster, le grand mur vert émeraude uni clôturant le champ gauche.

– Sors-nous notre dîner, dit Arthur.

Ethan se débarrassa de sa doudoune et donna à son père l'un des sacs, intérieurement illuminé d'un éclair de complicité. Ensemble, ils avaient enfreint une règle, ils avaient introduit de la nourriture en cachette dans l'enceinte du stade, et Ethan se jura d'emporter ce secret dans sa tombe.

Arthur mordit dans son bagel.

– On devrait t'inscrire en Little League, dit-il en mâchant. Te donner un maillot. Te mettre dans la boîte du batteur. Tous les regards braqués sur toi. La pression. L'excitation. Ce serait une bonne idée. Regarde le match aujourd'hui, tu verras si ça te plaît. Je peux t'entraîner. Je peux t'aider. À toi de voir.

Rien n'était moins séduisant pour Ethan qu'un tel degré de pression – ou même d'excitation –, mais si ça permettait à son père de rester ainsi, enjoué, intéressé, il était prêt à signer tout de suite. Il enfonça sa paille dans sa brique de jus de fruit et but une gorgée.

Les manches se succédèrent.

– Ce qu'on voit dans le base-ball, dit Arthur, c'est ce qu'on voit dans le pays d'une manière générale. Le déclin du mâle américain. Je ne juge pas – c'est un moment dans notre histoire, c'est tout. On pense que le base-ball est notre sport national, mais c'est en train de changer. Il suffit de regarder la composition des équipes. L'immigration n'a rien de nouveau. Tes grands-parents en sont issus, tu le sais. Mais on vit à l'ère de l'ALENA, et ça se reflète à Fenway. La République dominicaine en particulier offre des perspectives intéressantes. C'est un business énorme, là-bas. Les mômes arrêtent l'école à douze, treize, quatorze ans – ils sont à peine plus âgés que toi –, en rêvant de faire fortune aux États-Unis. La MLB a une école junior là-bas. Bizarrement, on n'entend pas trop parler du Japon, alors qu'ils jouent au base-ball depuis les années 1800. Je ne veux pas m'étendre sur la question, mais ç'a beau être un sport très civilisé, l'aspect physique reste quand même important, et ma théorie c'est que dans leur globalité les Japonais sont trop rachtos pour le haut niveau.

Ethan prêtait peu attention au sens des paroles de son père, mais il était content qu'il les tienne. Ça l'excitait de le voir excité, et de penser qu'il y était pour quelque chose, que son anniversaire justifiait qu'on dépense de l'argent pour acheter des billets.

Mais il remarqua également, avec la lucidité d'un enfant qui passe le plus clair de son temps seul, qu'aucun des autres hommes assis autour d'eux, même les pères accompagnés de jeunes fils, n'étaient bavards comme Arthur. Ils ne parlaient pas – ils criaient. Ils lançaient des moqueries ou poussaient des acclamations en regardant le diamant, lorsqu'ils ne hélaient pas un vendeur de bière dans une allée. Arthur faisait ça, lui aussi, mais maladroitement et sans conviction. Ethan, lui, demeurait silencieux, applaudissait lorsque son père applaudissait. C'était plus élégant, lui semblait-il, de faire du bruit avec ses mains. Il travaillait une ébauche d'acclamation vocale.

Dans la seconde moitié de la cinquième manche, une balle survola le grand champ et monta au-dessus de la tête de son père.

– Papa… papa ! bredouilla Ethan en tirant sur la manche d'Arthur de sa main droite, l'index gauche pointé vers le ciel.

La balle resta suspendue dans les airs au sommet de sa trajectoire, avant de retomber avec un *chclac* ! dans le gant à l'affût du champ droit. Arthur s'esclaffa.

– Ne confonds pas une chandelle avec un homerun, dit-il. C'est une leçon qui te servira dans la vie.

À la mi-temps de la septième manche, Arthur se leva.

– Debout, dit-il à Ethan. C'est le moment de se dégourdir les jambes.

Un couple se faufila devant eux pour s'extraire de la rangée et rejoindre la foule qui se dirigeait vers les toilettes dans les entrailles du stade. Derrière, un homme dit : « Tiens-moi ma bière une seconde. »

Les noms des sponsors résonnaient dans les haut-parleurs quand Ethan sentit quelque chose lui mouiller la tête, un liquide froid imprégner ses cheveux et dégouliner le long de sa nuque. Il tâta la zone de ses doigts, la spire d'où ses cheveux s'enroulaient dans le sens des aiguilles d'une montre.

– Papa ? dit-il.

Arthur baissa les yeux.

– Bon Dieu, mais qu'est-ce que tu...

Ethan suivit le regard de son père jusqu'à l'homme debout derrière lui : grand, les yeux bleus, large d'épaules, vêtu d'un tee-shirt près du corps qui lui moulait le haut des bras tandis qu'il s'étirait. À côté de lui se tenait un gamin de l'âge d'Ethan, le visage couvert de taches de rousseur. Dans ses mains, un gobelet en plastique, pas tout à fait rempli de bière.

Arthur se baissa pour se mettre à son niveau.

– C'est toi qui as fait ça ? lui demanda-t-il en montrant Ethan du doigt.

Le gamin nia de la tête.

– Tu as renversé de la bière sur lui ? poursuivit Arthur. C'est pas grave. Mais il faut le dire et s'excuser.

L'homme aux yeux bleus se tourna vers Arthur.

– Vous parlez à mon fils ?

– Il a renversé de la bière sur le mien.

– Ne parlez pas à mon fils.

– Il faut qu'il s'excuse. Regardez...

Arthur tapota la tête d'Ethan :

– Il a les cheveux trempés. Ça coule sur sa chemise.

– Va chier, dit l'homme.

– Papa... dit Ethan.

– Hé, fit une femme, deux sièges à gauche d'Ethan. Qu'est-ce qui se passe ?

– Ce pervers parle à mon fils, dit l'homme au tee-shirt.

– Pervers ! dit la femme à Arthur.

– Je ne suis pas un pervers. J'attends que *votre* fils présente ses excuses au *mien*. Pour avoir renversé *votre* bière sur lui.

– Va chier, pervers, dit l'homme.

Arthur secoua Ethan par la nuque.

– Excuse-toi, dit-il au gamin.

Ethan se crispa :

– C'est pas grave, papa.

– Écoute ton môme, dit l'homme en désignant Ethan d'un air méprisant.

Ethan chercha un endroit où porter son regard, un endroit où le détourner en attendant la fin de cette humiliation. Ses yeux trouvèrent ceux du gamin aux taches de rousseur, et dont la bouche était tordue par une grimace de dégoût.

– J'exige des excuses.

– T'es un pervers.

– Et toi, un abruti.

– Pardon ?

– Abruti !

– Tu veux qu'on aille s'expliquer dehors ?

– On *est* dehors.

L'homme cracha et remonta ses manches.

– Allez, viens.

– Je ne vais nulle part.

L'homme ramena le poing en arrière et fit mine de frapper. Arthur sursauta, les mains levées devant son visage. Il se figea, puis se tourna vers Ethan, rouge comme une tomate.

L'homme s'esclaffa.

– Maintenant, on sait ce qu'il a dans le ventre, le costaud.

– Très bien. *Très bien*. On s'en va.

Arthur poussa Ethan devant lui dans la rangée et lui emboîta lentement le pas.

– C'est ça, casse-toi, lança l'homme derrière eux. Pédé !

Ethan eut envie de rentrer sous terre. Il n'arrivait plus à respirer.

Dans le métro du retour, Arthur ne décrocha pas un mot. Lorsque Francine dit : « Vous rentrez déjà ? » en les accueillant à la porte, il l'écarta de son chemin et disparut dans le couloir. Il claqua la porte de la chambre derrière lui.

« Qu'est-ce qui s'est passé ? » demanda Francine, mais les larmes ruisselaient déjà sur le visage d'Ethan. C'était fini, il le sentait : il n'y aurait plus de matchs de base-ball, plus de sorties du tout.

Jusqu'à ce jour.

Vingt et un ans plus tard, dans un break traversant une banlieue du Midwest, Ethan s'essuya les yeux. Il prit une longue et lente inspiration.

– Papa, dit-il, la voix chargée non pas de peur mais d'amour, de pitié.

Les joues d'Arthur s'enflammèrent d'un rouge impatient.

– Tu as bien fait, dit Ethan, aussi surpris par ces mots que son père. Tu as bien fait.

13

Maggie alla faire un tour à Forest Park pour s'éclaircir les idées. Elle emprunta le même itinéraire qu'à l'époque où elle ramassait les balles de golf, en coupant par Danforth. Elle passa devant des grues, la bibliothèque Seidel, un Starbucks, un foyer étudiant. Son pouce bandé se balançait près de sa hanche. Le vent chantait sous les voûtes gothiques. Le soleil était ailleurs. Les bâtiments s'étaient vidés pour les vacances de printemps. Seuls quelques étudiants nerveux les peuplaient encore, de futurs médecins et avocats préparant des examens standardisés. Les coins du campus étaient hantés de prépas médecine fantomatiques, la litanie des réponses aux QCM accrochée à leur souffle.

Maggie ne comprenait pas pourquoi son père avait mis ces photos au mur. Quatre photos, encadrées, alignées sur le mur de la salle à manger. Elle avait beau chercher, rien ne lui venait.

Chacune d'elles montrait un paysage étranger, une *terra incognita*, le sol beige parsemé de touffes d'herbe ocre. Au loin, des collines arborées.

299

Les quatre photos étaient centrées sur deux personnes posant devant une structure cylindrique en béton. Là, Arthur, jeune, l'air canaille, tignasse frisée, des poils s'échappant du col de son polo. Et là, un petit garçon, noir, maigre, large sourire, le milieu du torse creusé d'une dépression verticale en forme de canoë.

Quatre photos, quatre poses.

1. Arthur accroupi, un bras autour des épaules du petit.
2. Arthur portant le petit sur ses épaules.
3. Le petit et Arthur dos à dos.
4. Le petit sur les genoux d'Arthur.

Maggie n'avait jamais vu son père si souriant. Il touchait le petit, se laissait toucher par lui. Arthur, rétif aux étreintes les plus élémentaires. Arthur, dont le corps exerçait un champ magnétique repoussant ses propres enfants. Et le petit avait l'air heureux. Il posait avec Arthur comme si celui-ci était son ami. Son grand frère. Son père.

Maggie et Arthur se cherchaient des poux dans la tête depuis qu'elle avait l'âge de parler, mais ce n'était qu'à la fin de sa première année de fac, lorsque Francine lui avait parlé du fameux séjour au Zimbabwe, qu'elle avait commencé à se méfier de lui. De ce qu'il avait pu lui transmettre. De ce qu'elle risquait de devenir. Si son père était autrefois comme elle – déterminé, ambitieusement philanthrope –, cela voulait-il dire qu'elle serait un jour comme lui ? Que ses bonnes intentions se retourneraient contre ceux qu'elle tenterait d'aider ? C'était une idée terrifiante. Elle avait consacré des efforts considérables à la chasser de son esprit, et voilà qu'à présent elle se retrouvait avec les ratés d'Arthur – ses crimes – sous son nez. Ces photos, il les avait mises là pour elle, soupçonnait-elle, pas pour Ethan, mais pourquoi ? On y voyait un homme heureux, un homme irréprochable, un homme plein d'amour et dans la force de l'âge. Mais Maggie connaissait la vérité. Elle savait comment les choses avaient tourné, là-bas. Ça, c'était la situation *avant*. Savait-il, lui, qu'elle savait ce qui venait *après* ? Maggie ne lui avait jamais posé de questions sur ce séjour, de peur qu'il lui confirme la version de sa mère, ou pire, qu'il lui dise clairement que c'était son erreur qui avait entraîné la mort de tous ces gens. Elle avait mal au crâne. Impossible de percer à jour l'hypocrisie de son père. Quel était le but de ces photos ? Qu'attendait-il d'elle ?

Maggie secoua la tête et pressa le pas.

Forest Park était un parc municipal de six cent cinquante hectares doté d'une piste de luge, d'un musée des Beaux-Arts, de fontaines, d'un zoo et d'une patinoire, ainsi que d'un musée d'Histoire de l'État moins intéressé par le compromis du Missouri que par l'Exposition universelle qui s'était tenue – encore une source de fierté pour certaines personnes, cent onze ans plus tard – dans son enceinte. Transpirante de confusion et de stress, elle longea les abords du terrain de golf avant

301

de grimper la côte menant au musée des Beaux-Arts. En face de l'entrée, au centre d'une petite esplanade dominant un bassin parsemé de jets d'eau, se dressait une statue de bronze de Louis IX à cheval, *L'Apothéose de saint Louis*. Là, au sommet d'Art Hill, au-dessus des pique-niqueurs et des pédalos, ébranlée par les photos qu'elle avait vues dans la salle à manger, Maggie avait le sentiment de vivre elle-même une sorte d'apothéose inversée, comme si une punition divine était sur le point de s'abattre sur elle.

Elle se tourna face au cheval de bronze. Ça alors ! Là, à côté, n'était-ce pas… ?

– Dee ?

– Maggie… ?

– Salut !

Dee Hall était allée au collège avec Maggie. Toutes deux n'étaient pas particulièrement proches. Le père de Dee était le principal du collège, et, à onze ans, Maggie se méfiait déjà des figures d'autorité, même lorsque celles-ci appartenaient à une minorité mise à rude épreuve par l'Histoire, comme c'était le cas du principal Hall, seul administrateur noir de l'établissement. Que son père détienne un tel pouvoir sur la vie des élèves rendait Dee, aux yeux de Maggie, inaccessible.

– Qu'est-ce que tu fais à Saint Louis ? demanda Dee, s'abstenant de serrer Maggie dans ses bras.

Elle tira sur la laisse du beagle à ses pieds pour l'empêcher de s'éloigner.

– Je suis de passage. Oh, il est trop chou…

Maggie s'accroupit et caressa les oreilles de l'animal avant de se redresser prestement.

Joueuse de tennis, Dee avait obtenu une bourse pour aller à Stanford, une bourse complète qui justifiait largement les longues heures passées par le principal Hall à lui envoyer des balles, critiquer son lift, retourner ses services. Arthur s'était brièvement passionné pour elle après l'avoir vue jouer à Shaw Park. Durant un mois, en 2006, il n'avait parlé que de Dee, de son puissant revers, de sa forme excellente, tout cela tout haut devant sa propre fille, qui ne lui avait jamais suscité une telle fascination.

Autre particularité du principal Hall, il avait perdu sa femme alors que Dee et Maggie étaient en cinquième. Un cancer du sein, comme Francine – à l'époque, Maggie ignorait tout de cette maladie et ne se doutait pas qu'elle devait en devenir un jour l'une des victimes indirectes. Il lui semblait à présent qu'elle pouvait pardonner à Dee son talent au tennis, d'autant plus qu'elles étaient désormais liées par le même deuil – n'était-ce pas là la clef de l'algorithme de Kevin Kismet ? Maggie s'empressa de s'assurer que Dee était au courant.

– Ça fait tellement longtemps, dit Maggie. Je t'ai revue depuis que ma mère… est morte ?

Elle n'était pas fière d'utiliser Francine pour alimenter la conversation, mais était trop heureuse de trouver quelqu'un avec qui partager sa peine.

– Ah oui, j'ai appris ça, fit Dee, avec moins de compassion que ne l'espérait Maggie.

Elle rangea une tresse derrière son oreille et ajouta :

– Je regrette que ça te soit arrivé.

– Ouais, merci… Je me souviens, pour ta mère. Je pensais… Bref. Je comprends. Elle me donnait des cours de piano.

– Mm-mmh.

Le beagle de Dee jappa.

– Ouais ! Mais je, j'ai arrêté. Au bout d'un moment. Pas à cause d'elle, hein ?

Maggie montra ses doigts :

– Manque d'agilité.

Dee hocha la tête et se tourna vers le parc. Un jeune enfant avançait en marchant comme un canard au sommet de la colline. Son père était juste derrière, il faisait semblant d'être un monstre à sa poursuite.

– Qu'est-ce que tu deviens ? demanda Maggie.

– J'habite ici. Je suis revenue il y a quelques mois.

– Ah, dur.

– C'était volontaire.

– Ah bon ?

Dee posa sa main droite sur sa hanche.

– Je suis revenue après mes études en Californie.

– Pour quelle raison ?

– Je me suis sentie obligée après ce qui s'est passé.

– Mmh. Ben oui.

Maggie marqua un temps, puis :

– Après ce qui s'est passé, c'est-à-dire… ?

– Les émeutes.

– Ah oui.

– Les manifestations ?

– Oui oui, bien sûr, je sais. Ça continue, alors ?

304

Dee inclina la tête sur le côté.

– Moi, je suis à New York, poursuivit Maggie. Dans le Queens, mais un peu à Brooklyn, aussi. À la limite des deux.

– D'accord.

– Je n'ai pas un *vrai boulot* en ce moment, mais je donne un coup de main dans le quartier. J'aide les gens qui ne parlent pas bien l'anglais. Je fais des courses, ce genre de chose.

Maggie avait envie d'être l'amie de Dee. D'avoir une amie, point. Quelqu'un à Saint Louis qui la sauve de sa famille. Quelqu'un à qui parler.

– Tu devrais venir ! s'exclama-t-elle. À New York !

Elle papillonna des doigts pour symboliser les paillettes de Broadway.

– Il y a beaucoup à faire, ici.

– Oui, bien sûr.

– Bon, je vais…

– Tu es très belle, en tout cas.

– Merci.

– Tu joues toujours au tennis ?

– Pardon ?

– Je dis : « Tu joues toujours au tennis ? »

– Non, soupira Dee. Non, je me suis blessée.

Elle donna quelques détails, une histoire de coiffe des rotateurs.

– C'était pas marrant. Mais ça m'a redonné le sens des proportions.

– Écoute, dit Maggie, sentant l'attention de Dee lui échapper. Si je ne te l'ai pas dit à l'époque, au collège, je

305

tiens à te le dire maintenant : je compatis. Pour ta mère. Parce que je comprends. Malheureusement, maintenant, je comprends.

Dee la regarda d'un air mauvais.

– C'est un peu tard pour ça.

– Quoi ? Qu'est-ce que tu veux dire ?

Dee eut un soupir exaspéré.

– Maggie… Tu te souviens, quand ma mère a été diagnostiquée, j'ai participé à une campagne d'information pendant quelque temps.

– Oui, oui.

– Je décorais des tee-shirts et des casquettes, que je vendais…

– À la fête du collège, oui. Je me souviens de ton petit stand. Y avait beaucoup de rose.

– Oui. Des casquettes roses, etc. Les bénéfices allaient à la recherche contre le cancer.

– Oui.

– Tu te souviens de ce que tu m'as dit ?

Maggie secoua la tête.

– Tu m'as dit… Merde, Maggie, tu as oublié ? Tu t'es approchée de mon stand et tu m'as dit : « Tu sais d'où ils viennent, ces tee-shirts ? »

– Ah…

– Et tu as ajouté : « De Chine. *Made in China* = main-d'œuvre exploitée. Tes tee-shirts ont été cousus par des petits gamins traités comme des esclaves. » Tu m'as agressée devant tout le monde. Pour avoir vendu des tee-shirts. Pour une campagne d'information sur le dépistage du cancer du sein ! Pendant que ma mère était malade. Je me suis dit : non, mais j'hallucine.

– Oui, bon, d'accord ! Je ne reviens pas sur le fond, mais bon, je reconnais, c'était déplacé. Je regrette.

Dee secoua la tête.

– Tu étais vraiment vache, à l'époque, tu sais.

– J'ai dit que je regrettais.

– J'en ai parlé à mon père. Tu sais ce qu'il a dit ?

– Le principal Hall ?

– Il a dit : « T'en fais pas, ma chérie. C'est une Alter. »

– Ce qui signifie… ?

– Que toi et tous les membres de ta famille êtes d'incurables égoïstes.

– Ah ouais. D'accord.

Le beagle grogna.

– Tu étais toujours en train de te battre pour quelque chose, Maggie. Mais jamais pour ce qui en valait la peine. Ç'a toujours été ton problème. Tu ne t'indignais jamais des vrais problèmes.

– Ça, c'est vraiment très méchant, grommela Maggie.

– « Main-d'œuvre exploitée. » Bon Dieu, Maggie. À quelques kilomètres au nord d'ici, rien ne va plus. Le grand jury qui décide de ne pas poursuivre ce flic – les gens s'indignent. Moi, je m'indigne. Et toi… Toi, tu ne sais même pas ce qui se passe. Tu es complètement à côté de la plaque.

– Non, c'est faux !

D'un coup de poignet, Dee tira sur la laisse du beagle.

– Allez, viens, Sampras, dit-elle. On y va.

Et elle disparut derrière la statue.

Maggie avait besoin d'être rassurée. D'appliquer rapidement un peu de baume sur son orgueil blessé. Elle

307

sortit son téléphone de sa poche et afficha ses derniers échanges de textos avec Emma.

SAM. 28 MARS À 18:24
Tu viens ce soir ?

Suis en route

Youpi !!

SAM. 28 MARS À 22:32
Bien rentrée ?
Maggie ?

SAM. 28 MARS À 23:46
Rappelle STP

DIM. 29 MARS À 00:03
Tout va bien ?
Mags ??

MAR. 31 MARS À 14:29
???

Elle appuya sur l'icône d'appel et porta l'appareil à son oreille.

— Allô ?

— Salut, Emma ! C'est moi. Maggie. Oui, bon, ça, tu le savais. Bref… ouais. Salut.

— Salut.

— Quoi de neuf ?

— Pas grand-chose.

— Comment ça va à New York ? Là, je suis à Saint Louis. Tu te souviens de Dee ? Dee Hall ?

— Euh, oui. Bien sûr. Une seconde…

Des crachotements se firent entendre tandis qu'Emma manipulait son téléphone.

– C'était la fille du principal Hall, finit-elle par ajouter.

– Oui ! Voilà ! Eh bien, je viens de la croiser.

– Ah.

– J'aurais dû lui demander si elle se souvenait de toi !

– Peut-être, oui.

– Ben oui.

– Mm-mmh.

– Alors… qu'est-ce que tu racontes ?

Emma poussa d'un rire désabusé

– T'es sérieuse, là ?

– Quoi ?

– Merde ! Je me suis inquiétée pour toi.

– Hein ?

– T'imagines même pas. En te voyant tomber dans les pommes chez moi, j'ai flippé grave. Mais après, une fois que tu es revenue à toi, tu as dit que ça allait et que tu m'enverrais un texto quand le taxi t'aurait ramenée.

– Ah oui ! C'est vrai. Pardon, j'ai oublié.

– Pourquoi tu n'as pas répondu à mes textos ? Tu ne m'as pas rappelée non plus. Je n'ai pas arrêté d'essayer de te joindre. Ça fait des *semaines*.

– Oui, j'ai oublié. C'est ma faute. Dis, je peux te poser une question ?

– *Quoi ?*

– Est-ce que je suis une fille sympa ?

– Pardon ?

– Je suis une fille sympa, oui ou non ?

– Qu'est-ce que tu… je ne… Maggie, le moment est mal choisi pour me poser cette question. Je suis un peu en pétard contre toi, pour être honnête.

– D'accord, mais à part ça, tu veux bien répondre ?

– Ok. Ok. Oui, bien sûr.

– Oui quoi ?

– Oui, je te trouve sympa.

– Toi, je sais. Mais ce que je veux savoir, c'est si je suis une fille sympa tout court. Pas uniquement pour les copines, pour les gens en général. Est-ce que j'ai des qualités qui font de moi une fille sympa dans l'absolu ?

– Tu es ridicule. Tu te comportes comme une gamine.

– N'importe quoi !

– « N'importe quoi. » Tu t'entends ? On dirait une petite fille en train de faire un caprice.

– Les caprices, c'est pas mon genre.

Emma pouffa.

– Tu ne fais pratiquement que ça.

Maggie poussa un soupir effaré.

– Tu sais quoi, Emma ? Ton petit numéro de petite fille modèle ? C'est du cinéma. Ça a trompé tout le monde quand on était petites, mais moi, je n'y ai jamais cru. Personne n'est aussi parfait ! Je m'en rendais bien compte. Je sais qui tu es.

– Maggie ?

– Quoi ?

– Ne m'appelle plus. D'accord ? J'aimerais bien ne plus te voir pendant quelque temps.

– Qu'est-ce que… commença Maggie, mais Emma avait déjà raccroché.

« Journée de merde », grommela-t-elle en rangeant son téléphone dans sa poche. Elle eut envie d'envoyer un texto à Mikey, mais elle se dit que si elle était détestable au point de se mettre tout le monde à dos, il valait mieux s'abstenir. *Ouais*, se dit-elle, *mieux vaut que je reste toute seule dans mon coin si j'agace tant les autres.*

Elle descendit d'Art Hill d'un pas rageur. Allongés sur l'herbe, des couples s'admiraient, nez contre nez. De jeunes parents avec des enfants en bas âge sommeillaient à tour de rôle au soleil. Un labrador se mit à courir et se jeta dans le bassin au pied de la colline, barrant la route à un pédalo.

Maggie donna un coup de pied dans un caillou. Pourquoi tout le monde était-il si susceptible ? Et pourquoi Maggie était-elle encline à se montrer généreuse et affectueuse envers des individus qu'elle connaissait à peine, qu'ils soient opprimés ou non, alors qu'il lui était pratiquement impossible d'entretenir des relations positives avec ceux qui faisaient déjà partie de sa vie ? Elle avait de meilleurs rapports avec les habitants de Ridgewood qu'avec ses amis et les membres de sa famille. Avec Mme Wong, qu'elle avait aidée à remplir la déclaration des salaires de ses employés. Avec le bébé polonais. Et ne parlons pas des garçons ! Bruno et Alex la considéraient comme une sœur. Une mère. Un guide. Un exemple.

Au pied de la colline, elle s'arrêta devant le bassin et contempla les faibles jets d'eau très espacés qui en montaient. Puis elle se retourna. En voyant le majestueux musée, avec ses colonnes centrales et ses larges ailes de pierre, elle repensa à la National Gallery de Londres, et

311

aux seules et uniques vacances que les Alter aient jamais passées en famille à l'étranger. (Tous les ans, sur l'insistance d'Arthur, on entreprenait de modestes voyages pour aller visiter des parcs nationaux, des canyons et des geysers célèbres, et des grottes ouvertes aux touristes à l'intérieur des États contigus du pays ; Maggie se souvenait de son père envoyant balader un hippie qui vendait des cristaux à Sedona et l'avait poursuivi jusque dans un restaurant en lui soutenant que ses chakras étaient décolorés.) Londres, en cette première année du nouveau millénaire, fut une exception. Arthur avait réservé une chambre dans un hôtel de Belgravia et acheté des billets pour aller voir une pièce comique à l'affiche depuis longtemps. Aucune anomalie dans la routine d'une famille n'est anodine, et ce voyage, Maggie le comprit plus tard, était lié à un incendie qu'Arthur avait provoqué dans la maison à l'automne précédent en faisant la lessive. Son incompétence et sa négligence en matière de tâches ménagères avaient failli mettre la famille sur la paille, voire pire. En tout cas, raisonna Maggie, il avait forcément quelque chose à se faire pardonner, car les vols transatlantiques n'étaient pas donnés. Ils partirent au printemps 2001. Maggie avait onze ans.

Les Alter dormirent dans l'avion et atterrirent le matin. Après être allés s'installer à l'hôtel et y avoir pris un petit déjeuner, ils repartirent aussitôt pour la National Gallery afin de s'habituer à l'heure locale. Chaque membre de la famille se laissa guider par ses goûts : Francine alla voir les impressionnistes, Ethan les Titien, Arthur les Turner. Maggie ne bougea pas de la salle des tableaux de dévotion, hypnotisée par les représentations sanglantes du Christ. Tous délirants de fatigue, ils ne purent que laisser l'art agir sur eux sans opposer de résistance. Ce fut la meilleure journée qu'ils passèrent à Londres, chacun dans une salle différente, émerveillé selon sa propre conception du génie, en sachant qu'une ou deux heures plus tard ils se retrouveraient au café du musée pour partager ce qu'ils avaient vu. Séparation et réunion – ils avaient besoin des deux. Ces moments où ils échappaient à leur unité pour être des individus distincts étaient indispensables à leur équilibre, mais ils ne pouvaient en profiter pleinement que parce qu'ils savaient qu'ils finiraient par se retrouver, et ils ne pouvaient supporter de se retrouver que parce qu'ils savaient qu'ils pourraient se séparer à nouveau.

– On voit le navire de Thésée disparaître au loin, dit plus tard Ethan, au café.

Secouant la tête, admiratif :

– Et le ciel est d'un bleu. Ça m'a…

Il chassa de l'air entre ses lèvres :

– Ouais.

Francine sourit :

– Quand tu étais petit, tu adorais la mythologie grecque, tu sais.

– Ah ?

– Oh, oui. Tu me suppliais presque pour que je te lise des légendes, le soir. Toujours le même livre… Je crois qu'on l'a gardé.

– Tu t'es baladé enroulé dans un drap pendant une semaine à la maison, dit Arthur en regardant la carte d'un air renfrogné. C'est quoi, un « café américain » ?

– Mmh... fit Ethan. Alors comme ça, j'aimais la mythologie.

Il réfléchit. À seize ans, rien n'intéressait plus Ethan que lui-même, les différentes personnalités ayant précédé celle du moment.

– Mmh... Ça me plaît. Ça me plaît que ça m'ait plu.

– Je veux un café normal, moi, grommela Arthur.

– Maggie ? dit Francine. Ça va ? Tu es bien silencieuse.

Maggie fronça les sourcils.

– C'est vrai que c'est les Juifs qui ont tué Jésus ?

Arthur pouffa.

– Maggie ! s'exclama Francine. Où as-tu entendu dire ça ?

Elle l'avait entendu dire à l'école, plusieurs mois plus tôt, mais l'idée ne l'avait vraiment frappée que ce matin-là, devant un retable illustrant la Crucifixion. Jésus, hâve, presque squelettique, le sang s'écoulant de ses blessures, entouré de traîtres et d'admirateurs. Elle savait que Jésus avait été crucifié, mais ce mot n'avait pris sens pour elle que lorsqu'elle avait vu l'image des clous transperçant les mains et les pieds de l'homme sur la croix. Elle avait alors ressenti une douleur fantôme à ces endroits-là de son propre corps.

– Alors, c'est vrai ? insista-t-elle. C'est nous ?

– Mais non, dit Francine. Pas du tout. Ce sont les Romains. C'est Ponce Pilate.

Arthur s'esclaffa :

– Ouais, ce sont les Romains. Mais c'est nous qui l'avons balancé. Que ce soit clair : nous, on n'est pas des assassins, on est des dégonflés.

– Ne dis pas ça, le rabroua Francine.

Puis, à Maggie :

– Cette histoire de responsabilité des Juifs a été beaucoup utilisée pour justifier l'antisémitisme.

L'estomac de Maggie se noua.

– Je me sens… pas bien, dit-elle.

– Culpabilité juive, dit Arthur.

– C'est quoi, ça ? demanda Maggie.

– C'est ce qui fait de nous des Juifs, dit Arthur.

– *Arthur*, dit Francine en lui donnant un faux coup de poing dans le bras. Ce n'est pas ce qui fait de nous des Juifs.

– Et la culpabilité catholique, qu'est-ce que c'est ?

– Où as-tu entendu parler de ça ? dit Francine.

Arthur leva les yeux au ciel :

– La culpabilité catholique, c'est de l'arnaque. Les cathos nous l'ont piquée. Tout le monde veut avoir sa culpabilité, maintenant. On ne veut pas que les Juifs la gardent toute pour eux ! Non, non, *tout le monde* veut avoir sa version. *Tout le monde* veut culpabiliser à sa manière.

– Ce qui tourmente les catholiques, c'est la crainte du jugement de Dieu, dit Ethan. Chez les Juifs, c'est celle du jugement des parents.

Le reste du voyage fut décevant. Arthur ne cessa de torturer la famille, soucieux de mettre à profit chaque minute de la journée. Les musées, le Tower Bridge, Hyde Park. Une dispute éclata devant le Victoria and Albert Museum. « Ça ne nous tuerait pas, dit Francine, de faire une sieste. » Mais l'idée de gâcher ces coûteuses vacances à dormir était hors de question. Il plut.

Lors de leur dernière soirée à Londres, tandis que, sous la bruine, ils tentaient de héler un taxi pour rentrer du théâtre, Maggie lâcha la main de sa mère et s'éloigna en direction de la vitrine illuminée d'un étrange magasin. Elle s'approcha et posa sa main sur le verre ruisselant. Face à elle, une tête de mannequin, baignée de lumière rouge. Cette tête était recouverte d'un masque de caoutchouc noir. Le nez s'avançait pour former un museau. Deux oreilles se dressaient sur son sommet. La bouche était fermée par une fermeture Éclair.

– Maggie ! cria Francine derrière elle. Reviens !

Elle rejoignit sa fille en hâte, la prit par la main et la ramena là où se trouvaient Arthur et Ethan.

– Tu m'as fait peur, lui dit-elle. Ne disparais plus comme ça. Et ce magasin n'est pas pour les enfants.

– Ils vendent des masques de mariés, dit Maggie.

– Quoi ?

– Des masques de mariés. Comme ceux que les gens avaient quand papa a mis le feu à la maison.

– Je n'y ai pas *mis le feu*, protesta Arthur.

– Quels gens ?

Maggie tira la langue et haleta.

Francine rougit.

– Ah ! Oh, Maggie… Oui, eh bien… Ce ne sont pas tous les couples mariés qui portent ces masques-là.

– Non ?

Ethan s'esclaffa.

– Non, ma chérie, dit Francine. Pas tous.

Elle se tourna vers Arthur, mais il s'était éloigné sur la chaussée. La pluie imprégnait sa veste de velours côtelé tandis qu'il poursuivait un taxi en s'agitant comme un damné.

Ulrike Blau était alanguie sur un pédalo. Ce fut son embarcation qui dut faire un écart pour éviter le labrador ayant plongé dans le bassin.

– Holà ! Attention ! s'écria son voisin tandis que les projections d'eau leur éclaboussaient le visage.

– Merci, dit-elle, mais tout va bien.

Elle était assise à côté de Greg Mod, un étudiant de troisième cycle du département d'histoire. Il ne faisait pas partie de ceux qu'elle conseillait, mais il lui avait tout de même demandé un entretien pour lui poser une question sur sa thèse. Il n'était soi-disant libre que le samedi, et lorsqu'elle avait expliqué qu'elle n'avait pas accès à son bureau le week-end, il avait suggéré qu'ils se voient au parc. Mais sa question, s'était-il avéré, était d'ordre administratif, et il était facile d'y répondre. « Super, avait-il dit. Ça, c'est réglé. Mais puisqu'on est là, ce serait dommage de rentrer tout de suite, non ? Il fait si beau. Vous ne voulez pas qu'on loue un pédalo ? »

De peur de le contrarier – Ulrike avait souvent entendu parler des imbroglios dans lesquels s'étaient retrouvés entraînés des professeurs face à des étudiants américains mécontents ; les pétitions, les manifestations –, elle avait accepté.

– J'adore ! dit Mod tandis que le labrador passait devant eux. Pas vous ?

– Si.

– Alors, racontez-moi, comment avez-vous atterri à Danforth ?

Versé avec application dans l'histoire de l'Europe, Mod avait la mâchoire prognathe des Habsbourg et des sourcils – était-il né ainsi ? – en permanence haussés, particularité réduisant essentiellement la gamme de ses expressions à une oscillation entre étonnement et intérêt. Ulrike n'en était pas sûre, mais il lui sembla que son visage exprimait pour l'heure plutôt de l'intérêt.

– Vous savez, Greg, dit-elle en étirant la voyelle de son prénom, poussant son expression vers l'étonnement, ça fait longtemps que je cherche un endroit où poser mes valises. Un endroit où travailler.

– Et cet endroit, c'est Danforth ?

– Peut-être.

– Alors ça, c'est formidable. Excellente nouvelle.

– Vous trouvez ?

– Eh bien, je me disais… enfin… j'aimerais beaucoup passer plus de temps avec vous. Pour apprendre, je veux dire. Vous êtes vraiment brillante.

Mod se tourna vers Art Hill. De profil, il n'était pas totalement dépourvu de beauté.

– Bref, dit-il, je suis content que vous restiez.

– Pour quelle raison ?

– Eh bien, encore une fois, vous êtes brillante, et vous êtes une conférencière hors pair. « La politique des loisirs à la cour au XIVe siècle », c'était du grand spectacle, et je m'y connais. Je vous ai dit que j'étais de Branson ? Branson, le Broadway du Missouri. Toute ma famille est de là-bas. Je sais reconnaître une prestation de qualité quand j'en vois une.

– Merci.

– Je suis sûr que tous les troisième cycle ont le béguin pour vous.

– Je suis sûre du contraire.

– Ne soyez pas modeste ! J'en connais au moins un dont c'est le cas.

– Qui ?

Mod rougit et pédala plus vite, entraînant la petite embarcation de plastique dans un virage.

Ulrike était surprise qu'on la drague aussi ouvertement. Les compliments étaient rares dans sa relation avec Arthur, et elle était sensible à l'attention que lui portait Mod. Il ne l'attirait pas particulièrement, mais depuis deux ans elle avait l'impression de n'être regardée que par Arthur. Elle-même se voyait à travers ses yeux. C'était rafraîchissant – flatteur, même – d'être admirée par un autre homme.

– J'apprécie, Greg. Mais je regrette. J'aime les hommes… plus âgés.

– Ah.

Mod gratta son menton proéminent.

– Comment ça se fait ?

– Il vaut mieux pour vous que vous ne le sachiez pas.

Mod cessa de pédaler et la regarda droit dans les yeux. Il posa sa main sur la séparation en plastique entre leurs sièges-baquets.

– J'y tiens.

Ulrike hésita.

– Il est question d'une longue relation avec le père d'une amie d'enfance, une relation qui a fini par devenir destructrice.

319

– Continuez.

Elle pensa à Arthur, sa possessivité, sa mesquinerie.

– Les hommes n'aiment pas quand je raconte cette histoire. Elle les…

Elle chercha le mot.

– … intimide. Dans votre intérêt, il vaut mieux que je m'arrête là.

– J'insiste.

– Je vous assure.

– S'il vous plaît.

– Vous êtes certain ?

L'expression du visage de Mod rebascula vers l'intérêt.

– Oui. Absolument.

Ce soir-là, Arthur servit du saumon au four dans la salle à manger. Maggie passa le repas à regarder les photos, son regard allant et venant entre les images de son père jeune et plein d'entrain sur le mur et l'homme rougeaud et avachi qui mâchait bruyamment à sa gauche. Le temps avait fait son œuvre sur lui. Le temps, allié à tel ou tel fluide insidieux libéré par ses glandes, l'avait transformé. Elle était hypnotisée par le fossé de trente-trois ans séparant les photos du siège de son père. Était-elle la seule à remarquer ça ? Si Ethan était troublé par ce fossé, il le cachait bien.

– Vous étiez où, cet après-midi ? demanda-t-elle.

– On est allés voir un spectacle, dit Arthur.

– Un *spectacle* ?

– *Le Lac des cygnes*.

320

Maggie se tourna vers Ethan et articula muettement : *Un ballet ?* Ethan sourit et haussa les épaules.

– Qu'est-ce que tu donnes comme cours maintenant, papa ? demanda-t-il à Arthur.

– « "Façonner" le changement social », dit Arthur. Et une option d'approfondissement pour les quatrième année.

– Que deux ?

– Que deux.

– C'est normal ? Il me semblait que tu en donnais beaucoup plus, avant.

– Le département traverse une période de transition, dit Arthur en faisant craquer les articulations de ses doigts. Ça me permet de me consacrer à d'autres centres d'intérêt.

– Comme quoi ?

– Peu importe ce que je fais de ce temps. Ce qui compte, c'est de l'avoir.

Maggie essaya de capter le regard de son frère pour attirer son attention sur le mur derrière lui, mais Ethan mangeait, concentré sur son assiette. Il n'en leva les yeux que pour regarder Arthur en hochant la tête. Maggie se retrouva à faire des grimaces toute seule comme une idiote.

– L'année dernière, on m'a gâté, poursuivit Arthur en mâchant (de petits morceaux de saumon apparaissaient fugitivement à mesure qu'il ouvrait et fermait la bouche). On m'a demandé d'enseigner la rédaction technique pour les non-anglophones.

Il pouffa :

– Qui a la patience d'enseigner un truc pareil ?

– Tu ne donnais pas des cours comme ça, toi, Maggie ? dit Ethan. Pas de rédaction technique, évidemment, mais bon… Tu ne travaillais pas avec des « non-anglophones » ?

– Je, euh… bredouilla Maggie.

Personne n'allait donc parler de ces photos ?

– Non ? insista Ethan.

– Si, réussit-elle à dire.

– Bravo, dit Arthur en se tournant vers elle. Je suis sincère. Il faut les aider, ces gens.

– C'est vrai, acquiesça Ethan.

– Tu n'aimes pas le saumon ? demanda Arthur à Maggie.

– Je suis végétarienne, grommela-t-elle.

– Le poisson, c'est pas de la viande.

– C'est quoi, alors ?

– Et toi ? dit Arthur en se tournant vers son fils. Le boulot ?

Maggie toussa.

– Oh… ça va, dit Ethan. La routine.

– On devrait te donner une promotion.

Arthur regarda Maggie :

– Il serait temps, non ?

– Euh… ouais, dit-elle avec un petit sourire narquois. Il paraît qu'il a des résultats *sensationnels*. Il faut absolument qu'on lui donne une promotion, je suis d'accord. On lui doit bien ça.

– Je sais pas, dit Ethan. Mon poste actuel me convient.

– Ne dis pas n'importe quoi, dit Arthur. C'est décidé. Ethan, dès que tu rentres, tu fonces dans le bureau de

ton supérieur et tu demandes – non, tu *exiges* – une promotion. Une augmentation. Il faut toujours prendre ce
qu'on mérite.

Il fourra une fourchetée de poisson dans sa bouche
avant d'ajouter :

– Je vous l'ai toujours dit, à tous les deux.

14

Pour les gens complexés qui se laissent marcher sur les pieds, les mariages sont des entreprises vouées à l'échec. En ce sens, les noces de Francine et d'Arthur étaient condamnées par le destin. Tout ce qui arriva, se dit plus tard la mariée, devait sûrement arriver d'une manière ou d'une autre.

Initialement, elle avait envisagé une petite réception : les membres de la famille encore en vie, deux-trois amis, quelque chose de bon goût, où les flûtes de champagne tinteraient dans une salle éclairée d'une lumière tamisée. On mangerait des toasts, on danserait sur la musique d'un petit trio de jazz – contrebasse, piano, batterie.

C'était une affaire de dimension. Elle ne pouvait pas s'offrir le genre de grand mariage extravagant qui donnait à Arthur des palpitations, mais en restant modeste, et en dépensant avec sagesse, on pouvait organiser une jolie soirée pour un groupe de personnes choisies et auxquelles on tenait. À cette fin, elle prit rendez-vous au Copley Plaza Hotel. *Oui*, se dit-elle en effleurant des doigts l'une des froides colonnes de marbre du couloir doré ayant pour nom « l'allée des Paons », sous les lustres de style Empire et le plafond à caissons, *c'est l'atmosphère qu'il faut.* Là, on pouvait faire quelque chose de bien.

Elle demanda les prix. L'hôtel lui remit un devis.

En écartant l'argent que Messner avait investi pour elle, Francine avait tout juste de quoi inviter deux personnes au Copley Plaza : Arthur et elle.

– Il va falloir revoir tes attentes à la baisse, lui dit Arthur lorsqu'elle rentra à leur appartement ce soir-là.

– Je sais, dit-elle en s'essuyant les yeux. Je sais. C'était stupide de croire que je pouvais avoir tout ça.

– Hé, fit-il, consolateur. Je n'ai jamais dit « stupide ».

– La salle, l'orchestre… Je me demande comment j'ai pu croire que c'était faisable.

– Il est clair qu'on n'est pas près de se payer un mariage comme ça, mais je te comprends.

– Vraiment ?

– Oui. Ce n'est pas un tort de vouloir ce que tu veux. Mais bon… Il faut aussi être réaliste.

Elle se débarrassa de sa main sur son épaule.

– Appelle ta mère, proposa-t-il. Elle acceptera peut-être de nous aider.

– Je ne veux pas de son aide.

– J'appellerais bien la mienne, mais…

– Mais elle n'a pas les moyens, soupira Francine. Je sais.

Le père d'Arthur était mort il y avait des années, lorsqu'Arthur était étudiant. Depuis, sa mère vivait seule à Sharon, où elle trimait derrière un bureau pour le trésorier municipal. Ce deuil lui semblait loin à présent, mais il s'efforçait de se mettre à la place de sa fiancée, qui avait perdu son père moins d'un an plus tôt. Ce n'était pas facile. Les deux situations n'étaient pas comparables. Contrairement à la mère d'Arthur, Mme Klein jouissait d'une sécurité financière – le manuel de mathématiques se vendait encore bien – qui, lui semblait-il, rendait sa solitude supportable.

– C'est la seule chose que j'admire chez ma mère, concéda-t-il. Elle gagne sa croûte. On ne voit pas ça si souvent chez les veuves. À part dans les classes les plus défavorisées, où elles n'ont pas le choix…

– Ta mère est un exemple pour nous tous.

– C'est une pointe d'amertume que je sens là ?

– Eh bien, ce que tu impliques, le *sous-texte*, c'est que ma mère à moi ne la gagne pas, sa croûte. Qu'elle n'est pas digne de ton respect.

– J'oublie parfois que je suis sur le point d'épouser une psy. Écoute, il n'y a pas un sous-texte dans tout ce qu'on dit. Parfois, il n'y a… que le texte. J'ai vu tes notes, tu sais, qui traînent dans l'appart. « Piste possible : herméneutique du soupçon ? » Tu ne crois pas qu'on s'entendrait mieux si tu prenais ce que je dis au premier degré ? Si tu arrêtais de chercher la petite bête ?

– Je ne suis pas « psy ». Et je sais ce que tu sous-entends. Tu sous-entends que ta mère, qui d'ailleurs désapprouve notre mariage…

– Quoi ? C'est faux !

– Elle m'a vraiment félicitée du bout des lèvres, Arthur. Et c'est moi qui l'ai appelée. J'ai presque dû la supplier.

– Elle n'a rien contre toi. Elle ne comprend pas l'intérêt du mariage, c'est tout. Pour nous comme pour n'importe qui. Elle en a bavé avec mon père. Elle part du principe que tout le monde sera aussi malheureux qu'elle l'a été.

– Elle *veut* que tout le monde soit aussi malheureux qu'elle l'a été.

– Francine…

– Je te le dis : elle ne m'aime pas.

– Elle n'aime personne.

– Même pas toi !

– Même pas moi.

Ils se regardèrent et s'esclaffèrent.

– C'est ridicule, dit-il.

– Absolument.

– Appelle ta mère. Tu verras ce qu'elle dit.

– D'accord, dit-elle en secouant la tête. Je vais le faire.

La mère de Francine voulait bien payer. Pour tout. Ce n'était pas un problème, ça lui faisait plaisir – à condition que le mariage ait lieu à Dayton. Francine répondit qu'elle allait y réfléchir.

À quoi tu veux réfléchir ? s'indigna Arthur, arpentant la chambre en se massant les tempes. Elle propose de payer !

– Je ne veux pas retourner là-bas. Cette journée-là, elle est pour nous, et elle va se l'approprier. Crois-moi. Elle n'a jamais rien fait qui ne soit pas dans son intérêt personnel.

– Francine…

– Tu verras. Elle va nous voler la vedette. Elle va tout organiser elle-même. La moitié de Dayton sera là.

– Quelle importance, qui sera là ? Ou à quel endroit ça se passera ? Elle propose de *payer et d'organiser le mariage* !

– Mais c'est *notre* journée, celle-là.

– Vraiment ? Nous, on aura toutes celles qui suivront. Non, non. Celle-là, elle n'est pas pour nous. Celle-là, il s'agit seulement d'arriver au bout sans que personne de ta famille ne s'en prenne physiquement à moi ou aux miens. Et *vice versa*. Réfléchis. Réfléchis au soulagement que ce serait de laisser ta mère s'occuper de tout.

Francine n'avait pas vraiment pensé à la charge de travail que constituait l'organisation d'un mariage. Embourbée dans sa thèse sur les fondements de la théorie éthique de Merleau-Ponty, elle n'avait pas le temps de s'en occuper, surtout dans un délai aussi court. Les vraies fiançailles avaient vite succédé aux fausses, et le couple était indéniablement porté par un élan. Francine avait le sentiment qu'il fallait profiter de cet élan avant qu'il ne s'essouffle et qu'Arthur ne se mette à traîner les pieds. Pour autant, elle ne renonçait pas à l'espoir d'avoir droit à une cérémonie de bon goût suivie d'une petite fête détendue, avant de s'échapper sans douleur pour rejoindre une vie enfin à elle.

Elle regarda Arthur. De la sueur s'amassait sur ses tempes.

Elle avait parfois l'impression d'avoir affaire à deux hommes différents, l'un prêt à tout et mesquin – et incapable de le cacher car c'était écrit sur son visage, sa sueur, abondante, malodorante, parlait d'elle-même –, et l'autre généreux et prévenant, un homme parti à

328

l'étranger pour accomplir une bonne action, un homme qui, dans l'avion par lequel ils rentraient récemment après des vacances à San Francisco, s'était rendu dans le poste de pilotage et avait demandé à être prévenu par un signal secret du moment où ils survoleraient à peu près l'Ohio. Lorsque l'hôtesse était venue le voir quelques instants plus tard pour lui proposer, avec un clin d'œil, quelque chose à manger (Francine s'en était étonnée car on n'avait pas commencé à servir les repas), il avait hoché la tête d'un air entendu, avait détaché sa ceinture, et là, dans le couloir, à des milliers de kilomètres au-dessus de l'État où Francine était née, il avait mis un genou à terre pour la demander en mariage. Par ce geste, il rendait hommage à sa terre d'origine sans y poser le pied, désignait l'endroit d'où elle venait sans lui donner l'impression d'un retour en arrière. L'avion, en survolant l'Ohio et en faisant route vers Boston, semblait saluer le passé tout en indiquant, avec une efficacité aérodynamique, la direction de l'avenir. *Je sais qui tu es*, semblait suggérer Arthur, *et je sais qui tu veux devenir*. Elle avait accepté presque tout de suite.

Où était cet homme à présent ?

Elle appela sa sœur pour lui demander son avis.

– Il ne faut pas faire confiance à maman, dit Bex.

– C'est ce que je pense aussi.

– Mais bon, ajouta Bex, si tu es coincée, tu es coincée.

Mme Klein n'était que trop heureuse d'organiser ce mariage. Elle invita les cousins jusqu'au dixième degré, des foules de femmes de l'association féminine à laquelle elle appartenait. Afin d'accueillir ces centaines de gens, il fut décidé que la réception aurait lieu au Marriott du centre-ville de Dayton, qui partageait un parking avec le siège de la National Cash Register Company et un restaurant italo-américain. Elle fit imprimer des invitations d'inspiration victorienne dans des tons de mauve et de turquoise, les couleurs les moins appréciées de Francine, qui ne sut s'il fallait voir là un acte d'agression ou la manifestation du mauvais goût de sa mère.

— J'ai eu une idée rigolote, annonça-t-elle au téléphone. Et si on vous plaçait à des tables différentes, Arthur et toi ?

— À des tables différentes ? Mais pourquoi ?

— Je suis sûre qu'Arthur a envie de profiter de sa famille.

— Non. En plus, presque personne ne vient, de son côté.

— Et toi, tu n'as pas envie de profiter de la tienne ?

— C'est notre *mariage*. On doit être assis ensemble, c'est impératif.

— Bon, bon.

— Tu me le promets ? demanda Francine.

— Je te promets quoi ?

— Que mon mari et moi serons assis à la même table *à notre mariage* ?

— D'accord, d'accord.

— Je veux te l'entendre dire.

— Dire quoi ?

— Que tu vas nous placer à la même table.

— Très bien.

– Je ne veux ni d'un « très bien », ni d'un « d'accord ». Je veux t'entendre dire que tu vas nous placer à la même table. Bon Dieu…

– On fera comme tu voudras.

Francine raccrocha de rage.

Elle ne se rendit sur place qu'une fois pour prendre quelques décisions clefs. La maison n'avait pas beaucoup changé par rapport au souvenir qu'elle en avait. Son père n'était plus là, c'est vrai, mais il avait passé la majeure partie de la vie de Francine dans sa chambre. Son absence n'avait donc rien de nouveau. Ce qui lui fit le plus mal, ce fut de voir le panneau À vendre devant la maison de grand-mère Ruth à côté.

– Personne n'en veut, se plaignit Mme Klein. Et la ville dit que je n'ai pas le droit d'en faire une extension.

Elle secoua la tête :

– Encore aujourd'hui, cette femme trouve le moyen de me pourrir la vie.

Francine alla avec elle voir le traiteur. Un fanion bleu de l'université de Dayton ornait le mur derrière son bureau.

– Nous avons du saumon grillé, de la salade, des asperges et une corbeille de pain pour chaque table.

Il leva les yeux vers les femmes Klein :

– Ça vous va ?

– Il nous faut un accompagnement, dit Francine. Les gens vont avoir faim.

Sa mère secoua la tête :

– Je ne crois pas. On a le pain.

– Le pain n'est pas un accompagnement.

– Le pain, c'est un féculent. C'est bourratif.

– Un riz pilaf, peut-être ?

– Fran, le riz et le pain, c'est pareil – ça fait partie de la même famille. Je ne veux pas de doublon. Je ne veux pas payer plus cher pour un deuxième féculent bourratif.

– Ce n'est pas un riz pilaf qui va faire exploser ton budget.

– Ne me crie pas dessus ! Pas ici !

– Je ne crie pas !

– Si, tu cries ! Là, tu cries !

– Putain, c'est pas vrai…

– *Et ne jure pas !*

– C'est mon mariage. Je ne veux pas que les invités aient faim à *mon mariage*.

– *Ton* mariage ? Regarde les factures, Francine ! Regarde quel nom est écrit dessus ! Regarde quel nom !

– Je vous laisse une minute ? proposa le traiteur.

Francine ne savait plus où se mettre, mais sa mère refusa de céder. La seule chose que la jeune femme semblait avoir le droit de choisir dans son mariage, c'était le marié.

Le lendemain matin, Mme Klein demanda à Francine si elle voulait aller à la Bridal Boutique.

– Non, répondit Francine. Je ne veux pas acheter ma robe là-bas.

– Qu'est-ce que tu reproches à la Bridal Boutique ? Debbie Simchowitz y a acheté sa robe. Tu te souviens de Debbie…

– Vaguement.

– Elle joue dans l'orchestre symphonique de Cincinnati. Elle est second violon. Elle a toujours eu du talent.

– Tant mieux pour elle.

– Remarque, son père est un mécène important, alors bon… Bref, qu'est-ce que tu reproches à la Bridal Boutique ?

– C'est vulgaire.

– Tu trouves Debbie Simchowitz vulgaire ?

– Oui.

Mme Klein poussa un soupir outré.

– Écoute, maman, dit Francine. Je l'ai déjà, ma robe.

– Vraiment ?

C'était faux.

– Oui. À Boston. J'ai un… un essayage à faire cette semaine.

– Très bien, dit Mme Klein, vexée. À ta guise.

Le lendemain de son retour à Boston, Francine prit rendez-vous dans un petit magasin de robes de mariée au rez-de-jardin d'un brownstone victorien de Back Bay. Un vrai foutoir, des portants de robes et des piles de tissu partout. Au bout de la pièce, un paravent miroir à trois panneaux.

Une femme chancelante et à l'épaisse chevelure grisonnante sortit de derrière un portant.

– Vous êtes là pour une robe ?

Francine acquiesça.

– Où est le reste de l'équipe ?

– L'équipe ?

– Oui. Votre mère, votre sœur, votre copine… Je ne sais pas.

– Ah...

Francine enroula ses bras autour d'elle et se tâta de haut en bas, comme si quelqu'un pouvait se cacher dans une poche de son blouson.

– Non, dit-elle enfin. Toute l'équipe est là.

La femme haussa les sourcils :

– Vous êtes venue seule ? Bon, d'accord. On peut commencer, alors.

Francine porta son choix sur une robe modeste mais tendance, avec des manches à la princesse Diana, bouffantes et froncées aux coudes, une longue traîne boutonnable et un corsage perlé au décolleté plongeant qu'elle demanda de combler par de la dentelle pour ne pas choquer les invités du Midwest. Elle compléta le tout par un long voile retombant sur le V que formait la robe à l'arrière. Deux essayages supplémentaires furent nécessaires avant d'obtenir enfin le résultat souhaité.

– Je peux vous l'emballer, à moins que vous ne préfériez la garder sur vous, dit la femme. Ha ! ha !

– Non, dit Francine, ça ira. J'aimerais me la faire envoyer à Dayton, s'il vous plaît. Dayton, dans l'Ohio.

Il n'y eut pas de dîner de répétition. Rétrospectivement, on pouvait le regretter, mais répétait-on une catastrophe ? S'exerçait-on au chaos en vue de le peaufiner ? Quoi qu'il en soit, il fallut bien des efforts pour convaincre la mère d'Arthur de venir dans le Midwest. Il était en tout cas hors de question qu'elle paie pour un dîner destiné à nourrir tant de Klein et presque aucun Alter.

Ce fut sans doute préférable ainsi. Il y avait déjà suffisamment de complications comme ça. La robe arriva sans jupon, et lorsque Francine appela le magasin de Boston pour s'en plaindre, la femme lui rétorqua : « Vous, les futures mariées, vous êtes toutes des hystériques. » Elle fonça avec sa mère chez Elder-Beerman et acheta un jupon juste avant la fermeture.

La veille de la cérémonie, Mme Klein vint trouver sa fille dans la chambre de son enfance.

– Que dirais-tu, lui demanda-t-elle, son rouge à lèvres donnant au sourire qui se dessina sur son visage un air clownesque, d'une limousine ?

– Pardon ?

– Ça te plairait d'être amenée de la synagogue à l'hôtel en limousine avec Arthur ?

– Quoi ? Vraiment pas, non.

– Je me disais que ça pourrait être bien, moi.

– Je croyais qu'on n'avait pas le budget pour le riz pilaf ?

– Ce serait mon cadeau de mariage. Une limousine !

– Non.

– Mais pourquoi, enfin ?

– Parce que si tu me connaissais, maman, si tu me connaissais *un tout petit peu*, tu saurais que je déteste me faire remarquer. Une limousine, ce n'est pas « moi ». Ce n'est pas moi du tout.

– Bon, dit Mme Klein entre ses dents. Comme tu voudras. Bonne chance pour demain.

Et elle se retira.

Bex vint frapper à la porte de Francine quelques instants plus tard :

– Tout va bien ?

Francine se moucha :

– Dis-moi que je ne fais pas une bêtise.

– Une bêtise ?

– Dis-moi que je n'épouse pas la mauvaise personne.

Bex croisa les bras et hocha la tête, les lèvres pincées. Elle avait récemment été larguée d'une manière spectaculaire par un galeriste extraordinairement riche et de son propre aveu accro au sexe, dont elle était toujours amoureuse.

– Je ne crois pas qu'il y ait de bonne ou de mauvaise personne.

Francine sanglota.

– Bon, bon ! Non, tu ne fais pas de bêtise. Arthur est un type intelligent, non ? Un type intelligent comme ça ne va pas prendre le risque de te maltraiter.

Ils se marièrent un dimanche matin de mars. La ketouba signée, leurs invités se rassemblèrent dans le sanctuaire. À dix heures trente et un, alors que l'aiguille des minutes amorçait avec optimisme son mouvement ascendant, la mère d'Arthur enfila d'un air revêche l'allée centrale pour aller s'asseoir. Elle était suivie d'Arthur, qui monta à la bimah en se plantant un ongle nerveux dans la cuisse. Le menton relevé, Mme Klein passa devant tous ceux qu'elle avait réunis, preuve de son entregent. Rick Pietsch, un ancien colocataire d'Arthur à présent dans l'industrie pharmaceutique, marchait à côté de Bex, tous deux fermant le cortège d'honneur.

Alors arriva Francine. Elle portait des perles au cou et aux oreilles, les secondes ornées de petits diamants. À son bras, à la place de son père, il y avait oncle Ron, le frère de sa mère. Elle avait à peine conscience de sa présence et garderait plus tard le souvenir d'avoir marché seule vers la bimah.

À côté d'Arthur se tenait Rabbi Kaplan. La bataille à son sujet avait eu lieu plusieurs mois plus tôt. Kaplan était un rabbin certifié, mais il ne célébrait pas de cérémonies ni ne prononçait de sermons. Directeur religieux de Beth Abraham, c'était lui, autrefois, qui avait préparé Francine pour sa bat-mitsva. Chez lui, cela sentait le pain chaud, et d'ailleurs, à chaque leçon, sa femme servait à Francine une petite assiette de mandelbrots croustillants avec une tasse de thé. Kaplan lui parlait d'une voix douce et bienveillante, comme s'il n'avait jamais entendu une parole critique de sa vie – comme s'il ignorait qu'on pouvait en avoir. Il n'était cependant pas naïf. C'était un homme d'une grande sagesse. Son fils, Len, était handicapé moteur et passait le plus clair de son temps cloué sur un lit médicalisé à côté de la cuisine. Len avait toute sa tête, mais son corps était fin et tordu comme une branche d'arbre nue. À la fin des leçons de Francine, Kaplan disait : « Excellent travail aujourd'hui. Veux-tu aller dire bonjour à Len ? Il a hâte de te voir. » Elle se sentait importante. Elle avait l'impression de pouvoir apporter quelque chose à ce garçon. Et le visage de Kaplan était tout ce qu'il y a de plus sincère. Aussi s'exécutait-elle, elle traversait la cuisine et allait jusqu'au lit blanc doté à chaque extrémité d'un panneau marron, où Len, les bras en croix, la tête de biais, lui souriait en hochant la tête d'un air déterminé. « Il est content de te voir », traduisait Rabbi Kaplan. Chez lui, Francine comptait.

Lorsqu'elle avait appris que Beth Abraham avait récemment évincé son rabbin principal, soi-disant « trop intellectuel », pour lui substituer quelqu'un de « plus facile d'accès » – un certain Rabbi Krantz, aux cheveux teints en noir et rabattus sur le côté pour cacher sa calvitie, et qui possédait les capacités intellectuelles d'un poisson rouge –, elle avait fait pression pour imposer Kaplan à sa place. Cela avait donné lieu à une longue dispute d'un bout à l'autre de câbles téléphoniques s'étendant sur la moitié du pays. Francine tenait à ce que la cérémonie soit célébrée par quelqu'un qu'elle connaissait, quelqu'un qui n'avait pas la réputation d'être un abruti. Sa mère avait rétorqué que Kaplan ne célébrait pas les mariages, *c'était comme ça, c'est tout*, et elle craignait qu'une telle entorse au protocole ne fasse jaser la communauté juive très soudée de Dayton. Francine avait fini par l'emporter. « À condition que Krantz soit à la bimah, avait insisté sa mère. Je ne veux pas contrarier les fidèles. D'autant plus que, tu le sais, j'aime beaucoup Krantz. Mais Kaplan aussi, il est très bien. »

Le discours de Kaplan fut bref et intime. Il parla un peu de Francine, déclara que celui qui l'épousait pouvait se considérer parmi les hommes les plus chanceux sur terre. (L'espace d'un instant, elle se demanda pourquoi elle n'épousait pas Kaplan.) Les mariés échangèrent les alliances. Arthur avait les mains trempées de sueur, et la bague glissa facilement sur son index lubrifié.

Tout ce qu'Arthur avait à faire à présent, c'était prononcer une phrase en hébreu qu'on lui avait demandé d'apprendre phonétiquement. *Harei at m'kudeshet li b'tabaat zo k'dat Moshe v'Yisrael*. Une seule phrase. *Par cet anneau, te voici accordée à moi, selon la loi de Moïse et d'Israël*. Quelques syllabes. Une poignée de consonnes et de voyelles. Francine se tourna vers lui, suspendue à ses lèvres.

– *Ha…*

Il se racla la gorge.

– *Ha… Har…*

Kaplan tenta de l'aider :

– *Harei at m'kudeshet…*

– *Ha…*

– *Harei… Har…*

Arthur leva des yeux désemparés et secoua la tête. Francine baissa la sienne, morte de honte. Elle commit alors l'erreur de regarder vers le sanctuaire, où elle vit l'un des sourcils de sa mère haussé nettement au-dessus de l'autre.

– *Harei at m'kudeshet li b'tabaat zo k'dat Moshe v'Yisrael*, chuchota Kaplan.

Arthur marmonna quelque chose d'approchant.

– *Harei atah m'kudash li b'tabaat zo k'dat Moshe v'Yisrael*, répondit Francine.

Et ainsi, dans ce charabia d'hébreu estropié, leur union fut scellée. Lorsque le nouveau couple sortit de la synagogue en fendant une foule d'inconnus, Francine découvrit avec stupéfaction, garée devant le temple, une limousine blanche. À côté, qui riait, se tenait sa mère.

L'hôtel était un bâtiment massif à l'allure soviétique. La salle de réception était bourrée à craquer de gens que Francine n'avait jamais vus ni ne reverrait sans doute jamais. Mme Klein y promenait les jeunes époux et les présentait à ses amis et à ses relations.

On servit le déjeuner. (Il y avait là, dans le repas et son heure, une certaine indignité : un déjeuner plutôt qu'un dîner, le grand jour et non la nuit magique et permissive.) La nourriture n'était pas particulièrement bonne, mais Francine s'en gava pour s'empêcher de s'en prendre à sa mère, qui lui gâchait la journée la plus importante de sa vie, et à son mari – un mari dont elle avait littéralement défendu la place à cette table –, pour l'heure occupé à mâchonner une asperge, l'air terrifié.

Puis, tout à coup, la mère d'Arthur était debout avec un demi-verre d'eau dans une main et une cuiller à soupe dans l'autre. Le brouhaha s'estompa. Les convives cessèrent de manger, leur fourchette suspendue dans le vide entre leur assiette et leur bouche. Les joues de Francine s'enflammèrent. *Qu'est-ce qui te prend ?* Elle tenta d'amener mentalement la mère d'Arthur à s'asseoir. *Assieds-toi*, pensa-t-elle. *ASSIEDS-TOI !*

– En tant que mère du marié, dit la mère d'Arthur en insistant sur *marié* avec une sombre délectation, je tiens à féliciter ces deux jeunes gens pour leur union. Une bien belle cérémonie, n'est-ce pas ?

Il y avait indéniablement du sarcasme dans sa voix. À dessein, ou était-ce sa manière de parler ?

– Je suis fière de ces deux-là.

Bon. Elle veut peut-être seulement être gentille.

– En revanche…

Non !

– En revanche, je m'étonne qu'ils se marient. Après tout, ils vivent déjà ensemble. Comme dit le dicton : « Pourquoi acheter la vache quand le lait est gratuit ? »

Des chuchotements parcoururent la salle. Des cousins au quatrième degré laissèrent tomber leur fourchette. Mme Klein n'avait pas informé la faction la plus conservatrice du contingent de Dayton – des gens dont Francine ne voulait même pas à son mariage ! – de la cohabitation antérieure du jeune couple. Quelqu'un toussa. Une serviette tomba doucement sur le sol.

Francine s'excusa. Elle se retira d'un pas vif aux toilettes et se pencha vers le lavabo. Ses épaules se soulevèrent. Elle gémit. Elle comprenait à présent pourquoi Arthur parlait de cette journée comme d'un mauvais moment à passer. Ce mariage n'était pas pour eux deux. Il était pour la mère de Francine et sa clique. *Si un jour j'ai des enfants*, songea-t-elle, déjà enceinte d'Ethan de quatre semaines (ce que ni elle ni personne ne savait alors), *si un jour j'ai des enfants, je ne chercherai pas à diriger leur vie. Je les laisserai tracer leur chemin, pour le meilleur ou pour le pire.* Elle se regarda dans le miroir. Elle était blême, ses cils collés en paquets par son mascara

La porte s'ouvrit, et Bex entra.

– Oh, Franny, dit-elle en prenant sa sœur dans ses bras.

– Y a rien qui va, sanglota Francine. Ça ne devait pas se passer comme ça. Je savais que maman ferait des problèmes, mais jamais je n'aurais imaginé…

Des hoquets s'ajoutèrent à ses sanglots :

– Que quelqu'un… et ce discours… c'était *tellement gênant…*

– T'en fais pas, dit Bex en lui frottant le dos. Ça va s'arranger. C'est quoi, une journée ? Une journée, dans une vie ?

Arthur fit irruption.

– Je sais que je suis chez les dames, dit-il en s'arrêtant à la porte, mais on a besoin de vous dans la salle. Les mères sont en train de s'écharper, et on a besoin de tout le monde pour les séparer.

15

En se réveillant, synchrone avec les cloches, le dimanche matin, Maggie trouva son père au pied de son lit.

– Que... quelle heure il est ? demanda-t-elle en laissant retomber sa tête sur son oreiller.

– Je voulais m'excuser.

– Pour...

– Le Piggy's. Je n'aurais pas dû t'emmener là-bas. J'aurais dû y penser.

Maggie bâilla et essuya du mucus séché sur ses lèvres.

– Passons la journée ensemble, dit Arthur. Entre père et fille.

Maggie parla dans l'oreiller :

– Quelle heure il est ?

Mais elle s'en doutait : il devait être six heures. Le père de Maggie possédait un réveil interne qui sonnait tous les matins à cinq heures et demie, et à six heures il était douché et habillé, et n'hésitait pas à réveiller ses enfants pour leur faire part d'une information qui aurait très bien pu attendre quelques heures. À Ridgewood, Maggie avait pris l'habitude de dormir jusqu'à ce que les ouvriers commencent à travailler, à neuf heures, dans la fosse sous sa fenêtre, et Arthur était là, petit tyran du matin, qui lui proposait des projets pour la journée alors que le soleil était encore bas dans le ciel. Elle ne sut comment réagir. C'était un guet-apens.

Elle se redressa et cligna des yeux pour se réveiller. Arthur était déjà habillé, il portait sa tenue du week-end : polo blanc antitranspirant et pantalon marron. Ni un jean ni un chino, un pantalon sans aucun signe distinctif, constitué d'un tissu indéterminé et vendu dans des magasins que seuls les pères connaissent.

– Qu'est-ce que tu voulais faire ? demanda Maggie, la voix engluée de sommeil. Je comptais aller rendre visite à maman.

– Plus tard. Tu pourras y aller plus tard. Aujourd'hui, j'ai besoin de toi. S'il te plaît.

– D'accord. Laisse-moi m'habiller.

Il sortit et referma la porte derrière lui. Elle se leva, s'étira. Elle sentit le sommeil quitter son corps, mais il fut remplacé par un sentiment de nervosité montant de son estomac. Les dimanches n'étaient pour elle qu'une longue heure maudite. Une porte ouverte par laquelle s'engouffraient les démons, d'interminables intervalles au cours desquels les fantômes de son chagrin s'empilaient par-dessus son angoisse ordinaire. Les dimanches à Saint Louis étaient particulièrement durs. Une ville mutique, et rien ne tentait plus ses monstres que le silence. Elle frémit à l'idée de la journée vide devant elle et s'arma de courage pour affronter l'activité mystérieuse que lui réservait Arthur.

Dans le couloir, en se rendant à la salle de bains, elle tomba sur Ethan.

– Il faut qu'on parle des photos.

– Quelles photos ?

– Dans la salle à manger… Au mur…

– Ah, celles-là. Celles de son voyage, c'est ça ? Son voyage en Zambie ?

– Au Zimbabwe. Maman ne t'en a jamais parlé ?

Ethan haussa les épaules.

– Oh là là. Une sacrée histoire. Je te la raconterai plus tard.

– Moi, je les ai trouvées plutôt sympas.

– *Sympas* ? Pas narcissiques ? Pas égoïstes ? Pas mégalos ? Reconnais au moins qu'elles sont bizarres. Papa en grand sauveur blanc.

– Il a l'air heureux.

– Ça, c'est vrai.

– Je ne l'ai jamais vu aussi heureux.

Maggie secoua la tête.

– Moi non plus.

– Ben moi, je trouve ça sympa.

– Je suis folle ? J'ai l'impression d'être folle. Il t'a lavé le cerveau, au ballet ?

– C'est un être humain, dit Ethan. Je crois qu'il fait un effort, cette fois. Ce n'est pas toi qui as dit que cette fois, c'était différent ? Ce n'est pas pour ça qu'on est venus ?

– Ça, c'est sûr, dit Maggie. Cette fois, c'est différent.

Maggie était sceptique. Il le fallait bien. Baisser sa garde, c'était se rendre vulnérable aux manigances de son père. Car il manigançait quelque chose, c'était évident. Il y avait anguille sous roche. Ce fut donc avec une grande méfiance qu'elle s'installa, deux heures plus

345

tard, sur le siège passager de l'ancienne voiture de sa mère.

– Tu as pris ton petit déjeuner ?

– Ouais.

– Tu as mangé suffisamment ? On ne va pas chômer.

– On va où, alors ?

– Tu verras.

Elle se tint immobile tandis que son père sortait de l'allée en marche arrière, sa nervosité avivée par chaque seconde de silence.

– Papa ? Tu veux bien me dire ce que c'est, cette, euh... nouvelle touche de déco ? Dans la salle à manger ?

– Bien sûr. Je suis content que tu l'aies remarquée.

– Vraiment ?

– Oui. J'ai toujours voulu vous parler de mon séjour en Afrique.

Maggie cligna des yeux.

– Ah ?

– Ça peut vous intéresser, je pense.

Elle sentit son pouls dans son cou, dans ses poignets.

– Raconte.

Arthur se gratta la tête.

– Quand j'étais jeune, dit-il, tout ce que je voulais, c'était être quelqu'un de bien. Tu ne t'en rends pas compte, mais on a ça en commun, c'est marrant. En vieillissant, tu t'en apercevras plus tard, on a de plus en plus de mal à éprouver de l'empathie. C'est un muscle qui s'atrophie. Attends d'avoir des enfants, tu comprendras. Tu te mets à penser à toi, à ta cellule personnelle, et rapidement tu oublies les autres. Mais en ce temps-là, j'étais jeune, et je voulais faire quelque chose de ma vie.

Je voulais apporter quelque chose au monde. Voilà quel homme j'étais. Ta mère et moi, on sortait ensemble, à l'époque. On n'était pas encore mariés. Je travaillais dans une boîte de génie civil, et j'ai inventé un… un matériau de construction, disons, inutilisable aux États-Unis.

Il baissa son pare-soleil.

– Je m'étais renseigné sur le Zimbabwe. Un ami au boulot avait de la famille là-bas. Et je me suis dit : « Voilà un endroit où je peux aller. Voilà un endroit où je peux aider. » Mon matériau pouvait être utilisé, là-bas. Il n'était pas cher à produire et les normes locales de construction étaient très souples. Dans les zones rurales, on n'avait pas besoin de contrats, de permis, tout ça. On vous laissait construire. Et c'est ce que j'ai fait. J'ai construit des latrines. Pas très sexy comme cause, je sais, mais importante, et je n'avais pas peur de me remonter les manches. L'hygiène publique. Personne ne le dit, mais c'est le socle de la civilisation. J'ai obtenu une bourse. Tu as peut-être vu ma proposition. Il y en a un exemplaire à la bibliothèque des études africaines sur le campus. Un petit bouquin relié. On en avait plusieurs à la maison, ils ont été détruits dans l'incendie.

Il secoua la tête.

– Bref, je suis resté là-bas environ un an. Des latrines sûres, bon marché et hygiéniques. C'était ça, l'idée. Ç'a été une expérience révélatrice, ça, je peux te le dire. Jamais je n'ai été aussi motivé de ma vie. J'ai eu une enfance moins dorée que la tienne. Mon père travaillait dur, mais il buvait, et sans avoir l'alcool mauvais, ce n'était pas non plus un modèle de responsabilité parentale. On n'avait pas d'argent à gaspiller. J'en ai souffert, même à la fac. Surtout à la fac. Ce que je veux dire, c'est que j'avais l'impression de savoir ce que c'était d'en baver. D'être fauché. Mais ce n'était rien à côté de ce que j'ai découvert au Zimbabwe. Quand on voit comment vivent certaines personnes, on se demande comment d'autres peuvent jeter l'argent par les fenêtres. Et même si on ne l'a pas vu, on sait que ces gens existent. Avec Internet, aujourd'hui, tout le monde le sait. Moi, j'en ai été un témoin direct. Ce sont des images qui vous marquent. Ça va te paraître bizarre, mais j'ai pensé à Ethan et à toi tout le temps, là-bas. Pas à vous précisément, vous n'étiez pas nés, mais à mes enfants. Je voulais que mon exemple leur serve de leçon. Je voulais qu'ils soient fiers de moi. Je voulais leur apprendre à devenir des gens bien, et je tenais à avoir accompli quelque chose de bien moi-même. Je ne supporte pas l'hypocrisie. Toi et moi, Maggie, on n'est pas si différents.

Durant tout le temps de ce monologue, Maggie se préparait au tournant du récit. Au moment où les choses étaient allées de travers. Mais la voiture s'était à présent immobilisée, et Arthur attendait sa réaction. Comme si l'histoire s'arrêtait là.

– Le petit, qui c'est ? demanda-t-elle.

– Pardon ?

– Sur les photos. Qui est le petit avec toi ?

Arthur hocha la tête d'un air grave.

– Ah. Oui. Il y avait ce petit garçon, il vivait près de l'antenne de l'église pour laquelle je travaillais. Il venait me voir de temps en temps. On ne pouvait pas communiquer, pas verbalement, mais il me tenait compagnie. Un chouette gamin. Il me regardait travailler. On a développé une, une *amitié*, on peut dire. Un collègue a pris des photos de nous. Sur une vieille pellicule. J'ai dû les faire numériser. Elles mettent un peu de vie dans la maison, je trouve. Je me trompe ?

Ça met un peu de vie dans la maison, je trouve.

Maggie trembla.

– Oui.

Arthur coupa le moteur.

– Quoi ?

– Oui, tu te trompes. Je ne trouve pas qu'elles mettent de la vie dans la maison, moi. Je trouve… Je trouve qu'elles ont l'effet inverse.

– De quoi tu parles ?

– Je sais ce qui s'est passé là-bas.

Arthur se raidit.

– Tu sais quoi, au juste ?

– Je suis au courant pour les mouches, papa. Je suis au courant pour la maladie du sommeil.

Les mots de Maggie restèrent suspendus dans l'air. Arthur toussa.

– Ethan aussi ?

– Non. Mais il mérite de l'être. Je ne sais pas comment tu peux te regarder dans la glace. Franchement. Faire ce que tu as fait. Provoquer une *épidémie* – peu importent tes intentions – et repartir, impunément…

– Impunément ? explosa-t-il. *Impunément ?* Qui a dit que je n'avais pas été puni ? Ça ne t'est pas venu à l'esprit que je n'avais jamais cessé de me punir depuis ?

– Ce n'est pas la même chose !

– Je le sais ! Je le sais, bon Dieu ! Toute ma vie je l'ai attendue, cette punition ! Chaque matin, je me réveille…

Il fit claquer ses mains.

– Eh non, je suis toujours là. Toujours bouffé par ce truc. Par ce putain de sentiment de culpabilité. Mais je vais te dire une chose. Quand ce jour viendra – quand je devrai répondre de mes actes –, ce ne sera pas toi qui prononceras la sentence. Reproche-moi ce que tu veux, Maggie, tout ce que j'ai pu te faire, mais pour l'amour du ciel ne me juge pas pour ça. Ce n'est pas ton rôle. Tu n'étais pas là-bas.

Maggie était clouée à son siège. Elle l'avait déjà vu crier par le passé mais jamais ainsi, avec une telle sévérité face à lui-même.

– Allez, entrons, dit-il en secouant la tête. Essayons de ne pas gâcher la matinée.

Maggie regarda par sa vitre. Elle était tellement absorbée par le récit de son père qu'elle n'avait pas remarqué où il l'avait emmenée.

Aux Petits Compagnons était situé dans The Hill, enclave italienne où abondaient les boulangeries, les églises et les bouches d'incendie peintes en vert-blanc-rouge. Au coin des avenues Wilson et Marconi se dressait l'église catholique St. Ambrose, dans toute sa gloire de brique et de terre cuite. Un peu moins de deux kilomètres au sud, il y avait Sublette Park, ancien site du Social Evil Hospital, où les prostituées du XIXe siècle étaient soignées et incitées à changer d'activité.

Maggie connaissait bien le quartier. Aux Petits Compagnons, qui accueillait plus de quatre cents animaux sans foyer (en plus d'offrir un service de stérilisation à prix réduit et de nourrir les bêtes des plus démunis), était l'endroit où elle avait passé le plus clair de son temps en dehors des heures de cours lorsqu'elle était au collège. Depuis toute jeune, elle adorait les animaux, les chiens en particulier. (Les chats étaient trop indépendants, lunatiques et critiques – trop humains – pour ce retour d'amour qu'on attendait lorsqu'on s'occupait des animaux. Maggie les trouvait également trop intelligents – fille de professeur d'université, elle prisait peu l'intelligence pure.) Les chiens la faisaient fondre ; un coup de leur maladroite queue poilue, et toute son angoisse s'envolait.

Bénévole dans ce refuge durant des années, tous les dimanches après-midi elle avait nourri, manipulé et chouchouté des chiots sans foyer. Puis, entre ses études et son intérêt croissant pour la souffrance humaine, ses visites s'étaient espacées. Elle l'avait regretté. À la fac, son contact avec les animaux s'était limité à la ferme pédagogique invitée par les fraternités à venir sur le campus en période d'examens pour déstresser les étudiants. Et aujourd'hui, à Ridgewood, elle n'avait que Flower, le misérable labrador des Nakahara, reclus dans son coin.

Elle suivit son père à l'intérieur du refuge. Le fait qu'il ait reconnu, sinon sa culpabilité, du moins des remords, la mettait dans une situation délicate. Comment humilier quelqu'un qui avait déjà honte de lui-même ? La haine que se portait Arthur la privait du plaisir de le détester. Où cet homme avait-il été tout au long de la vie de Maggie ? Et que faisaient-ils tous les deux au refuge ?

351

Ils s'approchèrent du bureau à l'entrée. Une femme aux cheveux rêches et en col roulé s'excusa pour l'état des lieux tandis qu'un nuage de plâtre tombait du plafond.

Maggie soupira. Sévèrement désargenté, Aux Petits Compagnons vivait de subventions publiques et de dons privés, en concurrence avec deux autres refuges dans un rayon de vingt-cinq kilomètres. Quelques années plus tôt, l'un de ces autres refuges, qui, contrairement à celui-ci, euthanasiait les bêtes qui ne trouvaient pas de maître, avait envoyé un courrier diffamatoire aux habitants locaux en leur disant qu'Aux Petits Compagnons blanchissait de l'argent. Encore aurait-il fallu qu'il y ait de l'argent à blanchir ! *Bon Dieu*, songea Maggie en se remémorant cet incident. *Que ne feraient pas certaines personnes pour tuer un chien...*

– Je suis Arthur Alter. J'ai appelé avant de venir. J'ai eu une certaine Suzanne...

– C'est moi.

Arthur eut un sourire mielleux :

– Ah, bonjour. Vous disiez que ma fille et moi, on pouvait vous donner un coup de main, aujourd'hui ?

– Absolument.

– Dites-nous ce qu'on peut faire.

La femme plongea la main dans un tiroir et en retira deux brosses, qu'elle posa devant elle sur le bureau. Des brosses à double-face : pointes métalliques d'un côté, poils en nylon de l'autre.

– Nous avons un nombre de tâches limitées pour les débutants, dit Suzanne. Nous préférons commencer simple. Prenez ces brosses et procédez cage par cage.

Nous avons beaucoup de chiens qui perdent leurs poils, et nous voulons qu'ils soient propres et mignons pour vite trouver le maître de leur vie.

Elle sourit, et deux piécettes de lumière se posèrent sur ses joues rondes et rouges.

– Moi, je ne suis pas débutante, dit Maggie. J'ai déjà travaillé ici.

– Ah bon ? s'étonna la femme, troublée. C'est drôle, je ne vous reconnais pas.

– Oui, enfin, j'étais bénévole. C'était il y a quelque temps. Bref, je sais où sont les cages.

Maggie se tourna vers Arthur :

– On y va ?

– Je te suis, dit-il.

Un étroit couloir les mena à la salle qui, éclairée par des néons, servait de chenil. Les cages y étaient réparties en deux rangées chacune d'un côté, des cages individuelles aux parois de parpaing. Lorsque Maggie avait commencé à travailler ici au collège et s'était étonnée de ces conditions carcérales, on lui avait expliqué que celles-ci, outre leur intérêt économique, avaient pour effet d'encourager les adoptions. « Si les chiens ont l'air trop à leur aise, personne ne voudra les emmener chez soi, lui avait dit sa supérieure. La culpabilité est un puissant levier dans un endroit comme celui-ci. »

Maggie entra dans la cage d'un labrador jaune. Une petite cellule exiguë. Elle pouvait presque en toucher les deux parois opposées en tendant les bras. Arthur prit place dans la cage voisine, invisible derrière les parpaings qui ne montaient cependant pas jusqu'au plafond. Maggie s'accroupit près du labrador et fourra son nez dans ses poils. Le chien lui lécha le visage et haleta, idiot, joyeux. *Reste sur tes gardes !* songea-t-elle.

— Papa, dit-elle en faisant porter sa voix par-dessus la paroi. Tu te souviens de Céline Default ?

— La fille de Guy Default ?

— Oui, c'est ça.

À Danforth, les étudiants dont les parents enseignaient sur place formaient une coalition mal à l'aise. Ils se connaissaient tous, partageaient tous la même insécurité due à leurs doutes quant à leurs capacités réelles et intervenaient rarement en public de peur d'être accusés de népotisme. Céline était une double héritière, si on peut qualifier d'héritage le fait d'avoir un parent employé par la troisième université revendiquant le nom de Harvard du Midwest. Riches d'une fortune personnelle, Guy et Mathilde Default enseignaient toutefois à plein temps au département de français, lui la French Theory, elle la langue.

— Tu savais que son père avait écrit un livre ? demanda Maggie.

— Non, mais bon, dit Arthur. Rien d'étonnant.

— Pas un livre universitaire. Je parle d'un roman.

— Un roman ?

— Publié à compte d'auteur.

— Non !

— Si. Pendant sa séparation d'avec la mère de Céline. Un truc super gênant. Un récit à peine voilé de sa liaison.

Le labrador haletait, Maggie sentait son souffle chaud sur son cou.

— Ah.

354

– Ouais. Il fait passer Mathilde pour une harpie. Et bien sûr, le personnage de Guy est complètement écrasé, il porte la famille à bout de bras, il pleure sa jeunesse. Le quinqua qui se morfond. Il y a deux scènes – *deux* scènes – où il se regarde nu dans la glace et, bon... Il *s'évalue*, tu vois.

– C'est-à-dire ?

– Il examine son pénis, dit Maggie, avant de s'installer sur le sol de la cage et de commencer à brosser le pelage jaune pâle du chien.

– Ah.

– La taille étant une métaphore de...

– Je vois.

– Ouais.

– Et donc ?

– Donc quoi ?

– Pourquoi tu me parles de ça ?

– Je sais pas. Ça m'est revenu.

Il fallait qu'elle se taise, elle le savait, mais elle ne put s'empêcher d'ajouter :

– C'est à se demander si l'infidélité ne serait pas une condition pour être titularisé.

N'obtenant aucune réaction, elle insista :

– Qu'en penses-tu ?

Il y eut un long silence. Elle entendait, derrière le mur qui les séparait, les bruits râpeux et répétés d'Arthur brossant son animal.

– Moi, je ne suis pas titulaire, finit-il par répondre.

– C'est vrai, dit-elle en réprimant une bouffée d'apitoiement.

Malgré toute sa combativité et sa volonté de maintenir son père à distance, elle n'était pas à l'aise dans la cruauté.

Elle monta sur une caisse et regarda par-dessus la paroi de parpaing. Arthur était à genoux devant un pitbull marron avec une raie blanche verticale sur le poitrail.

– Euh… Papa ?

– Ouais ?

– Côté poils.

– Mmh ?

– Retourne la brosse. Tu es côté pointes.

– Ah, dit-il avant de retourner la brosse dans sa main. Côté poils.

Au sortir du refuge, déclinant son invitation à déjeuner avec lui – pas au Piggy's, promit-il avec un rire contrit –, Maggie demanda à son père de la déposer au jardin botanique du Missouri.

Ce jardin, c'était chez sa mère. Francine avait eu une passion pour ce lieu. Elle s'y rendait tous les dimanches matin au printemps, n'emmenant Maggie qu'une ou deux fois dans la saison. Le plus souvent, elle insistait pour y aller seule, et à son retour elle irradiait de calme, courte parenthèse de sérénité d'une heure ou deux, le temps pour Arthur de trouver une nouvelle source de contrariété. À présent, en s'enfonçant dans la verdure, Maggie regretta de ne pas avoir accepté de déjeuner avec son père. La tête lui tournait, sous l'effet conjugué des souvenirs et de l'hypoglycémie.

Le terrain était divisé en sous-jardins, les plus impressionnants desquels s'inspiraient de l'horticulture internationale. Francine adorait le jardin chinois avec ses pruniers, ses pivoines et ses lotus ; l'espace victorien avec ses allées de briques rouges et son labyrinthe de haies ; la végétation alpine, sèche et dépouillée, du jardin bavarois ; les quatre îlots discrets du jardin japonais. Que son endroit préféré dans toute la ville soit si cosmopolite, si peu caractéristique de Saint Louis, ne faisait que conforter Maggie dans sa conviction que sa mère avait été malheureuse tout le temps qu'elle avait passé là. Qu'elle avait quitté le Midwest à dix-huit ans et n'y était revenue que contrainte et forcée. Qu'elle avait renoncé à une vie de fruits de mer frais et de réussite professionnelle à Boston pour une ville qui incarnait tout ce qu'elle détestait.

Ce que la mère de Maggie aimait par-dessus tout, c'était le Climatron, une gigantesque serre aménagée sous un dôme géodésique treillissé. Maggie quant à elle n'appréciait pas beaucoup cet endroit. Cette demisphère alvéolée qui s'élevait au-dessus du sol verdoyant avait un peu, disons-le, des allures de kyste, un kyste géant de fabrication humaine, une technotuméfaction soutenue par un réseau de tubes en aluminium. C'était les années 80 telles que les avaient imaginées les années 60. Des cercles holistiques, des poches amniotiques, annonciateurs d'un futur unifié. Mais les années 60 s'étaient trompées, et cette structure rétrofuturiste semblait aujourd'hui désigner une ère qui n'était jamais venue, peuplée d'hommes qui n'avaient jamais existé. À l'intérieur, ce n'était pas mieux. Sous le dôme vitré régnait l'humidité amazonienne d'une forêt tropicale artificielle. Les fougères et toutes sortes d'autres plantes vertes abondaient, les seules couleurs discordantes provenant des quatre sculptures de Chihuly réparties au milieu de la végétation, et dont les tiges et les bulbes de verre compensaient l'expérience décevante de la nature sans ornement. On avait l'impression de se trouver dans un parc à thème. Maggie aurait voulu connaître la raison de l'attrait du Climatron pour sa mère, mais cette raison était perdue, perdue avec la foule de détails, de souvenirs et de préférences accumulés par Francine durant une demi-vie.

Avant sa mort, elle avait demandé à être incinérée, mais elle n'avait jamais précisé où elle voulait reposer. Ses cendres avaient été rassemblées dans un petit coffret noir resté plusieurs jours sur le bureau de Francine, là où Arthur l'avait posé en attendant. Il ne supportait pas de le voir. Maggie, frustrée par l'inaction de son père, s'était chargée de disperser elle-même les cendres. Un soir, elle les transvasa en cachette dans une boîte à cigares, qu'elle scotcha, glissa dans son sac à dos et les emmena au jardin botanique.

Elle envisagea l'espace victorien, le jardin xérophile ottoman, la papillonnerie. Elle envisagea le Climatron.

Ça ne pouvait être que le Climatron.

Mais disperser les cendres d'une personne dans l'enceinte d'une populaire attraction vitrée se révéla plus compliqué que ne le pensait Maggie. Elle avait besoin de trouver un coin à l'abri des regards des visiteurs et du personnel du jardin, ce qui se révéla impossible, le dôme n'ayant (évidemment !) aucun coin. Elle en parcourut la circonférence. Il n'y avait aucun endroit où elle pouvait passer inaperçue.

Dans les haut-parleurs, une voix annonça que le Climatron allait bientôt fermer. Arrivant dans une zone déserte, Maggie s'écarta du chemin de gravier et s'assit sur un rocher lisse et humide. Là, elle posa son sac à dos devant elle, l'ouvrit et en sortit la boîte à cigares. Dans son dos, une cascade haute d'un mètre projetait de l'eau claire dans un ruisseau coulant au milieu de la forêt. Maggie regarda à gauche et à droite, puis, faisant passer la boîte à cigares derrière elle, en versa le contenu dans le ruisseau.

Son père fut furieux. « Le *jardin botanique* ? cria-t-il. Qui veut reposer là, bon sang ?! » Mais Maggie avait la conscience tranquille. S'il y avait une parole de sagesse à retenir parmi les adages rebattus dont elle fut bombardée durant les semaines qui suivirent la mort de sa mère, c'était celle-ci : *Il n'y a pas de mauvaise manière de pleurer un être cher.* Autrement dit, le deuil était une scène sur laquelle on pouvait se vautrer dans l'égoïsme et laisser libre cours à ses pulsions les plus basiques, surtout lorsque celles-ci se rapportaient directement à l'être aimé. Maggie dit à son père qu'elle avait dispersé les cendres un peu partout dans le parc, selon les vœux de sa mère. Le dôme, décida-t-elle, ce serait son secret. Elle voulait que le lieu exact de la dernière demeure de sa mère ne soit connu que d'elle seule, et pourquoi pas ? C'était elle qui l'avait aimée le plus.

En pénétrant à l'intérieur du Climatron à présent, près de deux ans plus tard, prise de suées sitôt entrée dans la fausse forêt tropicale et entourée des gazouillis d'eau, des bruissements de feuilles et des chants d'oiseaux numérisés s'échappant des haut-parleurs, Maggie se sentit gagnée par une sensation étrange. Elle monta en elle, s'empara de son corps, comme si sa circulation sanguine s'était inversée lorsqu'elle avait franchi les portes à détection de mouvement du dôme. Était-ce l'humidité ? Autre chose ? Une mouche frôla son oreille. Projection de son esprit, la présence de sa mère dans ce lieu ? Elle la ressentait s'écoulant avec l'eau, frémissant avec les feuilles. Ouah, quelle chaleur, se dit-elle. Tout ça, c'est trop. Trop de choses à intégrer. *Bzzzz.* Bon Dieu… C'est tellement écrasant, parfois, le quotidien. Comment font les autres pour tenir le coup ? Hé, mademoiselle, attention ! Vraiment très humides, ces plantes. Une voix quelque part. En l'air. Maman ? Non. Un enregistrement. Le jardin botanique du Missouri vous souhaite la bienvenue. *Bzzzzzz.* Bienvenue au jardin botanique du Missouri…

16

Lorsqu'il appuya sur la touche de l'interphone à côté de BUGBEE à l'adresse qu'il avait trouvée sur Internet, Ethan fut frappé par l'impression non pas de sonner à la porte d'un appartement du Central West End, mais de demander accès à la prochaine étape de sa vie. À son avenir, dont l'entrée était gardée par son passé. Le déclic presque immédiat du déverrouillage de la porte ne fit que renforcer cette impression. Comme un rendez-vous du destin. En gravissant l'escalier, il se prépara pour affronter ce qui l'attendait au troisième étage. Le jeune homme qu'il avait connu à la fac n'aurait jamais habité ce quartier – il en disait le plus grand mal à l'époque –, mais bon, ce jeune homme-là lui avait brisé le cœur. Ethan décida d'y voir un bon présage. La preuve qu'on pouvait changer, ne serait-ce que légèrement.

L'homme dans l'encadrement de la porte était Charlie sans être lui. Comme si on avait fourré Charlie dans un tonneau et l'avait fait rouler du haut d'une colline durant dix ans. Il avait toujours le même front, large comme un écran de cinéma, un peu marqué à présent peut-être, un peu ridé. Un léger épi hérissait encore la naissance de ses cheveux courts si on savait où le chercher. Et ses yeux… Reconnaissables entre tous, quoiqu'un peu plus pâles que ne se les rappelait Ethan, comme si les années écoulées avaient dilué leur couleur – celle des feuilles de thé vert, dans le souvenir d'Ethan – de quelques gouttes de lait. Comment réconcilier le jeune homme et l'adulte, ayant aimé le premier pour sa jeunesse ? Ethan avait été privé de la possibilité de vieillir lentement à ses côtés, d'assister à ses changements et de s'y adapter. Si la nostalgie était un passé auquel on avait limé les dents, voir Charlie aujourd'hui était un présent aux dents acérées.

– Ethan ?

– Charlie.

– Oh, merde…

Charlie resta figé l'espace de deux interminables secondes avant de s'avancer et de le serrer dans ses bras, brève étreinte ponctuée de trois petites tapes dans le dos. À la troisième, il le lâcha.

– De Danforth…

– Eh ouais.

Charlie regarda des deux côtés du couloir.

– Ben… reste pas là, entre.

Ethan s'exécuta. Décontenancé par l'invitation de Charlie (et cette étreinte, cette étreinte !), il faillit ne pas remarquer la décoration de l'appartement. On se serait cru dans une chambre de résidence universitaire : murs beiges nus, meubles Ikea.

– Je te sers quelque chose ? Un café ?

Alors qu'il n'était pas encore midi, Ethan avait siroté discrètement une bière dans un sac de papier kraft en venant.

– Ça va, merci.

Il n'était pas venu prendre le café. Il était venu chercher une explication, une excuse, afin de tourner la page : ces deux mots, *pardonne-moi*, seraient le code qui ouvrirait le cadenas de sa vie. Mais à présent, ayant été invité à entrer chez Charlie, il se demandait s'il n'avait pas manqué d'ambition. Une excuse, c'était le *minimum* qu'il était en droit d'attendre. Et si, en parlant avec lui, Charlie se rappelait ce qui les avait rapprochés au départ ? Et si Ethan s'autorisait à espérer mieux que tourner la page – en commencer une nouvelle, par exemple.

Charlie s'assit sur un canapé en polyester gris et fit signe à Ethan de prendre la chaise à coque de plastique blanc près de l'îlot de la cuisine.

– Ethan. Ethan… Alter, c'est ça ? La vache ! Ça fait combien ? dix ans ?

Il plissa les yeux pour scruter ceux d'Ethan.

– Plutôt huit.

– Huit, voilà. Huit.

Un silence s'installa, que rompit Charlie :

– Alors, qu'est-ce que tu deviens ?

Ethan résuma sa situation en bégayant. New York, bonne santé, entre deux boulots. Ses mains tremblaient sur ses cuisses. Il avait l'impression que quelqu'un parlait pour lui. Il détestait ses mots en les entendant tout haut. Il détestait le son de sa vie.

– Ouais, fit Charlie. C'est dur, là-bas.

Ethan remarqua la manière dont il croisait les jambes, un genou posé sur l'autre.

– Et toi, tu es resté à Saint Louis ?

– Je me suis tiré au Texas, en fait. J'étais en spé-physique, tu te souviens ?

Oh oui.

– J'avais toute ma famille chez Anheuser-Busch.

Comment pourrais-je l'oublier ?

– Ça m'a gêné de quitter la ville, d'abandonner mes frères, mais mon père m'a beaucoup poussé. Il avait des ambitions pour moi, il me pensait promis à un brillant avenir. Je me suis retrouvé au Centre spatial Johnson, à Houston.

– Ouah ! Et tu faisais quoi, là-bas ?

– Du contrôle de vol. La télémétrie, ça te dit quelque chose ?

Ethan secoua la tête. Charlie décrivit la salle du centre de contrôle, où, assis devant un moniteur, il surveillait la position des engins et des satellites, « un peu comme dans les films ». Il jargonna, parla en acronymes, MDM, FCR, FIW.

– J'y suis resté le temps de me faire la main. Je me débrouillais pas mal et j'étais plutôt bien payé. Mais six ou sept mois après la fin de la fac, tout s'est cassé la gueule.

Ethan hocha la tête :

– La crise financière.

– Ouais. Ça aussi. Mais non – en novembre, Anheuser-Busch a été racheté.

Durant les minutes qui suivirent, Ethan apprit qu'Anheuser-Busch avait été racheté en 2008 par InBev, le géant brésilo-belge de la bière. Pour cinquante-deux milliards de dollars, celui-ci s'était offert un accès au vaste réseau de distribution américain et était devenu la plus grande entreprise de bière de l'histoire. Puis était arrivée cette année de récession, et les ventes de Bud Light et de Budweiser s'étaient effondrées.

– Leurs deux marques phares étaient dans les choux, expliqua Charlie, mais au lieu d'essayer de redresser la barre, ils ont licencié, peu importe l'ancienneté des gens. Et devine qui ont été les premiers touchés…

Il décrivit une période de panique à la maison mère de Saint Louis, un règne de terreur tandis que des employés depuis des générations comme ses frères voyaient tout à coup leurs cartes magnétiques désactivées et leurs affaires emballées dans des cartons, à récupérer à la réception.

– J'ai culpabilisé d'être à Houston au milieu de tout ce bordel. Mon père voulait que j'y reste, mais après il est tombé malade.

– Oh, mon pauvre… Je suis vraiment désolé pour toi.

Charlie regarda ses pieds et haussa les épaules.

– C'est comme ça. Ç'a été rapide, au moins. À ce moment-là, j'avais déjà décidé de rentrer. Ma mère était toute seule, mes frères étaient au chômage. Je n'avais pas le choix.

– Et ici, alors, qu'est-ce que tu fais ?

– Je suis rentré chez Boeing. Ils adorent les diplômés de Danforth, figure-toi.

– Tu t'en es bien sorti.

– Ça va. C'est très… terrien. Je le vis un peu comme une rétrogradation. L'important, c'est que je vois ma mère tous les deux-trois jours.

– C'est chouette de ta part.

– C'est normal.

– Je suis surpris que tu habites si près du campus.

– Ça me plaît d'être à côté de la fac.

Avec un sourire en coin, Charlie ajouta :

– Ça a ses avantages.

– Ça, c'est vrai, s'enhardit Ethan.

Il avait l'impression d'être à nouveau dans la chambre de Charlie à Wrighton, de pouvoir tout dire.

– T'es peut-être pas au courant – je vois pas comment tu l'aurais su – mais ma mère est morte. Cancer du sein. Il y a environ deux ans.

– Je suis désolé pour toi.

– Ouais. C'est arrivé vite. On a tous été un peu surpris.

– Merde…

– Ouais.

Et là, Ethan déballa tout : la liaison d'Arthur, le déclin de Francine, le temps passé reclus chez lui. L'héritage de Francine, l'argent jeté par les fenêtres. Les dettes. Le sentiment d'avoir été prisonnier toute sa vie d'adulte : de son corps, de sa classe. Les derniers vingt-trois mois jaillirent hors de lui comme de la bière d'un fût pressurisé. La tête lui tourna tandis qu'il récitait la litanie de ses tourments.

– Je sais pas, conclut-il en regardant ses cuisses. Je sais plus trop où j'en suis. En tout cas, ça fait du bien d'en parler à quelqu'un, ça, je peux te le dire.

Il releva la tête. Charlie semblait sur le point de dire quelque chose, ses lèvres cherchaient une forme, puis sa bouche se ferma. Il resta silencieux un instant, puis :

– Je suis désolé pour ta mère.

Une phrase simple, prononcée d'un ton las, mais elle réchauffa le cœur de Charlie.

– Merci, dit-il.

Charlie hocha la tête, puis :

– Qu'est-ce qui t'amène à Saint Louis ?

– Mon père. Il nous a demandé de venir. Enfin, ça, c'est la raison officielle. Il faut que tu comprennes, Charlie – je suis revenu pour toi.

– Pour moi ?

– Oui. C'est toi, la raison, Charlie. Je voulais te voir, il fallait que je te parle. J'ai beaucoup repensé à notre dernière conversation.

– C'était quand ?

– La semaine de la remise des diplômes, au jardin botanique…

Charlie haussa les épaules. Ethan sentit le lobe de son oreille le brûler.

– Tu disais que tu voulais partir de Saint Louis…

– Je picolais beaucoup, à l'époque.

– Arrête. Tu t'en souviens forcément.

– C'était pas une super période pour moi.

Une porte claqua derrière Charlie. Il se leva.

– Salut, dit-il.

Tout à coup, l'atmosphère de l'appartement changea. Une jeune femme vêtue d'une robe rose moulante entra en traînant les pieds dans le champ de vision d'Ethan, accompagnée de l'odeur tourbée d'une herbe de mauvaise qualité. Elle s'arrêta dans le couloir.

– J'ai dormi chez Maddie, dit-elle.

– T'as pas cours aujourd'hui ? lui demanda Charlie.

– Dans une heure. C'est qui ?

367

– C'est Ethan, répondit Charlie. On était colocs à la fac.

– Salut.

Ethan suivit le regard de Charlie jusqu'à la peau couverte de taches de rousseur que laissait voir le décolleté de la fille. Son estomac se souleva.

– Bonjour, répondit-il.

Elle hocha la tête et disparut dans le couloir. Quelques instants plus tard, un bruit d'eau parcourant les canalisations entoura Ethan, suivi d'un crépitement de douche.

Ethan se tourna à nouveau vers Charlie :

– Voisins.

– Quoi ?

– Tu lui as dit qu'on était colocs. On était voisins. On n'a jamais partagé de chambre.

– C'est vrai, acquiesça Charlie.

Il avança de quelques pas vers Ethan et se pencha vers lui.

– Alors, raconte… Qu'est-ce que tu fais ici ? Comment tu m'as retrouvé ?

– Je voulais te voir.

– D'accord, mais *pourquoi* ?

– Je… j'espérais, bredouilla Ethan.

Que faisait-il là, au fond ?

– J'espérais revenir sur ce qui s'est passé.

– Ce qui s'est passé…

– À Pittsburgh.

– Écoute, mec, chuchota Charlie, je vois pas de quoi tu parles.

La fille chantonnait sous la douche.

– C'est qui, elle ?

– Qui ?

– *Elle*, répéta Ethan en désignant le couloir du menton.

– Lindsay ? Une fille. Personne.

– Elle habite ici ? Elle est avec toi ?

– Ça te regarde pas.

– C'est une gamine.

– Elle a vingt et un ans.

– Il faut qu'on parle, Charlie. De nous.

Sans élever la voix, Charlie dit :

– Va-t'en.

– Pourquoi tu fais ça ?

– Tu peux pas venir frapper à ma porte dix ans plus tard – sous prétexte qu'on est allés à la fac ensemble ou je sais pas quoi – et porter ces accusations…

– Je ne t'accuse de rien. Je… je te demande de reconnaître ce qui s'est passé.

– *Je vois pas de quoi tu parles.*

Ethan ferma les yeux, inspira profondément par le nez et rouvrit les yeux.

– Je t'ai vu.

– Comment ça ?

– Au Carnivora. Il y a trois ans. Je t'ai vu. Dans les toilettes…

– Dégage de chez moi.

– *NON !*

La force de la voix d'Ethan paralysa Charlie. Il se figea.

– Bébé ? lança la fille dans la salle de bains.

– T'as pas le droit ! poursuivit Ethan. T'as pas le droit de me refuser ça. Tu peux me foutre dehors si tu veux mais tu peux pas me dire qu'il s'est rien passé !

Il ne se rappelait pas s'être levé, pourtant il était debout. Debout, en sueur, un doigt raide pointé vers Charlie.

– Abruti ! Tu vois pas que j'essaie de t'aider ? Tu mens ! Ta vie n'est qu'un mensonge ! Tu crois que tu es le seul à souffrir, mais tu te plantes ! Bon Dieu… Après tout ce temps… Tu peux pas le reconnaître ? Reconnaître ce que tu es ? Merde, Charlie. Pauvre con. *Tu vois pas que j'essaie de t'aider ?*

Sitôt cette question formulée, il sut que c'étaient les derniers mots qu'il adresserait jamais à Charlie. M. Prochain se rua sur lui. Une décharge d'électricité envahit le cerveau d'Ethan. Sa vision se troubla. Des lueurs de feu d'artifice s'allumèrent autour de lui. Le point final qu'il attendait depuis si longtemps fut mis quelques secondes plus tard, lorsqu'il se retrouva sur le palier et que la porte de l'appartement lui claqua à la figure. Il avait un goût métallique dans la bouche. Derrière la porte, il entendait crier. Une perle de sang tombée de son nez tacha la moquette.

Il descendit l'escalier tant bien que mal et entra dans le restaurant japonais d'à côté. S'approchant de l'hôtesse d'accueil, il lui demanda s'il pouvait utiliser les toilettes. Elle eut un mouvement de recul.

– Oh là là, qu'est-ce qui vous est arrivé ?

– Les toilettes, s'il vous plaît.

– Elles sont réservées aux clients, mais… allez-y, c'est au fond. Je crois qu'on peut faire une exception pour vous.

Dans les toilettes, Ethan inventoria les dégâts. La douleur au centre de son visage était extraordinairement vive. Son nez avait pris une forme étrange. Il était violet et tordu au milieu. L'arête déviait sur le côté comme si elle avait changé d'avis en poussant. Le sang lui obstruait les narines. Il n'avait jamais rien senti de pareil. Il ne s'était jamais rien cassé. Sa blessure la plus grave avant celle-ci, il se l'était infligée lui-même (n'était-ce pas toujours le cas ?) : un syndrome du canal carpien à l'adolescence. Il s'était toujours tenu à l'écart des conflits, à la lisière des mêlées. Et là, il se retrouvait le nez barré d'une douleur incessante et atonale. Difficile de détacher son attention du siège de ces élancements, placé où il l'était, juste sous ses yeux.

Il en approcha timidement son doigt, le retira dès le premier contact.

Se tournant d'un côté puis de l'autre, il examina son nez sous tous les angles sous la lumière vacillante. Elle était vilaine, cette fracture, un peu dégoûtante, même. Il y avait de quoi donner la nausée à qui ne s'y attendait pas, à qui s'attendait à voir un nez propre et aquilin. Toutefois, après un moment d'adaptation, Ethan se dit que ça ne lui déplaisait pas. Il aimait assez cette allure cabossée.

Il ne se sentait pas si mal, au fond. La douleur, ajoutée à l'adrénaline de la confrontation, avait noyé sa colère. Il n'éprouvait même pas de tristesse. Il se sentait *soulagé*. Libéré d'un poids. Bourdonnant d'énergie. Il lui sembla, alors qu'il reprenait ses esprits dans les toilettes, que la léthargie dans laquelle il était tombé à New York le quittait. Cela faisait des années que son cœur n'avait pas battu aussi vite. Le nez gonflé, le sang électrique, il sortit des toilettes, sortit du restaurant, et entra dans l'éclatante lumière du jour.

Selon le gardien du Climatron en gilet vert-jaune fluorescent, Maggie était restée sans connaissance presque deux minutes complètes. Un temps inquiétant. Le gardien se trouvait dans les parages, il dit qu'il avait entendu son corps s'effondrer. « Un bruit très reconnaissable », ajouta-t-il, avec la gravité d'un homme qui a vécu, qui a *vu des choses*, sa moustache tachée de nicotine déformée par un sourire. Un ancien combattant, sans doute. Se redressant, Maggie tenta de deviner son âge et de le relier à une guerre de l'Histoire. La Corée ? Le Vietnam ? Elle était trop désorientée pour se prononcer.

– Il faut que vous mangiez quelque chose, lui dit-il. Des protéines. Et que vous buviez de l'eau. Beaucoup d'eau, d'accord ?

Maggie acquiesça.

Le gardien l'accompagna hors du dôme jusqu'au Cafe Flora, un restaurant sur le site du jardin botanique, où, sur son insistance, elle commanda deux saucisses, trois tranches de bacon, des pommes de terre sautées et deux œufs au plat retournés. « Ça va vous remettre d'aplomb », dit-il, avant de regagner son poste.

Lorsqu'elle fut servie, elle regarda fixement son assiette. Là, dans le gras luisant du bacon, dans les œufs gluants et frémissants, dans les pommes de terre encore grésillantes, dans les saucisses dodues, elle vit le reflet de tout ce contre quoi elle s'élevait : l'élevage industriel, la consommation de chair animale, la consommation en général... Elle tenta de se rappeler le moment où les choses avaient basculé. Où la nourriture avait perdu son attrait pour elle. Où elle avait cessé d'attendre les repas avec impatience et s'était mise à les sauter, remplie de terreur lorsqu'elle devait les partager avec d'autres ; l'inévitable inquisition – *Tu n'as pas faim ? Tu ne termines pas ?* –, les mille paires d'yeux braquées sur elle. L'obsession de son corps. Ces pensées qui lui bouffaient l'esprit, l'énergie qu'elle dépensait pour les chasser. Et la honte. La honte de ne pas vouloir remplir cette fonction humaine basique, et les réactions auxquelles elle s'exposait si elle s'en ouvrait, de son père, notamment (*Tu sais qui n'a pas de problème pour manger ? Les pauvres en Afrique rurale*).

Elle pensa à sa mère. Francine Alter, la femme aux seins ronds, aux jambes épaisses et à l'allure massive. Une femme imposante. En robe de soirée, elle n'avait pas honte d'être elle-même et d'afficher sa féminité et son autorité maternelle. Les derniers mois de sa vie, en revanche, dans son lit au Barnes-Jewish, elle s'était étiolée, ratatinée, rabougrie. « Regarde-moi, je veux te voir », disait-elle à Maggie, dont les larmes lui masquaient l'impossible image de sa mère aussi affaiblie. Maggie avait alors déjà commencé à perdre l'appétit. Le stress provoqué par la maladie de sa mère lui bloquait l'accès à toute forme de plaisir, la rendait étrangère à son corps, à la nourriture, au soleil, au sexe. Maggie s'était affaiblie par solidarité.

L'incinération lui avait retiré le peu de maîtrise qu'elle conservait sur sa vie, et sa peine s'était cristallisée dans le cadre rigide des rituels. Arthur était complètement paumé, Ethan replié sur lui-même et inaccessible. Face au désordre ambiant, Maggie était démunie. Que faire ? Comment vivre ? Son alimentation, en revanche, ce qu'elle mettait à l'intérieur de son corps, c'était son domaine. Elle régulait ce qu'elle mangeait comme un dictateur rationnant les céréales et le lait en temps de guerre. Sur son alimentation, elle avait les pleins pouvoirs, et personne ne pouvait les lui retirer.

Maggie regarda autour d'elle. Assis par deux, les clients s'empiffraient sans hésitation ni remords. Elle planta sa fourchette dans une saucisse. Le gardien avait insisté pour qu'elle mange, non ? Elle inspira profondément, expira en frissonnant et fourra la saucisse dans sa bouche.

Son repas terminé, elle trouva un banc ombragé près du bassin miroir et s'y assit. Elle sentait la nourriture cheminer en elle. Elle l'imagina se dissolvant dans son estomac et se transformant en énergie. Elle était lourde, gonflée, son haleine était chargée d'une odeur de viande, mais les bords de sa conscience s'étaient avivés. Des nénuphars de verre opalescent flottaient à la surface du bassin.

Encore quelques semaines et on serait en mai. Saint Louis deviendrait insupportable. Maggie, avec son teint pâle, ses allergies et ses cheveux enclins à friser, ne s'était jamais sentie en adéquation avec les étés ici. Elle avait

374

un corps qui demandait beaucoup de soins, il n'était pas adapté à l'humidité du Missouri en août.

Un plouf ; un cri. Maggie leva les yeux de ses cuisses pour voir un petit garçon qui venait de tomber à l'eau. « À l'aide ! cria une femme à la droite de Maggie. Bradley, sors de là ! À l'aide ! »

Bradley, le petit garçon, devait avoir neuf ou dix ans et, d'après Maggie, n'était pas en danger immédiat. Il jouait dans le bassin, en frappait la surface du plat des mains. Il semblait se tenir sur la pointe des pieds. L'eau ne lui arrivait qu'à la clavicule.

Sa mère continuait de crier. « Que quelqu'un fasse quelque chose ! » Elle se tenait au bord du bassin, juste au-dessus de lui.

Maggie repensa à un exercice de réflexion dont lui avait parlé une fille lors d'un de ses stages. Un exercice célèbre, avait dit la fille. Elle le lui avait décrit ainsi : En allant en cours, tu passes devant une mare peu profonde. Tu vois qu'un enfant y est tombé. Il est en train de se noyer. Tu as le choix : soit secourir l'enfant et rater ton cours parce que tu seras couverte de boue et toute mouillée, soit le laisser mourir. Évidemment, tu secours l'enfant. Imaginons à présent que l'enfant qui se noie se trouve plus loin. À cinq cents mètres, disons. Tu te précipiteras sans doute encore pour lui venir en aide. Mais si l'enfant se trouve à deux kilomètres ? De l'autre côté d'un océan ? À l'autre bout du monde ? Disons qu'il est en train de se noyer à l'autre bout du monde. Ou peut-être pas de se noyer, mais de mourir pour une autre raison – une maladie, la guerre, la famine. Et tu peux encore l'aider, lui sauver la vie en donnant de l'argent ou autre chose, en faisant un geste qui te coûterait très peu. Eh bien, devine quoi, avait dit la fille. C'est ce qui est en train de se passer. C'est notre réalité.

L'exercice en question se matérialisait à présent sous ses yeux. Un enfant était en train de se noyer. Enfin, non. Celui-là, il allait bien. Il s'amusait. Il pataugeait, il jouait. Contrairement à ce que laissaient entendre les hurlements de sa mère.

– Ce n'est pas très profond, dit Maggie à celle-ci. Il n'y a pas de danger.

La femme s'interrompit pour la foudroyer du regard avant de se remettre à crier. Du cinéma, songea Maggie. Une comédie éhontée.

L'enfant esquissa quelques mouvements de dos crawlé.

– Ce n'est pas très profond, répéta Maggie.

17

Le Dr Saad Malouf était le plus beau gynécologue de Boston. Ses qualités de médecin, du coup, semblaient presque secondaires. Il avait des cheveux épais, séparés par une raie bien nette, de lourdes paupières – elles lui donnaient l'air de plisser les yeux, et donc de sourire –, des dents parfaites sous une virile moustache poivre et sel.

Le Dr Malouf était très demandé. Ses patientes le recommandaient invariablement à leurs amies, qui arrivaient à son cabinet portant rouge à lèvres et mascara, dans l'espoir de faire bonne impression. Elles repartaient généralement avec le sentiment d'y être parvenues. Il était attentif, et sa voix chaude semblait incapable d'annoncer une mauvaise nouvelle. Francine était l'une de ces patientes-là : c'était une amie qui l'avait envoyée là en lui conseillant de se maquiller avant le rendez-vous. Elle avait trouvé cette idée ridicule, mais lorsque le Dr Malouf entra dans la salle d'examen, elle se félicita de l'avoir fait.

– Francine Alter ?

Les joues de Francine s'enflammèrent.

– C'est bien moi.

– Ravi.

Le Dr Malouf sourit, des fossettes encadrant sa moustache telles des parenthèses.

– Alors voilà, j'ai examiné vos échographies, et je vais recommander de programmer une césarienne.

Francine se mordit la lèvre.

– J'ai eu une césarienne la dernière fois et ça a failli me tuer.

– Je veillerai à ce que ça ne se produise pas, dit le Dr Malouf, avec la confiance des gens très beaux.

– Qu'est-ce qui me le garantit ?

– Eh bien, la dernière fois, ce n'était pas moi votre médecin.

Lorsque Francine avait eu Ethan six ans plus tôt, il y avait beaucoup de choses auxquelles elle n'était pas préparée : ses chevilles, enflées et brunes comme des friands trop cuits ; ses envies de manger des choses bizarres qu'elle n'avait jamais particulièrement aimées, comme les friands trop cuits. Ses contractions furent si atroces que lorsqu'Arthur l'amena à l'hôpital et que l'infirmière de la maternité lui demanda, pleine de bonne humeur, si elle était prête à avoir un bébé, Francine hurla : « Non ! Je suis prête à avoir une péridurale ! »

Elle n'était pas préparée à la douleur. Ethan avait une grosse tête et c'était par là qu'il se présentait. Tout ce que voyait Francine, c'était du rouge, du rouge, du rouge.

Ses contractions durèrent toute la nuit. Elle avait l'impression que quelqu'un se tenait derrière elle et lui frappait le crâne à coups de burin. « Mmmfsmmmsfmmm ! » gémissait-elle. L'anesthésiste avait raté sa péridurale.

Elle avait le visage engourdi et ne pouvait plus bouger les lèvres. Le reste de son corps, en revanche, était sensible au moindre influx nerveux. Elle ressentait tout. *Si je survis à ça*, se dit-elle, *on ne m'y reprendra plus*. L'idée du suicide, qui lui avait toujours paru romantique et lointaine – malgré tous les romans français qu'elle avait lus et tous les films français qu'elle avait vus, elle ne l'avait jamais envisagée pour elle-même –, s'insinuait à présent dans son esprit. Un malaise. Une nausée. Elle se disait que si elle avait un couteau à portée de la main, elle se trancherait les veines. À cela s'ajoutait la crainte que ses pulsions ne nuisent à l'enfant. Pouvait-elle avoir ce genre de pensées, des pensées de suicide au moyen d'un couteau, sans mettre en danger l'être qu'elle abritait dans son ventre ? La mort ne risquait-elle pas de gagner ses seins et de polluer son lait ?

Vers deux heures du matin, le cœur d'Ethan commença à faiblir. Il fallut tout le savoir-faire du médecin de garde, un envoyé du ciel dont Francine se jura de ne jamais oublier le nom – Phil Walsh, Phil Walsh, Phil Walsh ! – pour réadministrer correctement l'épidurale et orchestrer en urgence la césarienne qui leur sauva la vie, à Ethan et à elle. Elle reprit connaissance au service de réanimation. Elle ferma les yeux, les rouvrit – elle ne rêvait pas. L'ouïe et la vue lui revenaient peu à peu, voilées par la brume des drogues. La première image qu'elle enregistra fut celle d'Arthur appuyé contre le mur en face du lit, berçant leur enfant dans ses bras. Une image floue, éclairée d'une lumière douce. Ses mains tremblèrent. Elle n'avait pas la force de parler. Elle referma les yeux et s'abandonna à nouveau au sommeil, rassurée de savoir que son mari s'occupait de leur fils.

Mais à son réveil, une heure plus tard, la peur la saisit.

– On ne peut pas rester un peu ? demanda-t-elle à Phil Walsh, en tenant Ethan dans ses mains redevenues fermes.

Arthur se trouvait dans le couloir, il frappait un distributeur à coups de pied.

– Rien qu'une nuit, implora-t-elle. Je ne veux pas rentrer tout de suite. Je ne sais pas comment m'y prendre.

– Ne vous inquiétez pas, vous vous en sortirez très bien, la rassura Phil Walsh.

– Je…

Il fallait qu'elle l'avoue à quelqu'un.

– J'ai *peur*.

Ses yeux se remplirent de larmes.

– Ne dites rien à mon mari. Il a sûrement encore plus peur que moi. C'est à moi d'avoir du courage, mais je n'en ai pas, docteur. Je suis terrifiée.

– Ça va aller. Vous avez toutes les compétences requises.

Francine inspira profondément.

– Écoutez, poursuivit Phil Walsh. Si le bébé pleure, ça ne peut vouloir dire que trois choses. Il a besoin soit de manger, soit d'être changé, soit d'être pris dans les bras. Vous êtes capable de répondre à ces trois besoins, n'est-ce pas ?

Elle acquiesça tandis qu'Arthur revenait dans la chambre.

– Alors vous êtes parée.

Francine se tourna vers son mari.

– Le trac ? dit-il.

Elle confirma de la tête.

– On va y arriver, assura-t-il. Je ne me fais aucun souci.

Puis, lui tendant une barre chocolatée :

– Un Almond Joy ?

Francine était heureuse de voir son mari aussi confiant. Après le Zimbabwe, il avait passé des mois à se morfondre. Le mariage avait été un désastre, et il n'était guère ravi à l'idée de pouponner, mais Francine, qui avait toujours voulu avoir des enfants, nourrissait l'espoir qu'il se montrerait à la hauteur de la situation lorsqu'elle se présenterait. Pour une fois, il semblait qu'il ne la décevrait peut-être pas.

À leur retour à l'appartement – au début de la grossesse de Francine, ils avaient quitté Kenmore pour emménager dans un brownstone près de Jamaica Pond –, Francine s'assit dans le séjour en tenant Ethan dans ses bras tandis qu'Arthur allait préparer du café à l'aide de la cafetière italienne. Elle s'attendait à ressentir un instinct maternel, un instinct de protection, et c'était le cas, mais elle ne s'attendait pas au sentiment qu'elle éprouva alors en plongeant son regard dans les yeux étonnés de son fils : le sentiment que, plus que mère et fils, ils étaient *amis*. Qu'Ethan était une âme sœur. Elle reconnaissait le Klein qui était en lui. Ils étaient liés, ces deux-là. Il n'avait pas un jour entier et elle sentait déjà qu'ils avaient quelque chose d'essentiel en commun. Il se mit à pleurer, et elle aussi. Lorsqu'Arthur vint voir ce qui se passait, il s'aperçut, désarçonné, puis soulagé, que sa femme souriait. Huit jours plus tard, collègues et cousins se serrèrent dans cette même pièce, où le mohel Arnold Peseroff brandit son scalpel et accueillit Ethan dans le dur monde des hommes juifs.

Qualifier Maggie d'accident n'aurait pas été très pertinent. Certes imprévue, elle fut néanmoins conçue amoureusement lors d'un week-end de tendresse dans un motel près de Hartford, dans le Vermont, où Arthur avait emmené Francine pour décompresser après six mois passés à travailler et à s'occuper du petit sans relâche. Ils avaient laissé Ethan à la voisine, une rescapée des camps en qui Francine avait une confiance implicite.

Le week-end fut tel qu'ils l'espéraient : les forêts, les fermes, les ponts couverts. Ils marchèrent dans des bois bordés de neige et poussèrent la porte de quelques antiquaires. La nuit, ils dormaient blottis l'un contre l'autre sous quatre couches de couvertures.

Avant le Vermont, les Alter estimaient « en avoir fini » avec les enfants. Lorsque Francine découvrit qu'elle était enceinte quelques semaines plus tard, la nouvelle troubla la paix acquise sur l'édredon de la chambre de motel donnant sur Quechee Gorge.

– Pour être honnête, je me suis toujours vue avec deux enfants, dit Francine, de retour à Boston, en posant le test de grossesse sur le lavabo.

– Je sais pas. Moi, je trouve qu'on est déjà au complet. On s'en sort à peu près financièrement dans l'état actuel des choses, avec un, mais il n'y a rien de trop. Tu sais, un jour, il va vouloir aller à l'université.

– On peut y arriver.

– Il y a quand même le problème du temps. On n'a pas le *temps* de s'occuper de deux enfants.

– Si tu m'aidais un peu plus, on en aurait largement assez pour…

– « T'aider » ! Pour ça, il faudrait peut-être que tu arrêtes de le couver une seconde.

– Moi, je le couve ?

– Oui, tu le couves ! Tu vas en faire une mauviette.

– Si moi, je le couve, chuchota-t-elle, c'est parce que toi, tu ne t'occupes pas de lui. Je compense tes insuffisances, c'est tout.

– Je ne fais que ça, m'occuper de lui !

– *Chut !*

– Oh, il ne nous entend pas. Et même s'il nous entendait, il ne comprendrait pas.

– Ne le sous-estime pas.

– Il a cinq ans !

– Il est très attentif. Je le vois. Ne t'avise pas de le sous-estimer.

Durant les cinq années écoulées entre la naissance d'Ethan et la conception de Maggie, la confiance de Francine en son mari s'était un peu émoussée. Il assumait le strict minimum de ses responsabilités parentales et montrait peu d'intérêt pour l'enfant *en tant qu'individu*. L'investissement d'Arthur auprès de son fils avait décliné aux alentours de la troisième année, dès lors qu'Ethan avait commencé à devenir lui-même. Il semblait considérer qu'à partir du moment où la personnalité d'Ethan prenait un semblant de consistance, son travail était terminé. Donner à manger et à boire à son fils, assurer sa sécurité, il savait faire, mais à mesure que l'enfant gravissait la pyramide de Maslow, il se mettait en retrait, incapable de répondre aux besoins d'amour, de confiance et d'accomplissement personnel exprimés par Ethan en grandissant. Ce n'étaient peut-être pas les circonstances idéales pour élever un second enfant, mais Arthur n'avait pas l'intention d'insister. Il l'avait mise enceinte, elle voulait le garder, c'était son corps, elle avait gagné. « Très bien », soupira-t-il, mais sa voix disait autre chose : *Tu as une dette envers moi.*

La vie maritale était un troc permanent. Tout était matière à monnaie d'échange : les tâches ménagères, l'éducation de l'enfant, l'argent. *Je ferai la cuisine si tu fais les courses. Je ferai les deux si tu lis une histoire à Ethan.* Tout, d'une certaine manière, était à vendre. À cette époque, les revenus d'Arthur étaient supérieurs à ceux de Francine, et cela avait des répercussions. Francine passait plus de temps avec leur fils, et, ça aussi, cela avait des répercussions, mais d'un genre différent, à la fois plus et moins important que la contribution matérielle d'Arthur. Les dettes s'accumulaient. Certaines étaient pardonnées. Aucune n'était oubliée. L'argent que Francine avait hérité de son père et que Messner avait placé pour elle n'était jamais loin de ses pensées, surtout lorsqu'il était question de ces négociations. Elle n'en avait pas parlé à son mari car il ne lui avait jamais posé de questions ; il ne l'avait jamais interrogée sur Messner. Elle lui en avait été reconnaissante au début, mais à présent ça la gênait. N'était-il pas désireux de savoir ce qu'elle avait fabriqué toute cette année-là ? N'avait-il aucune curiosité pour l'homme qu'il avait trouvé chez eux ? *Comme tu voudras*, se disait-elle de temps en temps. *Je ne te dirai rien – rien du tout.*

Francine réussit à garder son secret financier en payant la totalité des factures et des impôts du foyer. Grâce au travail de Messner et avec l'aide substantielle du « Miracle » économique de l'État, son petit pécule – sa fortune personnelle – continuait de gonfler. Lorsque tout allait bien avec Arthur et les enfants, elle culpabilisait. Quel monstre était-elle pour cacher une chose pareille à son mari alors que, comme tous les parents de leur niveau social, ils dépensaient tout ce qu'ils avaient pour leurs enfants ? Les mauvais jours, en revanche – ceux où Arthur et elle réglaient leurs comptes –, elle se raccrochait à cet argent. En cas de séparation, elle était à l'abri financièrement. Elle et ses enfants. Puis venait à nouveau un bon jour, Arthur montrait à Ethan comment réparer son petit réveil, Ethan regardait émerveillé les pièces en plastique étalées devant lui, et elle se disait : *À quoi ça me sert, au fond ?*

La seconde fois, tout fut très différent. Avant son départ pour l'hôpital, Francine se fit faire les ongles, dormit dix heures cinq nuits de suite et accoucha de Maggie Ruth Alter en une heure, par une piquante journée d'octobre, avec une facilité et dans un confort relatifs. Elle savait ce qui l'attendait cette fois-ci. Elle posa toutes les bonnes questions sur l'anesthésie. Et la présence du Dr Malouf lui rendit la salle d'accouchement presque agréable, il en fit un endroit où il importait à Francine de se montrer sous son meilleur jour, et les préoccupations cosmétiques sont une distraction d'une efficacité surprenante face à la douleur physique.

– C'est une très jolie petite fille, commenta Malouf.

Et d'ajouter, avec un clin d'œil :

– Aussi jolie que sa mère.

– Hé, on se calme, dit Arthur.

Malgré ses antécédents peu glorieux, Francine accorda à nouveau sa confiance à son mari. Elle n'avait pas le choix. Il ne démérita pas. Le jour de la naissance de Maggie, il offrit à Ethan un coffret de petites figurines égyptiennes en laiton, acheté à la boutique du musée des Beaux-Arts. « C'est de la part de ta sœur », dit-il à son fils crédule de six ans. Elle te remercie de l'accueillir dans notre famille. »

Francine ne vit pas d'un mauvais œil que ce geste soit directement inspiré d'un de ses livres de puériculture. C'était la preuve qu'il les avait lus ! Et peu importe que les petits pharaons métalliques puissent être avalés par un enfant. L'important, c'était l'intention. Francine était heureuse d'entendre Arthur prononcer les mots *notre famille*. Le soir où ils rentrèrent avec Maggie, Ethan se glissa dans leur lit et là, tous les quatre, tandis que l'air piégé dans le circuit de chauffage faisait crépiter le radiateur, ils se tinrent chaud.

Francine était ravie d'avoir une fille et se sentait unie à elle par la même affinité que celle qui l'avait unie à Ethan lors de ce premier jour à la maison. Deux, se disait-elle, c'était finalement le bon chiffre. Bien qu'Ethan ait déjà pris les habitudes d'un enfant unique, Maggie et lui étaient désormais là l'un pour l'autre. Rien ne réjouissait Francine autant que la vue d'Ethan poussant sa sœur dans sa poussette autour de Jamaica Pond. « Faire des tours », appelait-il ça.

Des différences ne tardèrent cependant pas à apparaître. En grandissant, Maggie se révéla beaucoup plus combative qu'Ethan. Toujours du côté de Francine, elle prenait un malin plaisir à tester l'autorité de son père, capable de fourberie là où Ethan était malléable. Arthur était donc forcé d'assumer un rôle plus actif avec elle. Alors qu'Ethan, très indépendant, pouvait rester assis des heures sans autre occupation que ses pensées, Maggie ne laissait pas une minute de répit à Arthur. Elle n'arrêtait pas de l'asticoter, répondait « Pourquoi ? » à tout ce qu'il lui disait – non pas par curiosité enfantine, mais dans le but de le coincer. Contrairement aux enfants qui prêtent à leurs parents une toute-puissance divine (comme cela semblait être le cas avec sa mère), Maggie, dès toute petite, se donna pour mission de tester les limites des connaissances de son père. Lorsqu'il relevait le défi, c'était de mauvaise grâce, mais les voir ensemble suffisait à contenter Francine.

Si différents soient-ils, elle veillait à inculquer à ses deux enfants la philosophie de sa grand-mère. Corvées, argent de poche, céréales sucrées : tout leur était accordé à parts égales malgré leur écart d'âge. Ethan attendit son onzième anniversaire pour demander, non sans un certain bon sens, à quoi rimait de se coucher à la même heure qu'une fillette de six ans. La présence de grand-mère Ruth était si forte dans l'appartement de Jamaica Plain que lorsqu'Arthur fut invité à aller à Saint Louis, son fantôme parut faire valoir que, Francine ayant obtenu les enfants qu'elle souhaitait, il était normal qu'elle consente à ce retour vers l'ouest. Comme toujours, par souci d'équité.

Ils traversèrent la moitié du pays en voiture, en tirant une remorque de location. Francine regardait fixement par la vitre, gagnée par une horreur rampante à mesure qu'autour d'elle le paysage s'aplatissait.

– Maman ? fit Maggie, sur la banquette arrière.

– Oui, ma chérie ?

– C'est quoi, ça ?

Francine se retourna. Maggie tenait un diplôme encadré et emballé dans du papier bulle, jugé trop fragile pour voyager dans le coffre.

– C'est son diplôme, dit Ethan. Son diplôme de troisième cycle. C'est bien ça ?

– Tout à fait, mon grand.

– C'est quoi, un troisième cycle ? demanda Maggie.

– Ne t'inquiète pas encore pour ça, intervint Arthur. Laisse-nous régler d'abord la question du financement de tes études.

– C'est un cycle universitaire où on devient un expert, répondit Francine. Où on devient le meilleur en quelque chose.

– Tu es la meilleure en quelque chose, toi, alors ?

– Si on veut. J'ai fait un troisième cycle de psychologie. On peut dire que je suis une experte dans ce domaine.

– Tu en sais plus que papa ?

– Oui, gloussa Francine. Dans ce domaine, oui.

Arthur grogna.

– Et si une autre personne faisait un troisième cycle ? demanda Maggie.

– Dans ce cas, cette personne-là aussi deviendrait une experte.

– Beaucoup de gens en font ?

– Quelques-uns. Pas beaucoup.

– Dix ?

– Plus que ça.

– Cent ?

– Plus.

Le front de Maggie se plissa.

– Et tous ces gens sont les meilleurs ?

– D'une certaine manière, oui.

L'autoroute s'étendait devant eux, vide et longue.

– Tu en sais plus que moi, quand même.

– C'est vrai. Pour l'instant.

– Et que papa.

– Oui.

Maggie réfléchit.

– Bon, dit-elle. D'accord.

Ils répartirent le trajet sur deux jours et passèrent la nuit dans un motel de Columbus, dans l'Ohio. Arthur se plaignit de cette dépense – ridicule, estimait-il, alors que la mère de Francine habitait tout près –, mais Francine refusa de l'appeler. C'était suffisamment difficile de revenir dans cette région. Elle y était née et avait passé son enfance à rêver de s'en échapper. La vie était longue et imprévisible, mais bizarrement, lorsqu'ils entrèrent dans le Missouri le lendemain matin puis dans Saint Louis, elle eut le sentiment glaçant qu'elle allait également y mourir.

18

Pour le dernier dîner en famille des Alter à Saint Louis, Arthur prépara un chili végétarien aux haricots blancs, attention compromise par ses remarques répétées sur le fait que la recette originale requérait du poulet, qu'il avait eu la délicatesse d'exclure. *C'est spectaculaire*, songea Maggie. *Il est incapable de faire une chose gentille sans veiller à ce que la terre entière soit au courant.* Elle avait hâte d'en parler à Ethan. Elle voyait celui-ci flancher devant les avances de leur père – l'image était libidineuse mais rendait bien compte de la situation ; la paternité avait un petit côté malsain sur Arthur, comme une cape ou un slip de bain moulant – et voulait rappeler à son frère qu'on ne pouvait pas faire confiance à cet homme. Même s'il s'était bien comporté au refuge. Mais lorsqu'Ethan se montra au coucher du soleil, alors que des nuages dignes d'un tableau de la Renaissance confisquaient les dernières lueurs du jour, l'état de son visage empêcha toute autre conversation.

– *Putain !*

– C'est Ethan ? demanda Arthur depuis la cuisine. Parle-lui du chili.

Il entra dans la salle à manger, un torchon jeté sur l'épaule.

– Oh là là…

La louche qu'il avait à la main tomba bruyamment sur le sol.

– Quoi ? fit Ethan.

Arthur et Maggie répondirent en chœur :

– Ton *visage*…

– Ah. J'ai été, euh…

Maggie roula les yeux.

– Tu as été… ?

– … éconduit.

– Quoi ?

– *Éconduit.*

Ethan baissa la tête. Des taches bleu cobalt ombrageaient ses yeux. Son nez était tordu. Sa voix avait un son nasal.

– Qu'est-ce que tu racontes ? dit Maggie. Tu as le nez explosé.

– Tu as mal ? s'enquit Arthur.

– Ça va.

– Mais qu'est-ce qui s'est passé ? insista Maggie.

– C'est pas grave.

Maggie leva les bras au ciel.

– Tu ne veux pas voir quelqu'un ? Un médecin, je ne sais pas…

– Ça va se remettre tout seul.

– Oui, mais, et si ça se remet mal ?

– S'il dit que ça va, ça va, dit Arthur, la voix mal assurée.

Puis, avec espoir :

391

– Il n'a peut-être pas envie d'en parler.

Ethan haussa les épaules.

– Si ça se remet mal, ça se remet mal.

– J'ai préparé le dîner, dit Arthur en se baissant pour ramasser sa louche. Alors, bon…

– C'est trop bizarre, dit Maggie en secouant la tête.

– Je pense qu'on peut passer à table, dit Arthur.

Ethan alla à la salle de bains et revint avec des fleurons de papier hygiénique plantés dans les narines. Ils se réunirent autour de la table. Maggie s'assit dos aux photos. Arthur plaça la marmite sur un dessous-de-plat et déposa des louches de chili dans leurs assiettes.

– C'est bon, dit Ethan en en fourrant une cuillerée dans sa bouche.

– Ça va peut-être te dégager les fosses nasales, dit Arthur. Content que ça te plaise. Et toi, Maggie ?

– Ouais, soupira-t-elle. C'est pas mauvais.

Après dîner, Arthur insista pour qu'ils s'entassent tous les trois dans la voiture.

– On va où ? demanda Maggie. Dis-moi qu'on emmène Ethan à l'hôpital.

– C'est pas la peine.

– Tu vois ? C'est pas la peine, dit Arthur. Non, non. On va dans un endroit un peu plus agréable.

– D'accord, dit Maggie, mais je m'assois à l'arrière à côté de lui. Je ne suis pas tranquille, moi. On voit bien qu'il a pris un coup au visage. Je veux regarder ça de plus près.

Arthur roulait vers le sud, ses enfants chuchotaient derrière lui. Sans le vouloir, ils s'étaient installés selon le

392

schéma familial habituel : le père à l'avant, les enfants à l'arrière. Seul le siège passager vide indiquait qu'il manquait quelqu'un.

Maggie tentait d'examiner Ethan, qui la repoussait avec des « T'inquiète pas » et des « Ça va », mais dès qu'Arthur s'engagea dans Arsenal Street pour franchir le pont enjambant le dépôt ferroviaire et le canal de drainage, leurs chamailleries cessèrent et il aurait juré voir leurs bouches s'ouvrir de stupeur dans son rétroviseur. Ils avaient compris où ils allaient. Il prit l'historique Route 66, passa devant le magasin de fournitures catholiques et le salon de bronzage, et entra dans le parking de la fière petite baraque où on vendait de la frozen custard.

Combien de fois avait-il suivi cet itinéraire précis ? Ces quinze minutes de route, dans un sens puis dans l'autre ? C'était leur rituel du lundi soir. Une idée de Francine, pour rendre la nouvelle semaine de cours et de travail plus supportable.

Il avait suivi cet itinéraire des milliers de fois. C'en était vertigineux. Alors que le monde était si vaste, avec tant d'endroits à découvrir, tant de gens à rencontrer, Arthur avait passé une bonne partie de sa vie à arpenter la même portion de bitume. Skinker, McCausland, Arsenal, Jamieson, Jamieson, Arsenal, McCausland, Skinker. Le ciel à perte de vue, quelques arbres çà et là, des parkings. Des autoponts. Quand il pensait à toutes ces heures cumulées, à ce qu'il aurait pu faire avec tout ce temps, à ce qu'il aurait pu voir au lieu de cette route à quatre voies, ces bretelles brutalistes et ces collines artificielles pour la millionième fois… On passait une telle part de sa vie d'adulte, de sa vie de parent, à répéter les mêmes quatre ou cinq actions encore et encore. Pourquoi ? Pourquoi faisait-on ça ?

– Le premier arrivé !

À peine Arthur se fut-il garé que ses deux enfants jaillirent hors de la voiture.

Les heures entre dix heures du soir et cinq heures du matin étaient source d'angoisse pour les résidents de Chouteau Place, chargés de la tâche ingrate de réglementer eux-mêmes leur quartier. Les nuits étaient sujettes à controverse, les règles en constante évolution. Des rancunes s'installaient sur des décennies au sujet des nuisances sonores : combien de décibels autoriser après le coucher du soleil ? La règle valait-elle pour les disputes familiales comme pour la diffusion de musique enregistrée ? Était-elle seulement applicable ? Et les fêtes dans les jardins ? Les voisins se faisaient la guerre pour le droit de s'imposer entre eux leurs heures de sommeil. Un conflit de longue date avait récemment pris fin – non pas grâce à Arthur, absent lors du vote de la question à l'assemblée générale du quartier –, des points de vue divergents sur la sécurité et la pollution lumineuse ayant pu être conciliés par l'installation, en remplacement des lampadaires, de vingt-six téléphones d'urgence à lumière bleue, lesquels éclairaient l'obscurité d'une riche lueur azurée.

Adossé à la tête de lit, Arthur ressentit, pour la première fois depuis longtemps, une forme de soulagement, de satisfaction. Les vacances de printemps étaient terminées, le week-end touchait à sa fin. Ses enfants devaient repartir ce soir-là. Globalement, il était satisfait de l'évolution de la situation. Sa journée avec Ethan s'était bien passée, même s'il n'avait toujours pas compris pourquoi – il ne voyait pas ce qu'il avait à se reprocher, mais bon, peu importe –, quant à Maggie… c'était plus difficile à dire en ce qui la concernait. La matinée au refuge lui avait fait plaisir, ça, il en était à peu près sûr, et il la soupçonnait d'être touchée par les photos. Il était heureux d'avoir pu lui parler du Zimbabwe, même si elle était déjà au courant. Lui raconter lui-même l'histoire lui avait permis d'en aborder certains aspects, comme l'optimisme et l'espoir. Le désir de faire le bien. D'être quelqu'un de bien. Il avait beaucoup de choses en commun avec sa fille. Du moins les avait-il eues à une époque, avant qu'elle ne vienne au monde. Il y avait quelque chose de tragique dans le fait que ces deux personnes – Arthur jeune trentenaire et Maggie dans la vingtaine – ne se soient pas connues.

Il imagina la vie une fois l'emprunt remboursé. Il installerait Ulrike à Chouteau Place, se résignerait lui-même à sa condition de professeur non titulaire et profiterait des succès de sa compagne tandis qu'elle gravirait les échelons de la hiérarchie kafkaïenne de Danforth. Il débrancha son téléphone portable de son chargeur et l'appela.

– Allô ? grogna-t-elle, la voix voilée de mucus. Arthur ? Qu'est-ce qui se passe ?

– Cette maison, dit-il. Je me demande comment j'ai pu en partir. Elle est tellement *grande*. Ça n'a rien à voir avec chez toi. Je pourrais travailler dans une pièce et toi dans une autre, et on ne saurait même pas que l'autre est présent.

– Arthur…

Elle bâilla :

– Il est quatre heures et demie du matin.

– Je te laisse la véranda. Ce sera ton bureau personnel.

– C'est ça que tu veux ? dit-elle en se raclant la gorge. Me fuir ? Faire comme si je n'étais pas là ? Si je dois vivre avec toi, ce n'est pas pour que tu me fuies.

– Non, non ! Je dis ça, c'est un exemple, c'est pour dire qu'on pourrait passer des journées entières sans se voir.

– Tu penses que ça peut marcher, Arthur ? Tu le penses ?

– Bien sûr. À mon avis, entre eux deux j'aurai assez pour honorer les traites de retard, et le reste devrait me permettre de…

– Arthur, non. Je parle de *nous*. Est-ce que *nous*, ça peut marcher. J'avoue que parfois je m'inquiète. Je m'inquiète pour nous. J'ai envie de te voir. J'ai besoin de te voir, pour parler, pour voir si ça peut marcher. Tu le penses ? Dis-le-moi, je t'en prie, je deviens folle ! Tu le penses ? Tu le penses ?

Cette question n'intéressait pas Arthur. Il était plus préoccupé par la conclusion du séjour de ses enfants. Par le sort de la maison. Il ne voyait pas plus loin que quelques heures devant lui.

– Bien sûr, dit-il, pour la calmer. Pourquoi ça ne marcherait pas ?

Il se réveilla le lundi sous un ciel incertain. Le tonnerre, la pluie, la grêle – quelque chose arrivait, mais on ne savait trop quoi. Dans le Midwest, le temps changeait sans prévenir.

Avant de se doucher, il prépara une tenue. Il lui fallait quelque chose qui ne soit pas menaçant, qui aille avec le rôle qu'il s'apprêtait à jouer. Celui du père bienveillant. Comme disait Joan Vellum, son agaçante collègue prof de sociologie des médias, « le vingt et unième siècle a encore accru le souci des apparences propre au vingtième », ou quelque chose comme ça. Mais, Arthur s'en apercevait à présent, tout ce qu'il possédait était soit gris soit marron. Pantalons en velours côtelé, vestes de tweed. Sa garde-robe était un camaïeu d'ambré, de beige, de castor, de chamois. De topaze cendrée, de sable du désert. Pourquoi personne ne le lui avait signalé ? On aurait dû attirer son attention là-dessus. Il disposa des vêtements sur le lit. Une chemise Kirkland Signature achetée chez Costco sur l'I-55. Un velours et une veste. Trop sombre. Un jean – il en avait un quelque part. Il le trouva au fond du placard et le substitua au velours. En caleçon et en chaussettes, il recula pour mesurer l'effet produit. Ce n'était pas idéal. Les vêtements gisaient mollement sur le lit comme si leur occupant avait été happé par les cieux, ou par les Enfers, comme dans les scènes apocalyptiques représentées sur les panneaux publicitaires à la périphérie de la ville.

Les vacances de printemps terminées, l'université reprenait vie. Les étudiants retrouvaient leurs meilleurs amis comme si cette semaine de séparation avait été un siècle. Partout sur les deux campus de Danforth, ils

397

tombaient dans les bras les uns des autres avec une ferveur qu'Arthur avait longtemps jugée mélodramatique. À présent, il n'était plus si sûr de lui. Devant ce spectacle, il se remettait en question. Qu'est-ce qui clochait chez lui ? Pendant des années il avait imaginé que c'était du cinéma, que les étudiants affichaient un faux bonheur, faisaient semblant d'être soulagés de se revoir après ces vacances passées chacun de leur côté à Florence ou à Punta Cana. Il y avait cependant quelque chose de touchant dans la façon dont ils s'étreignaient tels les membres d'une même famille séparés par une guerre ou une catastrophe naturelle, et réunis après s'être cru morts.

Le lundi, il ne donnait qu'un cours en plus de ses heures de permanence dans son bureau. Réservé à ses quatrième année, « Génie mécanique 400, option d'approfondissement, mécanique de la rupture et analyse de défaillance » avait pour but, selon la description sur la plaquette d'Arthur, de présenter aux étudiants les points suivants :

1) Méthode des éléments finis.
2) Examen des accidents.
3) Fractographie – morphologie des cassures.
4) Mécanique de la rupture.
5) Rôle de l'éthique dans l'analyse de défaillance.

Il aurait pu donner ce cours les yeux bandés. Sans les mains. Il était en terrain connu. Et le fait que les élèves-ingénieurs du niveau 400 soient les étudiants les plus faciles n'y était pas pour rien. C'étaient des gamins timides, discrets, attentifs, rompus aux complexités de la mécanique des fluides bien que peinant encore à résoudre le problème de leur virginité. Au retour des vacances de printemps, leur absence de bronzage sautait aux yeux.

Il leur soumettait pour l'heure une étude de cas concernant une conduite de gaz en acier au carbone dont la rupture aurait interrompu une chaîne d'acheminement.

« On peut augmenter l'enjeu, dit-il, en imaginant que le gaz acheminé en question est dangereux. Toxique. Votre boulot à vous, c'est d'isoler les causes de cette rupture. On ne vous demande pas de réparer la conduite, ni d'en concevoir une plus résistante. Non. Tout ce qu'on vous demande, c'est de comprendre pourquoi elle s'est rompue. »

Il passa en revue les techniques à leur disposition : inspection visuelle, contrôle par ressuage, contrôle par magnétoscopie, analyse microstructurale. Il avança la possibilité que, à la lumière des résultats obtenus, on puisse attribuer la fuite à, disons, une fissure, très certainement longitudinale, de la conduite. Une fissure qui se serait agrandie.

Un bras se leva dans la salle.

– Oui ? dit Arthur.

Le bras se baissa. De là où il était, Arthur ne distinguait pas son propriétaire. Un de ses puceaux anonymes.

– J'ai une question.

Il savait quelle était cette question. Quelqu'un la lui posait chaque année. Sa prévisibilité le rassurait. Il ne pouvait envisager un avenir dans lequel on ne lui poserait pas annuellement cette question idiote.

– Je vous écoute.

– Comment fait cette, euh… fissure… pour s'agrandir toute seule ?

– Réfléchissez. Votre conduite est fissurée. Et à l'intérieur, vous avez toujours du gaz sous pression.

– D'accord…

– Sous cette pression, la fissure s'agrandit, et de plus en plus de gaz s'échappe. Du coup, la pression augmente, et la fissure continue de s'agrandir.

– Donc, la pression du gaz et la fissure…

– Elles se nourrissent l'une l'autre. La conduite se rompt sous l'effet de leur interaction.

– Elle se rompt elle-même, quoi.

– D'une certaine manière, oui. C'est tout à fait ça.

Après le cours, il sortit dans la cour mûrissante en préparant intérieurement ce qu'il allait dire à ses enfants avant leur départ. Il traversa le campus en direction de son bureau, s'arrêtant pour admirer les jambes crémées d'un groupe de jeunes étudiantes. « Ouf ! » soupira-t-il en s'essuyant le front.

Le bureau d'Arthur était situé dans Cornell Haynes Hall, sur le campus principal. Haynes était en cours de rénovation dans le cadre de la campagne « Un bond en avant » de Danforth, projet de plusieurs millions de dollars destiné à éliminer une partie des structures les plus anciennes de l'établissement ; une grue damoclésienne surplombait le bâtiment. En approchant, Arthur aperçut Gupta près de la double-porte, son parapluie en main tel un sceptre royal. Arthur pivota et se baissa derrière un râtelier à vélos. Longeant, accroupi, une rangée d'arbustes, il entra dans le bâtiment par-derrière et suivit le long itinéraire jusqu'à son bureau, obligé à de nombreux détours par les passages et escaliers bloqués à cause des travaux.

La prof avec qui il partageait les lieux, une prof adjointe en études de genre ayant un piercing au septum nasal, n'était apparemment pas là. Arthur avait tout l'espace pour lui. Il s'installa devant son ordinateur, dont il réveilla le moniteur d'une tape sur le côté. Une lumière de film noir filtrée par les stores derrière lui rayait l'écran. Inclinant la tête à gauche, puis à droite, il commença à taper.

Il y a des situations où un homme est forcé d'agir. Il doit faire ce qu'il peut pour se protéger, lui et sa famille. Il ne peut pas se permettre d'hésiter. C'est avec cette réalité incontournable en tête que je vous demande

Il effaça. Le curseur clignota.

Il y a des situations où un homme est forcé d'agir. Il doit faire tout ce qui est en son pouvoir pour protéger sa famille, car en tant qu'homme il est de sa responsabilité

À nouveau, il effaça.

Qu'est-ce qu'un foyer ? Un foyer est un endroit

Ça ne fonctionnait pas.

Le dictionnaire définit « foyer » comme étant

Arthur donnait des cours devant des salles de cent étudiants, et il était incapable de faire un discours à ses enfants ? *Dis-le*, s'exhorta-t-il. *Dis ce que tu penses*. Il réessaya :

Il y a des situations où un homme doit agir
Il y a des situations
Il y a des situations
Parfois, dans certaines situations
mh ; lkd
bkdjgh34i
as ; lk fhpiu
Vous le savez, les maisons coûtent cher
Parlons de l'emprunt
Je vous demande
J'en appelle à votre
Me trouvant moi-même confronté
J'ai besoin de votre aide
Sans votre soutien
Je vous demande
Dans l'adversité
Le problème, dans ces situations
Il y a des situations
Il y a des situations
Il y a

Arthur abattit son poing sur le clavier et jura entre ses dents. C'était une chose de savoir ce qu'il voulait. Le demander était une autre paire de manches.

Ethan s'habilla et marcha jusqu'au campus pour voir son université une dernière fois avant de partir. Il gravit les volées de marches du perron et emprunta le passage voûté sous l'imposante tour abritant le centre des admissions, pour déboucher sur le campus principal, dont la pelouse vert-jaune manucurée était coupée par trois allées de briques rouges. Ethan prit celle du milieu, qui l'amena à la bibliothèque Seidel. Danforth était plus joli, plus accueillant et globalement plus habitable que dans son souvenir. L'établissement avait changé – à moins que ce ne soit Ethan. Un peu plus loin, on avait fixé un énorme bouquet de ballons en forme de cœur sur un panneau devant la chapelle Schlafly. Il alla voir ce qui s'y passait.

Les portes de la chapelle étaient fermées, mais pas verrouillées. Ethan entra discrètement.

La chapelle était bondée, remplie d'un mur à l'autre, tous ses bancs occupés. Une densité humaine au sol étonnante – jamais durant ses quatre années d'études ici Ethan n'avait vu cette salle si pleine, ni lors de la visite de la fille d'un ancien président, ni lors de la conférence d'un champion d'échecs russe, ni lors de la lecture d'un extrait de son deuxième roman par un réaliste magique juif –, mais la hauteur sous plafond était telle que c'était malgré tout une sensation de vide qui dominait, un vide majestueux et mystérieux. La voix d'un jeune homme flottait à travers l'espace.

« … On nous sort toutes sortes de phrases », disait cette voix.

Ethan, debout au fond de la chapelle parmi la foule des retardataires, n'en distinguait pas la source.

« "On n'est pas son passé." "Il ne faut pas se laisser définir par ses souffrances." L'idée étant qu'il faut avancer. *Passer à autre chose.* Je comprends. Personne n'a envie de revivre ses traumatismes éternellement. Trahisons. Addictions. Humiliations physiques. Qui a envie d'être défini par ça ? Qui n'a pas envie de le surmonter ? »

Un murmure parcourut la chapelle.

« ... Mais mon message à moi, c'est : pourquoi *ne pas* le laisser vous définir ? Pourquoi cacher le passé ? Autrement dit, et je sais que ce n'est pas une opinion populaire, mais : et si nos expériences traumatiques avaient bel et bien un impact sur nous ? Plus que tout le reste ? Et si nous étions bel et bien les choses que nous avons endurées ? »

– Trop fort, chuchota la fille à côté d'Ethan.

– C'est qui ?

Elle jeta à Ethan un regard réprobateur, qui s'évanouit lorsqu'elle remarqua son nez cassé.

– Euh, fit-elle en se détournant. Un ancien d'ici. Qui a fait fortune.

« Je vais vous raconter une petite histoire sur moi, poursuivait la voix. Je n'étais pas le garçon le plus populaire du lycée. Je sais, je sais, c'est difficile à croire, hein ? Le jeune boutonneux obsédé par l'informatique qui aurait eu du mal à trouver une cavalière pour le bal de fin d'année ? »

Cascades de rires.

« Je n'avais pas beaucoup d'amis. Je n'avais en tout cas pas de petite amie. On peut dire que j'ai été harcelé. Je vous épargne les détails, mais ce n'était pas joli-joli. Ni unique, d'ailleurs. Le harcèlement lycéen ordinaire. Mes harceleurs n'étaient pas particulièrement créatifs,

404

mais bon, les harceleurs ne sont pas connus pour leur créativité. »

Nouveaux rires.

« Mais moi, j'étais perdu, je ne savais pas quoi faire, et ce ne sont pas des choses qui s'arrangent avec le temps. Il fallait que je regarde derrière moi dans les couloirs. Le midi, je mangeais dans des classes vides pour éviter les moqueries. J'étais une victime, il n'y a pas d'autre mot.

» Longtemps, j'ai voulu faire comme si rien de tout ça ne s'était passé. Quand je me suis inscrit ici même, dans cet établissement, j'étais aux anges. Pour moi, c'était un nouveau départ. Là où j'allais, personne ne me connaissait, personne ne savait ce que j'avais subi. Mais parfois, notre passé nous poursuit. Je ne me doutais pas qu'une certaine personne, non pas le chef de ceux qui m'avaient harcelé au lycée mais un membre de sa bande, de son réseau social, serait *lui aussi* en première année… »

Ethan regarda autour de lui. La salle était hypnotisée. Hormis le craquement des bancs, on n'entendait que la voix assurée et exercée du conférencier. Le soleil entrait à flots, coloré par les vitraux ; des faisceaux de bleu, de rouge et de jaune auréolaient les têtes.

« … Il a fallu prendre une décision. Allais-je passer quatre ans à me cacher, à éviter cet ancien de mon lycée ? Me réinventer de manière qu'on ne me reconnaisse pas ? Et puis tout à coup, ça m'est venu. Je n'étais pas obligé de me cacher. Je n'étais pas obligé de changer. Je pouvais être *moi-même*. Celui que j'avais toujours été. Le geek. La victime. Pourquoi ne pas *m'approprier* mon traumatisme ? En commençant à me faire des amis, j'ai vite compris que je n'étais pas tout seul. Qui se ressemble s'assemble. Je me suis vite retrouvé à échanger des histoires de terreur lycéenne avec mes voisins de chambre et mes camarades de TD. Ça a créé des *liens* entre nous. Je me souviens, tard le soir, à Seidel, c'était à celui qui en avait le plus bavé. C'était super. C'était un *soulagement*. Mais ce n'est qu'en troisième année, en cours de développement d'applications mobiles, que j'ai compris : toutes ces souffrances, toutes ces données, on pouvait les utiliser… »

Ethan ressortit de la chapelle. Il ferma les yeux et laissa le soleil lui réchauffer le visage. Lorsqu'il rouvrit les yeux, il aperçut son père traversant la cour au milieu des étudiants. Il leva la main et voulut l'appeler, puis se ravisa. Il songea à sa mère. De Francine, il avait hérité ce penchant pour les hommes incapables de l'aimer en retour. En regardant son père s'éloigner avec cette même hâte embarrassée que celle avec laquelle Charlie l'avait quitté, non pas une mais à présent deux fois, il se demanda pour quelle raison il ne désirait que ce qu'il ne pouvait pas avoir, tandis que tout autour de lui un million d'insectes invisibles acheminaient le pollen vers le pistil offert de fleurs précieuses.

19

– Il y a des situations, commença Arthur, où un homme est forcé d'agir.

Les Alter s'étaient rassemblés dans le salon, pièce ironiquement très associée à la mort. C'était là qu'Arthur et Francine avaient annoncé celles de la mère d'Arthur (AVC), du grand-oncle de Francine (infarctus) et de la rescapée des camps aux cheveux blancs qu'ils avaient eue pour voisine à Jamaica Plain (causes naturelles, accélérées par un Parkinson). C'était là que Francine avait délicatement abordé le suicide de son amie intime et ancienne camarade de chambre universitaire installée dans le comté de Marin, en Californie, avec ses six cochons d'Inde et ses troubles bipolaires. Et c'était là, sur le canapé où Ethan et Maggie attendaient à présent avec une appréhension pavlovienne que leur père leur annonce ce qu'ils pensaient être une mauvaise nouvelle, que Francine avait serré la main d'Arthur jusqu'à ce qu'elle pâlisse, en expliquant aux enfants la maladie qu'on venait de lui diagnostiquer.

– Et quand ces situations menacent sa famille, poursuivit Arthur, il ne peut pas se permettre d'hésiter...

– Hé, papa... fit Ethan.

Arthur s'interrompit.

– Avant que tu ailles plus loin…

– Quoi ?

– Je voulais te dire… avant que tu en viennes à ce que tu as à nous annoncer… Je voulais te dire merci, merci de nous avoir reçus.

– Ah, euh… bon. Eh bien, de rien.

– C'est sincère, insista Ethan. J'avais des craintes, mais c'était sympa. Je suis content d'être revenu à la maison.

– Malgré le… dit Arthur en traçant un cercle dans l'air autour de son nez.

– Malgré ça.

Maggie leva les yeux :

– Pareil pour moi.

– Ah bon ? fit Arthur.

– Ouais. Je sais pas. C'était chouette de revoir la ville, tout ça. Hier soir, quelque chose en moi a… Ça faisait, combien ? dix ans que je n'avais pas remangé de la frozen custard ? On y allait tout le temps, avant.

Arthur ressentit un frisson dans le ventre.

– C'est vrai, dit-il.

– Bref. Moi aussi, je te remercie. Je suis d'accord avec Ethan. On a passé un bon week-end.

Mince, alors.

Il ne pouvait pas. Il ne pouvait pas leur demander ça. Plus maintenant. Le but était de les reconquérir, mais à présent que c'était fait il était paralysé. Il s'était habitué à l'échec. La réussite le déstabilisait. Il serra l'accoudoir de la bergère verte où il était assis. Ils étaient là. Ses enfants.

Revenus à Saint Louis pour le voir et qui l'en remerciaient. Un élan de bonne volonté l'emporta.

Il inspira profondément et expira lentement, ses épaules s'affaissèrent à mesure que l'air quittait son corps.

– Vous n'imaginez pas, dit-il doucement. Vous n'imaginez pas.

– On n'imagine pas quoi ? demanda Ethan.

Arthur secoua la tête.

– Rien. Rien.

Il se cambra et laissa échapper un petit rire intérieur.

– Vous savez, dit-il, moi aussi je suis heureux que vous soyez revenus. Vous n'étiez pas obligés. Vous auriez pu jeter ma lettre sans y répondre. Beaucoup d'enfants auraient réagi comme ça. Vous ne me deviez rien, vraiment rien.

– C'est normal, papa, dit Ethan. Ça nous a fait plaisir.

– Non, non. C'est important que je m'enlève ce poids de la poitrine.

Arthur se sentait ivre de gratitude, les joues lui chauffaient, la langue le démangeait.

– Ça fait longtemps que j'ai envie de vous le dire. Voilà : j'ai l'impression de ne vous connaître ni l'un ni l'autre. Vous comprenez ? C'est dur à admettre, mais c'est vrai. Je ne vous connais pas. J'ai démissionné de mon rôle de père à un moment donné. J'ai arrêté de m'intéresser à vous.

Il s'adossa au dossier et croisa une jambe par-dessus l'autre en hochant la tête.

– Le problème, c'est qu'après je ne savais plus comment revenir dans vos vies. Plus j'attendais et plus ça devenait difficile. J'avais l'impression d'avoir laissé passer ma chance. Oui, c'est ça. L'impression d'avoir raté le coche. Et le temps ne se rattrape pas. Quand il est trop tard, il est trop tard.

– C'est gentil à toi, papa, dit Maggie, mais tout va bien. On n'a pas besoin…

– Laissez-moi terminer… laissez-moi terminer.

Arthur décroisa les jambes et se pencha en avant, les coudes sur les cuisses. Il avait encore tant de choses à dire.

– Pendant des années, poursuivit-il, pendant des années j'ai eu l'impression de vivre avec des inconnus. Je me suis mis en retrait. Je me suis caché ! J'ai pu paraître distrait, déconnecté, mais ne vous y trompez pas. Je savais très bien ce que je faisais – et ce que je ne faisais pas. Je n'assumais pas mon rôle de père. Je me cachais dans mon bureau, mais je ne travaillais pas. Je me cachais dans les bibliothèques, mais je ne lisais pas. J'ai passé le long milieu de ma vie dans l'inaction. À vous éviter tous les deux. Ma vie d'adulte a été définie par tout ce que je ne faisais pas.

– On préférerait ne pas savoir…

– Ce que je veux dire, c'est que j'ai échoué. Je n'ai pensé qu'à ma petite personne. J'ai été égoïste et négligent. Et je suis prêt, je suis prêt aujourd'hui à le reconnaître. Quel soulagement ! C'est indescriptible. Franchement, je me demande comment j'ai pu me comporter comme ça. Je suppose qu'il faut être dos au mur pour voir la réalité en face. Jusqu'ici, j'ai toujours eu quelque chose à quoi me raccrocher. J'ai toujours eu un filet de sécurité. Quand je n'ai plus eu d'ambition, j'avais encore mon travail. Quand ma carrière s'est enlisée, j'avais encore votre mère. Quand j'ai perdu votre mère, je vous avais encore vous. Quand je vous ai perdus, j'avais encore la maison… Maintenant, sans la maison, je n'ai plus rien.

– Sans la maison ? releva Ethan.

– Oui, dit Arthur. Oui. C'est le cœur du problème. C'est pour ça que vous êtes là. Écoutez… Je suis désolé, mais on va perdre la maison.

– Attends, fit Ethan. Qu'est-ce qui s'est passé ?

Arthur haussa les épaules.

– Je n'ai plus les moyens.

– Et alors, quoi ? dit Maggie. On déménage, c'est ça ?

– Bizarrement, dit Arthur, tout juste assez fort pour être entendu, je comptais essayer de la sauver.

– La sauver ? Comment ?

Arthur sourit.

– Maggie… Ethan… J'ai *tellement* hâte d'apprendre à vous connaître.

– *Pourquoi il parle comme ça ?* chuchota Maggie à son frère.

– *Je sais pas.*

– C'est drôle, reprit Arthur, toujours à voix basse. J'avais monté tout un stratagème…

– De quoi tu parles ? demanda Maggie.

– Disons simplement que ce week-end aurait pu se terminer sur une note différente.

– Papa, dit Ethan, la tête inclinée sur le côté. Ni Maggie ni moi ne voyons où tu veux en venir.

– C'est rien. C'est rien… Vous savez, je vous ai épargné un moment sacrément gênant.

Maggie ferma les yeux.

– Explique-toi, enfin.

– J'avais l'intention de vous réunir ici même et de vous demander de sauver la maison pour moi.

– La sauver comment ? fit Maggie.

– Je comptais vous demander, dit Arthur en riant, de m'aider à rembourser l'emprunt. J'avais même préparé un discours !

Il plongea la main dans sa poche et sortit une feuille de papier pliée.

– Mais maintenant… maintenant, je mesure à quel point ç'aurait été idiot. Ça n'aurait servi à rien. Je m'en aperçois maintenant que vous êtes là et que je vous parle. C'est ce qu'on vit en ce moment qui compte. Je me débrouillerai, je trouverai un logement. Ne vous inquiétez pas pour moi.

Il rangea son discours dans sa poche.

– Tu comptais nous demander quoi ? demanda Maggie.

– La sauver ? dit Ethan. Mais avec quel argent ?

– Ben… Celui de votre mère, tiens.

– L'argent de maman ? dit Ethan.

– Ben oui. Oh, ça va, te fiche pas de moi.

– Non, franchement. Quel argent ?

– Celui de votre mère. L'héritage.

– Je n'ai plus un sou, moi, dit Ethan.

– Quoi ?

Maggie se frappa la cuisse.

– Je le savais !

– J'ai tout claqué, dit Ethan. Je n'ai plus rien.

Dans le silence qui s'ensuivit, Arthur remarqua, pour la première fois, la pluie. Il pleuvait depuis un moment, depuis qu'il avait commencé à parler, sans doute, des gouttes froides qui martelaient les fenêtres de la maison.

– Je ne comprends pas.

Ethan secoua la tête.

– Qu'est-ce que tu veux que je te dise ? Cet argent, je l'ai dépensé. Dans l'immobilier à New York – j'ai acheté un appart à Carroll Gardens. Et j'ai quitté ma boîte.

– Tu travailles où ?

– Je... je ne travaille pas.

– Tu ne travailles pas ?

Arthur était à présent doublement perplexe. Qu'un fils prenne sa retraite avant son père bouleversait l'ordre naturel des choses.

– J'ai démissionné.

– Mais...

– Pas « mais ». « Et ».

Arthur se pencha en avant.

– Et... ?

– Et je suis endetté.

– Endetté.

Arthur dévisagea son fils d'un air incrédule, son regard étant attiré par son nez enflé et violacé.

– Ouais. J'ai un assez gros emprunt sur le dos. L'appart est dans un immeuble classé. Il n'était pas donné. Je peux retourner travailler, il va falloir, d'ailleurs, je me laissais un peu de temps en attendant que – oh, je sais pas. Plus rien, en tout cas. En fait, je comptais peut-être te demander, si tu avais une minute... de me prêter un peu d'argent... mais bon, maintenant...

413

La confusion bouillonna dans le cœur d'Arthur. Il n'était pas habitué à gérer plus d'un sentiment à la fois. La tendresse se mua en stupéfaction. En colère. Et en soulagement, ne serait-ce que de découvrir que son fils avait besoin de lui au moins autant que lui-même avait besoin d'Ethan.

Mais c'était la colère qui prédominait.

– Comment tu as pu tout dépenser ? *Et* démissionner ? Qu'est-ce qui t'a pris ? Comment tu fais pour vivre ?

– Je me débrouille.

– Cette ville est *hors de prix* ! cracha Arthur. Comment tu faisais… comment tu faisais *pour manger* ?

Ethan baissa la tête. Arthur regarda son fils se voûter, recroquevillé sur lui-même comme le *p* minuscule de *pathétique*. Il se tourna vers Maggie :

– Et toi ?

– Quoi, moi ?

– Ne me dis pas que tu as dépensé ton argent.

– L'argent de maman ?

– Oui, le fric !

– Oh, non. Non, non.

Sur le cou d'Arthur, une grosse veine palpitait.

– Bon, dit-il en s'essuyant le front. Bon, c'est bien… Tu n'as pas envie de l'injecter dans le remboursement de la maison, je suppose ?

– Cet argent, j'ai décidé d'y renoncer.

– *Pardon* ?

– Oui. Je vais tout donner.

La colère proliféra. Arthur la contint, lâcha avec précaution un mot unique.

– *Pourquoi ?*

Maggie leva les bras au ciel et les laissa retomber avec deux claquements légèrement décalés sur ses cuisses.

– Il ne nous apporte rien de bon ! Regarde Ethan. C'est une loque.

Elle se tourna vers son frère.

– Je ne veux pas te vexer, mais tu es en train de saigner sur le canapé.

Ethan se tamponna le nez.

– Et toi, papa ! Je n'ai pas envie de finir comme ça, étranglée par les traites d'une maison qui a toujours été trop grande. Dans ce quartier clôturé. À quoi elle nous sert, cette maison ? Franchement. Chouteau Place n'a rien à voir avec le monde réel.

– Maggie…

– Tu te plais vraiment, ici ? Tu détestes ton travail, je le sais. Écoute. J'ignore encore ce que je vais faire de l'argent de maman, mais ce dont je suis sûre, c'est que je ne peux pas le dépenser pour moi-même.

– Alors dépense-le ici !

Je regrette.

Tu ne comprends pas, protesta Arthur. Tu. Peux. Sauver. Notre. Maison. Bon Dieu, je ne comptais même pas vous le demander ! Pour ne pas vous mettre mal à l'aise !

– Cette maison n'est plus la mienne. Je n'habite plus ici. Ethan non plus.

L'estomac d'Arthur se souleva, et une vague de nausée monta et retomba en lui. À la fin du XIXe siècle, ses ancêtres avaient fui des pogroms tacitement approuvés à Odessa et survécu sans aucune provision au dur voyage jusqu'en Amérique. Son arrière-grand-père avait poussé un chariot rempli de poisson puant dans le Lower East Side pour que son fils puisse ouvrir une petite boutique de chaussures, pour que le fils de ce dernier devienne dentiste, pour que le fils de ce dernier devienne ingénieur, pour que quoi ? Pour que son fils à lui s'enfonce dans le surendettement ? Pour que sa fille fasse don de son héritage à des inconnus ?

– Alors c'est comme ça ? fit-il. On en est là ? On se résigne à notre déclin ? Mmh ?

– Tu ne renonceras pas à cet argent, dit Ethan à sa sœur.

– Si, je t'assure.

– Le dire, c'est une chose.

– Pourquoi personne ne me croit ? enragea Maggie.

– Maggie, dit Arthur, le souffle court, tu ne te rends pas compte de ce que tu fais.

– Je crois que si, dit-elle.

Soudain, tout devenait clair. Les photos. Le refuge. Le ballet. Tous les éléments du week-end s'assemblaient dans son esprit telles les pièces d'un puzzle. Cette odeur étrange omniprésente, elle savait d'où elle venait à présent. Elle pouvait mettre un nom dessus. Tandis que son pouls s'accélérait, Maggie repensa à une pratique de son père lorsqu'elle était petite. La « taxe papa ». Ce qui avait commencé comme une innocente blague d'Halloween – *Donne-moi cet Almond Joy, Maggie, je dois percevoir ma taxe papa* – était devenu, au fil des années, une obsession pathologique. Son père prélevait sa taxe papa sur tout ce qu'elle gagnait. Lorsqu'elle gardait les enfants des voisins, il lui faisait payer des frais de mise en relation. Il lui retira quinze pour cent de ses premiers vrais revenus, l'été où elle tint la caisse d'un magasin de jouets, sous prétexte qu'il l'amenait au travail en voiture et qu'elle devait participer aux frais d'essence. Il mangeait dans l'assiette de Maggie alors qu'il y avait tout ce qu'il fallait sur la table, afin de lui rappeler à qui elle devait sa pitance. Et durant les quatre années qu'elle passa à Danforth, jusqu'à la mort de Francine, il lui répéta que dès qu'elle serait diplômée elle pourrait commencer à lui rembourser ses frais de scolarité. Augmentés des intérêts. « Je mets ça sur ta note », disait-il. Comme si la condition de parent devait être rémunérée ! Comme si avoir des enfants était un investissement dont il fallait récolter les fruits en espèces sonnantes et trébuchantes !

– Attends, dit-elle. C'est pour ça qu'on est là ? C'est pour ça, hein ? L'argent de maman – c'est ça, la raison. Tu as organisé ce séjour uniquement pour ça.

– Maggie. Maggie, attends…

– C'est pas vrai…

– Pas *uniquement* pour ça, Maggie. Ce séjour…

– Ça ne t'a pas suffi d'*emprisonner* maman dans cette maison ? Dans cette ville ? Ça ne t'a pas suffi de la tromper ? Pendant qu'elle était sur son lit de mort ? Il faut aussi que tu essaies de lui prendre son argent ?

– Je n'ai *emprisonné* personne.

– Est-ce que tu veux seulement de nous ici ? Est-ce que tu veux seulement avoir des relations avec nous ?

– On n'a pas frappé, là ? demanda Ethan.

– *Non*, trancha Maggie. C'est la pluie.

– On a frappé.

– C'est la *pluie*... Papa ?

Arthur plongea son regard dans l'espace vide entre les têtes de ses enfants. Avec un soupir las, il dit :

– C'est les deux.

– Papa, tu veux bien nous dire ce qui se passe ?

Des coups résonnèrent dans la maison. La porte-moustiquaire s'ouvrit et se referma avec un bruit d'air comprimé chassé.

– Papa ?

Une femme se tenait sous l'arcade moulurée.

Ce n'était pas Francine.

Évidemment.

Pour les Alter qui la regardaient, cependant, c'était peut-être en cela qu'elle se distinguait le plus, à quel point elle n'était pas Francine. Grande, les cheveux raides, des yeux de corbeau. Androgyne au-dessus de la taille, musclée au-dessous. Pas Francine du tout. Quelque chose, quelqu'un, de totalement différent.

– Je vais à Boston, annonça-t-elle, frissonnante, sa voix mouillée teintée d'un accent allemand.

Arthur écrasa sa paume contre son front.

– Qu'est-ce que tu fais ici ?

– Qui c'est ? demanda Ethan, une goutte de sang tombant de son nez.

La femme reprit la parole :

– J'accepte le poste de Boston. J'ai encore le temps. Je mérite de trouver quelqu'un qui... Oh, Arthur. On ne peut pas habiter ici, tu le sais très bien. Nous, tous les deux, dans la maison de ta famille ? Arthur, je ne suis pas ta femme. Je ne sais pas ce que je suis pour toi, mais je sais que je ne peux pas me permettre de perdre plus de temps. Toi, tu dois rester et régler tes problèmes. Tu as beaucoup de problèmes à régler.

– Qu'est-ce qui se passe, ici ? demanda Ethan.

– Tu as soixante-cinq ans, Arthur, dit la femme. Qu'est-ce que je deviendrai quand tu seras parti ?

– Je n'ai l'intention d'aller nulle… Oh, bon Dieu. Tu veux bien m'accorder une minute ?

Maggie était bouche bée. Elle n'en croyait pas ses yeux.

La montre.

La montre de soirée, incrustée de diamants.

La montre de sa mère. Serrée au poignet de cette femme.

– Non, mais je rêve, là…

– Bon, fit Arthur en se levant. Les enfants ? Excusez-nous une minute. Ce n'est pas… on n'est pas… elle n'est pas…

– Tu vois ? dit Ulrike. Avec moi, ce n'est que « pas, pas, pas ». Tu ne veux pas de moi, Arthur. Tu veux de la compagnie. Je vaux mieux que ça…

Elle se mit à pleurer.

Maggie regarda la femme qui pleurait, puis son père, puis la femme à nouveau.

Bousculant l'Allemande de l'épaule en passant, elle gagna la salle à manger d'un pas décidé, décrocha du mur la première des photos d'Arthur – *Arthur accroupi, un bras autour des épaules du petit* –, et la fracassa contre le sol.

– Maggie… dit Ethan.

– Ne te mêle pas de ça ! cria Maggie avant d'en faire autant avec la deuxième photo, *Arthur portant le petit sur ses épaules.*

Des morceaux de verre s'éparpillèrent à ses pieds.

– Arrête ! ordonna Arthur.

– Qu'est-ce qui vous prend ? fit Ulrike.

Le petit et Arthur dos à dos, crac ! *Le petit sur les genoux d'Arthur*, crac ! Sur le sol s'alignaient quatre cadres brisés.

Ethan et Ulrike se précipitèrent vers Maggie.

– Vous êtes folle ? s'exclama Ulrike.

– La montre ! Donnez-la-moi ! cria Maggie avant de saisir le poignet de la femme.

– C'est à moi, plaida Ulrike en tentant de libérer sa main. C'est un cadeau de votre père !

– Elle ne lui appartient pas, il n'avait pas à vous la donner !

– On ne reprend pas un cadeau !

Ethan regarda autour de lui.

– Où est papa ? demanda-t-il.

Mais l'intéressé, l'objet du courroux de sa sœur, avait disparu.

Il court face à la pluie, poussée à l'horizontale par le vent. Chaque goutte le pique distinctement, lui inflige son propre châtiment. Regardez-le à présent, qui jaillit hors de l'enceinte de Chouteau Place et rejoint la rue, où les voitures passent sur la chaussée trempée. Son esprit est vide, le temps ruisselle comme l'eau sur les pare-brise qui filent à côté de lui. Le quartier se brouille. Le campus principal n'est plus très loin. Il sépare un couple d'étudiants collés par la main en fonçant entre eux et monte quatre à quatre les marches de Greenleaf Hall. Un moment de répit tandis qu'il traverse un passage couvert aux dalles imprimées du blason de l'université – malheur à ceux qui le piétinent, disent les guides qui font visiter le campus –, puis il ressort sous la pluie et poursuit son chemin jusqu'à l'intérieur de la bibliothèque des études africaines. Il n'a qu'une seule chose en tête.

Il fouille les rayonnages. Des sujets entiers, peuples, épidémies, histoires et langues, sont jetés au sol et foulés aux pieds. *Afrikaans. Algérie. Analphabétisme.* Où est-il ? Il ne le trouve pas. Il va exploser s'il ne le trouve pas.

– Professeur ?

Il se retourne, trempé, en grommelant. Un étudiant bibliothécaire se tient devant lui, l'air empressé. Un sourire hésitant masque son inquiétude, démentie par le tatouage en lettres gothiques sur son biceps gauche : LOREM IPSUM. Un aspirant graphiste.

– Il me semblait bien que c'était vous, dit-il. J'ai suivi votre cours, l'année dernière. Sur le changement social !

– D'accord.

– Ouais, poursuit il, super cool comme cours. L'ingénieur sur le terrain, « la responsabilité sociale de construire » – vachement intéressant, tout ça. Super option. Ça m'a fait réfléchir, vous savez ?

– C'est l'idée, dit Arthur.

Une ombre passe sur les rayonnages, avale un rai de lumière. Arthur demande :

– Il est où ?

– Où quoi ?

421

– Je cherche un ouvrage et je ne le trouve pas, putain.

– Ah ! D'accord. Bon, venez avec moi jusqu'au fichier, je vais voir ce que je peux faire.

Le gamin emmène Arthur à l'endroit en question et glisse par-dessus le comptoir. Son pied droit fait tomber une agrafeuse.

– Mince… Argh…

– C'est un petit bouquin…

– Voilà voilà. Titre ?

Arthur souffle.

– *Vers un nouveau système sanitaire dans la nouvelle nation du Zimbabwe.*

Le gamin tapote sur son clavier.

– Auteur ?

– L'auteur, c'est… C'est…

– « Arthur Alter »… Eh, mais… c'est votre livre à vous, professeur !

– Oui.

– Bizarre !

– Dites-moi où il est.

– Je disais ça…

– *Allez.*

– Ok, Ok, ah, attendez… Apparemment, il a été signalé.

Le gamin lève des yeux innocents et navrés.

– Signalé ?

– Comme étant manquant.

– Eh bien, dites-le, *signalé manquant.*

– Signalé manquant, ouais.

– Merde… dit Arthur en marchant de long en large. Merde…

– Hé, professeur ?

Des gouttes de sueur tombent du front d'Arthur. Une mouche bourdonne en rond autour de son oreille.

– Pourquoi avez-vous besoin d'un exemplaire de votre propre livre ?

– Pardon…

– Parce que, bon, c'est un peu bizarre, non ? Je veux dire… C'est votre *propre livre*.

Arthur se hérisse. Sans réfléchir, il plie les genoux. Se comprime à la manière d'un ressort.

– Écoutez-moi. Écoutez. J'en ai besoin. J'en ai besoin immédiatement.

– Vous n'avez pas d'autres exemplaires ? Genre, chez vous ?

– Il y a eu un incendie. Ils ont brûlé.

– Quel incendie ?

– Contentez-vous de trouver ce bouquin.

– Je suis désolé, professeur. Je ne vois pas ce que je peux faire.

Arthur presse ses deux paumes l'une contre l'autre, les pouces courbés vers l'extérieur. Implorant.

– Il était en rayon il y a quelques semaines. Vous devez pouvoir me dire qui l'a emprunté en dernier.

– Je voudrais bien, mais je ne peux pas. Il n'a pas été emprunté. Il a été soit perdu, soit…

– Soit…

– Volé.

À ce moment-là, il sait que c'est sans espoir. À ce moment-là, il sait que c'est fini. Il n'en sortira rien de bon. De lui, d'Arthur, il n'est jamais rien sorti de bon.

– J'aimerais bien pouvoir vous aider… dit le gamin.

Il n'a pas le temps de terminer. Arthur bondit.

Le spectacle dut paraître étrange aux étudiants qui marchaient dans les flaques du campus cet après-midi-là d'avril, sur le chemin ou de retour de leur bibliothèque de prédilection, leur manif, leur AG, leur spectacle d'impro, leur séance de travail avec leur groupe de TD : un prof de génie mécanique, veste de tweed jetée sur l'épaule, assis sur la pelouse gorgée d'eau devant la bibliothèque des études africaines. La vue de cet homme mûr – un *universitaire* – sur le sol avait quelque chose de malsain, à plus forte raison avec cet air épuisé et néanmoins rebelle d'enfant en phase finale de caprice, sur la lente voie de la résignation. Il était assis en tailleur, la tête dans les mains. De loin, on aurait pu croire qu'il était tombé, mais, il suffisait d'y regarder d'un peu plus près pour le comprendre, il s'agissait là d'un homme qui avait décidé de s'asseoir.

Un demi-cercle se forma autour de lui. Ethan, Maggie, LOREM IPSUM et un membre de la police du campus de Danforth. Ils se tenaient là tel un peloton d'exécution.

Après avoir beaucoup parlementé, et s'étant engagé à contribuer à l'achat de nouveaux uniformes pour son unité, Ethan réussit à convaincre le policier de ne pas arrêter Arthur. L'étudiant en graphisme était miraculeusement sorti sans une égratignure de l'agression qu'il venait de subir. Un peu choqué, c'est tout. Arthur bredouilla des excuses, d'abord au jeune homme pour ce malentendu entre eux, puis au policier pour l'avoir fait venir du campus principal sur son Segway. Le visage réprobateur de sa défunte épouse flottait au-dessus de lui, incarné par son unique fille.

Ethan entraîna sa sœur à l'écart.

– Qu'est-ce qu'on fait, nous ? dit-il. Qu'est-ce qu'on devient dans tout ça ?

– Toi et moi ?

– Ouais. Nous.

Maggie plissa le front, planta ses mains sur ses hanches et balaya du regard le terrain de l'université autour de laquelle avait gravité la vie de sa famille – une université de bon niveau, à l'échelle nationale, mais qui peinait à le faire reconnaître.

– On s'en va, dit-elle.

– On s'en va.

– Oui.

Le nez tordu d'Ethan siffla.

– Et papa ?

– Il s'en sortira.

Leurs têtes se tournèrent simultanément vers leur père, toujours assis sur la pelouse gorgée d'eau, son jean trempé.

– Il se relèvera, dit-elle. Il le faudra bien, à un moment donné

III

20

University City n'était pas imperméable aux humeurs de l'établissement dont elle tirait son nom. Au mois de mai, à Danforth, on faisait des projets, on se vantait sans en avoir l'air, on interrogeait sa boîte mail avec angoisse. Les quatrième année disparaissaient dans un passé embrumé par l'alcool. Les couples se séparaient ou décidaient, avec l'optimisme morbide d'une secte apocalyptique de tenter l'aventure des amours à distance. Chaque regard oblique, chaque inflexion météorologique étaient interprétés comme recelant une grande signification. C'était un mois oppressant. Les métaphores fleurissaient. Tout était bon pour pleurer à chaudes larmes : les émotions, le pollen.

Pour les enfants non fortunés de cette université d'élite du Midwest, les années de tapes dans le dos et d'encouragements avaient brutalement pris fin. Sans les relations dans les banques d'investissement de leurs homologues de la côte Est ou les contacts dans la Silicon Valley de ceux de l'Ouest, la majorité des diplômés de Danforth se recroquevillaient et se préparaient à hériter de l'économie en crise dont ils avaient tant entendu parler ces quatre dernières années. Leurs parents, qui autrefois leur conseillaient : « Vise la lune », leur disaient à présent : « Ne sois pas trop gourmand. » Dans leur recherche d'emploi, la passion n'était plus un prérequis. Tout ce qui comptait, c'était d'avoir une assurance maladie. La promesse d'un nouveau départ permettait cependant encore tous les espoirs. Le travail de bureau conservait son mystère, la fiche de paye sa magie : pour le diplômé en littérature qui avait la chance de décrocher un CDD de base à la Poetry Foundation, le salaire initial de trente mille dollars annuels semblait plus d'argent qu'il n'était possible d'en dépenser dans une vie. On déposait des dossiers de candidature, rassemblait des lettres de recommandation. On sollicitait des postes d'enseignant *via* des programmes subventionnés. Fulbright. AmeriCorps. Une trentaine de diplômés se voyaient embaucher par le bureau des admissions de Danforth, chargés de faire passer des entretiens de recrutement aux lycéens et d'enseigner les usages télé-phoniques aux étudiants rémunérés par l'université pour démarcher les donateurs. Les dépressifs, popula-tion constituant quinze pour cent du corps étudiant – en ne comptant que les cas diagnostiqués –, commençaient à se sentir plus légers.

Quelques jours avant la cérémonie de remise des diplômes, un membre apprécié de la fraternité juive tomba du toit de la maison de sa fraternité, plongeant tout Danforth dans un état digne d'un deuil national. Il échappa cependant à la mort et s'en sortit avec une entorse du poignet. Ses frères et sœurs d'alphabet grec rédigèrent des vœux de prompt rétablissement et les lui adressèrent au vaste complexe hospitalier où on lui posait un plâtre, avant de retourner à leurs affaires. La cérémonie passée, chacun entra en frissonnant dans la vie active, pistonné par tel ou tel ami détestable de sa famille. L'avenir, semblait-il, était plus proche que jamais.

Le journal étudiant, le *Danforth Register*, publia un article sur l'incident entre Arthur et le bibliothécaire. En titre, en lettres majuscules, on lisait : UN ÉTUDIANT BOURSIER AGRESSÉ PAR UN PROF. Au grand dam d'Arthur, l'altercation était donc qualifiée d'agression, et le bibliothécaire tatoué était à présent « un étudiant boursier » – comme si la question financière avait quelque chose à voir dans la charge d'Arthur contre le gamin.

Avant d'avoir pu remonter les bretelles du rédacteur en chef du *D-Redge*, comme on appelait familièrement ce journal, Arthur reçut un mail d'un membre de l'équipe de Sahil Gupta, le doyen. Un rappel de leur prochain rendez-vous. *Quel jour, cette semaine, vous conviendrait le mieux ?* Arthur écrasa son poing sur le clavier, traversa d'un pas vif la cour du campus principal et fit irruption dans le bureau du doyen.

– Ne me dites pas qu'il porte plainte.

Gupta leva les yeux.

– Pardon ?

– Il n'a rien eu, dit Arthur. Pas une égratignure.

Une jeune femme vêtue d'une jupe crayon et chaussée d'escarpins le rejoignit en faisant d'aussi grandes enjambées que le lui permettait sa tenue.

– Désolée, monsieur Gupta, dit-elle, essoufflée, ses seins rebondissant sous son chemisier tandis qu'elle s'arrêtait à la porte. Je n'ai pas pu l'arrêter…

– Ce n'est rien, Lola. Arthur, venez vous asseoir.

La jeune femme lança à Arthur un regard furieux, puis pivota sur ses talons et repartit. *La vache*, se dit-il en levant les yeux vers le plafond voûté pour les détourner des deux demi-lunes sous la jupe de l'assistante. Sans le vouloir, il respira une bouffée de la puissante eau de toilette du doyen. Ses narines se remplirent de cèdre et de cardamome. *Lola.*

Gupta le regarda à peine. Ses bras tentaculaires parcouraient la surface de son bureau jonché de papiers. Un pince-nez lui barrait l'arête du nez.

– Vous saviez que mon livre avait disparu ? De la bibliothèque ?

– Arthur, Arthur, fit le doyen. Asseyez-vous. Respirez.

Arthur s'assit, tremblant d'une frustration indignée. Il regarda Gupta, encadré par les hautes bibliothèques en bois derrière lui, prendre son temps pour trier les documents sur son bureau. Au bout de quarante secondes exaspérantes – Arthur compta –, Gupta tira du fouillis une chemise de papier kraft et la tendit à Arthur.

– Qu'est-ce que c'est ?

– Lisez.

Un malaise envahit Arthur. Son estomac semblait déjà connaître le contenu de cette chemise. Il l'ouvrit lentement et plissa les yeux pour ne pas tout lire d'un coup, puis il pinça la chemise pour la refermer.

– Vous n'êtes pas obligé de faire ça, dit-il. Je donnerai tous les cours que vous voudrez. N'importe quoi. Je travaillerai pour rien. Je ne serai pas un fardeau.

– Arthur, s'il vous plaît.

– Vous ne pouvez pas me renvoyer. Pas après tout ce que j'ai fait pour cet établissement.

– Vous n'êtes pas renvoyé.

Sèchement, le doyen ajouta :

– Nous choisissons simplement de ne pas renouveler votre contrat pour le moment.

– Lisez l'article, Sahil. « Ni égratignure ni ecchymose visible. » Le gamin est *indemne*.

– Il ne s'agit pas que de cela, Arthur. Même si, en effet, nous encourageons nos professeurs à ne pas s'attaquer aux membres du corps étudiant, dans la mesure du possible.

– Quel est le problème, alors ?

– Arthur… Vous deviez bien le sentir venir. Vous avez enseigné, quoi ? deux matières ce semestre ? Pour une rémunération équivalente à celle d'un troisième cycle. Vous ne pensiez tout de même pas que ça allait durer éternellement. Très franchement, je suis surpris que vous soyez resté aussi longtemps.

– Toutes ces années…

– Votre poste n'a jamais été permanent.

– Tout ce temps que j'ai investi…

– J'en attendais plus de votre part. Le temps, c'est une chose. Vous n'avez jamais publié, Arthur. Pas un seul article durant toutes ces années passées chez nous.

– J'étais concentré sur mes cours !

– Vos évaluations étudiants sont exécrables. Sincèrement, Arthur, je n'ai jamais vu autant de une-étoile.

– Il faut du temps pour m'apprécier. Et puis c'est quoi, ce système d'étoiles ? On laisse des mômes de

433

dix-huit ans décider des moyens d'existence des gens ? On critique les êtres humains comme si c'étaient des films ?

– Les étudiants adorent le système des étoiles. Nous obtenons bien plus d'évaluations ainsi.

– Sahil, écoutez-moi. Vous commettez une terrible erreur.

– Je regrette, Arthur. Je ne peux plus rien pour vous. Et avec ce dernier… incident…

Le doyen prit un numéro du *D-Redge* sur son bureau et l'agita devant lui. Il infligea alors à Arthur la pire insulte qui puisse sortir de la bouche d'un administrateur d'université.

– Professeur Alter, dit-il. J'ai bien peur que vous ne soyez devenu un boulet.

Arthur maudit sa carrière. Il maudit la politique de titularisation, toutes ces années passées avec la tête sur le billot. Il maudit un corps étudiant susceptible et tout-puissant, autorisé à tous les caprices par des frais de scolarité obscènes et la mentalité consumériste qu'ils engendraient. Il maudit Henrik Vergoosen, prix Nobel de chimie et professeur titulaire de Danforth, qui (c'était de notoriété publique) s'était tapé impunément cinq de ses six dernières assistantes administratives, étudiantes ou autochtones, dans l'enceinte de l'établissement ou à l'extérieur. Il maudit les sushis acheminés par avion dans les réfectoires et les matelas Tempur-Medic dans les résidences des première année. Il maudit le conseil d'administration, une conjuration de milliardaires de l'industrie du charbon et des biotechnologies opposés à un salaire minimum de quinze dollars l'heure pour le personnel de restauration qui faisait une heure de route tous les matins à l'aube pour venir de l'est de Saint Louis. Il maudit l'hypocrisie d'un établissement qui se vantait de recruter des femmes pour enseigner les matières scientifiques et accordait en même temps un diplôme honoraire à la très conservatrice Phyllis Schlafly. Il maudit l'élite chinoise et nigériane qui achetait l'admission de sa progéniture à une université avide de photos multiculturelles pour ses brochures. Il maudit cet établissement qui avait fermé un excellent département de sociologie parce que ses enseignants avaient des penchants marxistes. Il maudit la « gauche campus » émergente pour son sectarisme militant et la lâcheté de l'administration dans ses rapports avec elle, qui n'avait d'égale que sa frilosité à l'égard des fraternités enclines aux scandales. Il maudit la haute idée que Danforth avait d'elle-même, son obsession de l'image et des relations publiques. Il maudit, maudit, jusqu'à ce qu'il n'ait plus rien à maudire et qu'on l'entraîne, sous ses protestations, hors des bureaux administratifs, en lui demandant de ne plus revenir sur le campus.

Son renvoi de Danforth sonna pour Arthur la fin de l'espoir. Il se résigna à son sort et mit la maison sur le marché. Trois semaines plus tard, elle était vendue. À la grande surprise d'Arthur, les acheteurs – un jeune couple, tous deux très beaux, des parents de triplés – n'étaient pas, comme il s'y attendait, liés à l'université.

– Qu'est-ce qu'ils font ? demanda-t-il.

– Ils sont dans le secteur privé, expliqua l'agent immobilier, comme si c'était une réponse suffisante.

Ethan et Maggie revinrent pour préparer le déménagement et célébrer l'anniversaire de la mort de Francine, qui coïncidait avec la vente de la maison. Maggie avait assuré à son père qu'ils étaient là s'il avait besoin de « soutien moral », mots qu'Arthur avait toujours trouvés ridicules. Lui, il avait besoin d'une vraie aide physique. Dans sa situation, rien ne remplaçait la main-d'œuvre. Les quelques collègues qu'il fréquentait étaient devenus silencieux après que la nouvelle de son esclandre dans le bureau du doyen se fut répandue. Pas le moindre message de réconfort, personne pour l'inviter à parler de tout ça devant une bière ou lui proposer de l'aider à faire ses cartons. L'un des dangers des déménagements, songea-t-il, c'est de découvrir qui sont ses amis.

Il avait demandé de la main-d'œuvre et l'avait obtenue. Ses enfants se déplaçaient dans la maison avec un professionnalisme froid qui le mettait mal à l'aise, ne lui parlaient que de problèmes logistiques. Cependant, qu'ils lui aient pardonné ou non, ils étaient revenus, il supposait donc qu'il pouvait s'estimer heureux.

Un après-midi, il se retrouva à court de scotch. Suivant le son étouffé des voix de ses enfants, il monta à l'étage et entra dans la chambre de Maggie. La pièce était vide, mais la trappe du grenier était ouverte et l'échelle aux barreaux rouges descendait jusqu'à la moquette à longues mèches. Ils les entendaient, en haut.

– Je m'inquiète pour lui, disait Ethan. Qu'est-ce qu'il va devenir ?

– Ça, c'est son problème.

– Maggie…

– Tu vois, chaque fois c'est pareil. Tu passes l'éponge. Comme si c'était un enfant qui ne savait pas ce qu'il faisait. C'est un adulte, Ethan. Complètement déconnecté de son époque, en plus.

– D'accord, il est un peu à côté de ses pompes. Mais quelle solution il a ? On n'a pas de responsabilité envers lui ? On ne doit pas veiller à ce qu'il sorte de ce pétrin ?

– Pas moi, non.

– Si. Tous les deux.

Petit rire méprisant de Maggie.

– Si tu le dis.

– Tu as décidé à un moment donné qu'il serait ton ennemi. C'est purement idéologique chez toi. Tout ce qui ne colle pas avec l'idée que tu as de lui, tu l'écartes. Mais il est plus complexe, et tu le sais. Qu'est-ce que tu crois que je ressens, moi ? Il ne s'est toujours intéressé qu'à toi.

– À moi ? Tu rigoles ?

– Il se frite avec toi parce qu'il te respecte. Tu es un adversaire digne de lui. Je ne sais pas ce qu'il pense de moi, mais à ses yeux je ne vaux pas la peine d'être pris au sérieux.

– Et tu continues de le défendre ?

– Je ne le défends pas. Je te demande de considérer tout ce qu'il a fait pour nous. Pas seulement les sales coups. Vois l'ensemble…

Arthur resta sur le seuil de la porte. Il savait qu'il aurait dû s'en aller mais en était incapable. Son cœur se serrait à chaque mot entendu. Tandis que les minutes s'écoulaient, il écouta, meurtri, sur la défensive

– conscient aussi de son importance –, ses enfants dresser son bilan.

Le lendemain, Maggie emmena Ethan au Climatron célébrer le Yahrzeit de Francine. Ensemble, ils traversèrent les jardins internationaux, tous vigoureusement en fleurs. Ils longèrent d'un pas solennel les cornouillers sous la canopée de chênes du jardin anglais, contournèrent les murs en écailles de dragon du Nanjing Friendship Garden. Ils marchèrent en silence, par respect pour les morts, mais les cris perçants des enfants et la verdure tachée de rouge, de bleu, de jaune, rappelaient qu'ici, c'était un lieu de vie.

Saint Louis est une fournaise en mai. Même dans les jardins, où la chaleur saisonnière est atténuée par la couverture des arbres, une moiteur s'installe entre la peau et les vêtements, entre les bras et le torse, qui laisse des traînées d'humidité comme des traces d'escargot. Ethan avait les bras luisants de sueur lorsqu'ils passèrent devant le bassin miroir où Charlie lui avait frotté le lobe de l'oreille et virent apparaître le dôme géodésique.

Les portes automatiques se refermèrent derrière eux, et tout à coup ils se retrouvèrent transportés dans un autre monde. Les feuilles dégringolaient les unes sur les autres dans la dense accumulation de buissons bordant le chemin. Des brumisateurs programmés vaporisaient de l'eau par intermittence. Maggie servant de guide, son frère et elle traversèrent une hutte au toit de chaume près de l'entrée et passèrent devant les frondes en éventail d'un cocotier de mer et un rideau de passiflore, en évitant les racines arc-boutées d'un arbre vertigineux.

438

Maggie quitta alors le chemin et indiqua l'endroit où elle avait dispersé les cendres.

– Tu l'as jetée dans l'eau ? demanda Ethan d'un ton inquiet.

Maggie confirma de la tête.

– Je voulais qu'elle circule.

Ethan suivit du regard le courant jusqu'au bord du dôme, puis leva les yeux vers les vitres triangulaires et le réseau de tubes en aluminium qui les soutenaient.

– D'accord, dit-il.

Ils s'assirent au bord du ruisseau et restèrent là un moment, dans ce bosquet de verdure printanière, entourés des fougères, des buissons et des quelques Chihuly, les cris d'animaux enregistrés se muant en un croassement prolongé, tous deux à l'abri, pour l'heure, sous cette grande cloche vitrée.

La vente remboursa l'emprunt et laissa à Arthur de quoi prendre une chambre au Chase Park Plaza et s'acheter le plus précieux des biens, du temps. Se défaire de la maison lui apporta une satisfaction inattendue, le soulagea d'une angoisse, comme à la mort d'un être cher après une longue maladie. Il était d'autant plus satisfait qu'il se découvrait libéré de ses obligations d'enseignant : fini les réunions de comité, tous ces caprices de l'université.

Sa chambre au Plaza était meublée, le minibar rempli, et chaque matin il brunchait au Chase Club. Le hall était son salon, la piscine sa salle de bains. Il se fit couper les cheveux chez le coiffeur au sous-sol de l'hôtel, où une femme en petit haut moulant laissant voir un nombril

439

d'un attrait obscène lui déposa une serviette chaude sur le visage et lui mit un verre froid de whisky dans la main. Il passa là quatre semaines formidables avant de recevoir la facture mensuelle et de s'inquiéter à nouveau. Les hommes de l'âge d'Arthur étaient des pionniers : c'était la première génération à dépasser régulièrement les quatre-vingts, voire les quatre-vingt-dix ans. Il avait de nombreuses années devant lui à prendre en compte.

Le quartier avait bien changé depuis son arrivée à Saint Louis. Le nouveau Central West End, avec ses bars à vodka, sa pâtisserie franchisée livrant des cookies toute la nuit, ses galeries d'art et ses boutiques de vêtements sporty-chic, s'adressait aux outrageusement jeunes. Aux injustement nantis. Il les observait de sa fenêtre tel un bossu dans son clocher. Étudiants, actifs considérés localement comme séduisants. Qui achetaient. Mangeaient. Ils ne font donc rien d'autre ? s'étonnait-il. Leur vie se résume donc à ça ? Il en frissonnait de dégoût. Lorsqu'il était d'humeur plus charitable, il leur pardonnait leur consumérisme et condamnait les systèmes qui l'encourageaient. Il se demandait alors ce que cela devait coûter d'être jeune et de vouloir s'élever dans l'échelle sociale en Amérique.

De retour à Ridgewood, Maggie reprit son travail de bon Samaritain auprès des jeunes Nakahara, mais lorsque l'été arriva ils ne tenaient plus en place. Elle fit de son mieux pour les occuper. Ils mangèrent une pizza dans un ancien garage de Bushwick, se promenèrent au cimetière de Mt. Hope à Glendale. Deux fois, ils durent renoncer à aller passer la journée à Coney Island à cause de problèmes de métro. D'abord, un passager malade provoqua l'arrêt de la circulation de leur rame. La semaine suivante, il y eut un incendie sur les voies.

Quand, après une longue bataille législative, les combats professionnels de MMA furent enfin autorisés dans l'État de New York, Bruno supplia Maggie de l'emmener en voir un.

– Allez, Maggie, s'il te plaît. On s'emmerde comme des rats morts, cet été.

– Gros mot. Un dollar dans le bocal. Tout de suite.

– Il n'a pas tort, renchérit Alex. Moi, en tout cas, je ne me sens pas assez stimulé.

En août, Maggie céda et affecta le contenu du bocal au financement d'une sortie pédagogique. Avec la permission d'Oksana (et un hochement de tête énigmatique de son mari), elle emmena les garçons au Barclays Center. On aurait dit que tout le centre de Brooklyn était en travaux ce soir-là. Le revêtement de longues portions de chaussée avait été retiré au marteau-piqueur et formait des amas de gravats. Des engins abandonnés jetaient des ombres inquiétantes sur des terrains vagues à l'accès interdit par des panneaux et du ruban de signalisation. Des grues s'élevaient au-dessus d'immeubles en construction, tels des bras tendus vers le ciel bleu-noir. En sortant de la station de métro, les garçons se dirigèrent, ébahis, vers la salle et l'immense anneau luisant de son auvent en forme de donut.

Leurs places étaient situées très loin du ring, à une hauteur vertigineuse. Maggie parcourut le public du regard. Un public très… masculin. C'étaient là des individus, songea-t-elle, dont le seuil de formation d'émeutes était nul ou égal à un, des individus suscitant des questions du genre : quelle est la différence entre un skinhead et un chauve ordinaire avec des tatouages ? Elle ne tenait pas à devoir le découvrir. Elle savait déjà que c'était trop de testostérone pour une même enceinte. Un rien pouvait embraser cette foule.

Bruno et Alex, eux, avaient l'air ravi, aucunement perturbés par ce qui les entourait. Trop éloignés de l'action pour voir quoi que ce soit directement, ce fut sur l'écran géant qu'ils regardèrent le premier combattant, un Blanc large d'épaules, descendre une allée illuminée, retirer son tee-shirt sous un tonnerre d'applaudissements et entrer dans l'enclos grillagé. Sur les battements d'une grosse caisse s'appuyait la voix mouillée de prométhazine et de Sprite d'un rappeur dont la chanson, Maggie la reconnut enfin, était celle qu'elle avait entendue à la soirée d'anniversaire d'Emma quelques mois plus tôt. Le second combattant était plus brun de peau et barbu. Entré par l'autre extrémité des gradins, il fut hué jusqu'au ring. Il tirait la langue au public et le narguait avec un sourire méprisant, en agitant un grand drapeau rouge au rythme des tambours berbères remixés dont les pulsations s'échappaient à présent des haut-parleurs.

Le présentateur, cheveux hérissés aux pointes décolorées, prit son temps pour présenter les combattants. Il détailla leur palmarès, leur taille, leur poids, leur pays d'origine.

– Une bonne leçon sur « l'autre », chuchota Maggie aux garçons. Enfin, une mauvaise.

Absorbés par le spectacle, ils ne l'entendirent pas. Elle les regarda crier, acclamer, excités comme elle ne les avait jamais vus, et elle comprit soudain qu'ils n'auraient bientôt plus besoin d'elle. Elle se tamponna les yeux à l'aide de son tee-shirt.

Bruno lui donna un coup de coude dans les côtes.

– Ça va ? demanda-t-il.

– Ouais, grimaça-t-elle. Ça va.

Se laissant aller en arrière sur son siège, elle relâcha peu à peu les épaules et regarda, amusée malgré elle, les combattants se jeter l'un sur l'autre.

En septembre, Ezra Goldin fêta sa bar-mitsva. Trois cents amis et membres de la famille furent invités. Arthur n'était pas du nombre.

Maggie doutait trop de la présence de son frère pour se passer de venir accompagnée. Il lui avait promis de venir, mais elle savait qu'il risquait de lui faire faux bond et de la laisser affronter seule l'étalage consumériste des Goldin et les conseils d'orientation professionnelle qu'ils donnaient sans qu'on leur ait rien demandé. Elle avait fini par décider d'emmener Mikey. En ami – elle avait été claire sur ce point. Elle avait peut-être été un peu dure avec lui ces dernières années. Ses opinions politiques n'étaient pas idéales, mais elle pouvait les faire évoluer. L'influencer un peu. Et puis, il tenait à elle. Il était dans son camp, et elle commençait à mesurer l'importance de ce soutien.

Bex accueillit Maggie à l'entrée de la synagogue – « Mouah ! mouah ! tu es superbe ! » – tandis que Levi imposait à Mikey une vigoureuse poignée de main. Les

Goldin étaient venus en force. Leurs patriarches échangeaient des baisers comme des parrains de la Mafia, leurs femmes toutes vêtues de vison. Maggie s'assit parmi les Klein, qui, enveloppés du talith, suivaient nerveusement le score du match des Jets sur leur téléphone. Dispersés parmi l'assemblée, des fidèles volants, liés à aucune des deux familles, priaient à voix basse et à leur rythme.

Ezra devait partager ce grand jour avec un camarade de classe, mais c'était avant que Levi ne dote la synagogue d'une nouvelle Torah et que les rabbins ne repoussent d'une semaine la bar-mitsva du malheureux. Ezra lut son passage à la hâte, sa voix se cassant sur les cantillations anciennes. Bercée par ces mélodies, qui ne voulaient rien dire pour elle mais lui semblaient chaudes et familières, Maggie s'endormit. Lorsqu'elle se réveilla, la communauté des femmes offrait à Ezra une coupe de Kiddouch en argent, et elle avait sur les genoux trois bonbons aux fruits, des Sunkist, emballés individuellement. Le bruit de la cellophane froissée remplit le sanctuaire tandis que les bonbons volaient. Maggie lança les siens avec un peu trop d'enthousiasme. Quelques secondes plus tard, elle entendit Ezra crier : « Aïe ! Mon œil, putain ! » Mikey regarda Maggie d'un air accusateur. « Me regarde pas comme ça, chuchota-t-elle. Tout l'intérêt d'un peloton d'exécution, c'est de ne pas désigner de responsable. »

Alors que la cérémonie touchait à sa fin, le rabbin dirigea la prière et bénit Ezra avant de demander aux fidèles de se joindre à lui pour bénir les armées américaines et israéliennes. Maggie se tut en signe de protestation.

Tous se levèrent pour le Kaddish, la prière des morts. Ceux qui étaient en deuil furent invités à rester debout après la prière afin que l'assemblée les identifie. Maggie obtempéra. Hissée sur la pointe des pieds, elle tenta en vain d'apercevoir son frère.

Ce soir-là, avant la fête, elle s'attarda en compagnie de Mikey dans le hall du Teaneck Marriott. Elle portait une robe à la taille marquée et au bas évasé, avec sur les épaules un pashmina que Mikey lui avait offert à la fac.

Elle avait pris quelques kilos ces derniers mois. Sa nouvelle densité lui plaisait. C'était agréable de retrouver un peu de stabilité. Depuis le temps qu'elle pleurait la mort de sa mère et s'affamait, elle ne savait plus très bien pourquoi, au péril de sa santé, le moment était venu pour elle de reprendre le cours de sa vie.

Indépendamment de l'évolution de Maggie, Mikey s'était lancé dans un programme effréné de fitness à domicile récemment popularisé par le président ultra-conservateur de la Chambre des représentants. Il était élégant avec le costume anthracite qu'il avait choisi après que Maggie lui eut expressément interdit les rayures, sa chemise bleu ciel, sa cravate rouge d'homme d'affaires et ses boutons de manchette.

– Allez, viens, dit-elle en l'entraînant vers la salle de réception.

Bex ne renonçait à aucune dépense lorsqu'il s'agissait de ses enfants. L'orthodoxie de la matinée avait fait place à l'outrance d'une boîte de Tel-Aviv. Des néons bleus et rouges inondaient la salle de lumière. Un bar

445

avait été installé à l'entrée. Une pyramide de verres retournés, des verres à cocktail en cristal, brillait, rétroéclairée par des rangées de LED.

– C'est le moment, dit Maggie, où le quart-monde s'engouffre par les portes et nous fait subir à tous le sort qu'on mérite.

Deux femmes perchées sur des échasses et vêtues de costumes à paillettes leur montrèrent le chemin. Maggie reconnut une silhouette près du bar, les épaules hautes et contractées, appuyée contre une table où trônait un buste d'Ezra sculpté dans la glace.

– Ethan ! lança Maggie.

Puis, à Mikey :

– Mon frère. Je vais lui dire bonjour. Reste ici.

Elle alla retrouver Ethan et le serra dans ses bras. Son nez s'était remis du coup qu'il avait reçu. Seules les légères taches foncées aux coins de ses yeux indiquaient que subsistaient encore quelques dégâts.

– Tu es magnifique, dit-elle.

– Merci.

Il vida la moitié du verre qu'il avait à la main.

– C'est quoi ?

Ethan fit tourner le liquide dans son verre.

– De l'eau de Seltz. J'essaie de me débarrasser de certaines habitudes.

Maggie hocha la tête. Les femmes aux costumes à paillettes circulaient dans la salle sur leurs échasses, en posant pour être photographiées avec les invités.

– Dis donc, t'étais où, ce matin ?

– J'ai failli ne pas venir. Je n'ai rien à dire à personne, ici. J'ai trente et un ans, pas de boulot, et je suis fauché.

– La moitié des gens dans cette salle sont endettés, bien plus que toi. Ils ont appris à vivre avec.

– À vivre malgré ça.

– À vivre en n'en ayant rien à faire.

– Tu as sûrement raison.

Maggie hocha la tête.

– Merci de ne pas m'avoir demandé de te renflouer, au fait.

Ethan rit.

– Je ne me permettrais pas.

Un groupe de préadolescents renversèrent des gouttes de leurs cocktails rouge vif sans alcool en poursuivant un garçon ayant volé une paire d'escarpins.

– Je vais retourner à la fac, annonça Maggie.

– Sans blague ! Pour quoi faire ?

– Pour devenir prof. Prof de collège, je pensais. Dans certains États, tu n'as pas besoin de maîtrise ni rien.

– Tu vas quitter New York ?

– J'en ai marre de cette ville. Tout est trop cher.

Ethan inclina la tête sur le côté.

– Il faut être un magnat du pétrole pour habiter Manhattan, poursuivit-elle, et je ne tiens pas à rester voir Brooklyn se remplir de gratte-ciel.

– Tu vas aller où, alors ?

– Dans le Vermont. C'est ce qui est prévu, en tout cas.

Ethan hocha la tête.

– Moi aussi, j'envisage de retourner à la fac.

– Ah bon ?

– Ouais, enfin… J'ai déjà déposé un dossier. Qui a été accepté. C'est décidé, j'y vais.

447

– Ethan ! Ouah ! Raconte.

– Pratt prépare à un diplôme de troisième cycle en architecture d'intérieur. Un MFA.

– Ah… Un MFA. Un diplôme très pratique, c'est bien connu.

– C'est marrant. Papa a dit à peu près la même chose. Maggie leva les yeux au ciel.

– Ben voyons.

– Il va falloir que je vende mon appart.

– Tu vas loger où ?

– Je vais être chef de résidence. On te donne une chambre gratuite si tu surveilles un peu les bizuts.

– Il va falloir faire plus que les surveiller un peu.

– Je sais.

– Ils vont te soumettre leurs problèmes, tu vas devoir…

– Je sais, Maggie, je sais.

Les lumières vaporeuses s'harmonisèrent pour devenir d'une riche couleur lilas. Un homme en smoking passa près du bar, muni d'une planche de bois sur laquelle étaient fixés trois cylindres métalliques. Il fit doucement tinter ceux-ci à l'aide d'une mailloche.

– Mesdames et messieurs, dit-il, si vous voulez bien me suivre, nous allons passer dans la salle principale.

– On n'est pas dans la salle principale, là ? s'étonna Ethan.

– Garde-moi une place à table, dit Maggie. Deux.

Elle trouva Mikey avec une assiette japonaise dans les mains.

– Je suis tombé sur des collègues de boulot, dit-il en mâchant un sashimi. Ils se faisaient un rail de coke aux toilettes. Du premier choix, apparemment. Le monde est petit, hein ?

– Trop. Allez, viens, on va s'installer.

Dans la salle, le nom d'Ezra était projeté en italique au plafond. Des animateurs en vestes disco ondulaient sur le carrelage imitation parquet. La piste de danse était bordée d'un côté d'un troupeau de canapés de cuir blanc ; de l'autre, deux barmen éclairés par des stroboscopes préparaient des boissons avec une habileté chorégraphiée. Au-dessus d'eux, sur une plate-forme surélevée, un violoniste et un saxophoniste encadraient un DJ. Une musique électronique d'ambiance emplissait la salle, les basses entrecoupées d'éclats de voix.

Maggie se fraya un chemin à travers la foule et trouva son frère assis à une longue table. Elle lui présenta Mikey.

– Ravi de faire enfin ta connaissance, dit Ethan.

– Moi aussi, dit Mikey. Maggie m'a beaucoup parlé de toi.

La musique enfla. La Hatikvah retentit, surchargée de sons synthétisés et de roulements de caisse claire. Un animateur avait connecté son microcasque et aboyait aux invités : « Allons-y, mesdames et messieurs. Jeunes et vieux, petits et grands, beaux et laids : tout le monde sur la piste ! C'est le moment de danser la Horah ! »

Un cercle de mains entrelacées se forma. Levi apparut derrière sa nièce et son neveu, les arracha de leurs chaises et les poussa sur la piste. Ils furent happés par le cercle qui tournait à présent à la manière d'un tourniquet autour d'Ezra. Des billets d'un dollar tombèrent alors du plafond en papillonnant comme des confettis, et ce ne fut que lorsqu'ils eurent commencé à s'accumuler sur le sol que Maggie s'aperçut qu'ils étaient à l'effigie d'Ezra. Elle perdit bientôt de vue son frère et son compagnon tandis que le cercle se remodelait pour accueillir de nouveaux venus, parents, enfants, cousins, associés. L'espace de quelques secondes, avant qu'Ezra ne soit hissé sur une chaise au-dessus de ses amis et des membres de sa famille, Maggie, alors flanquée de deux nababs de l'immobilier commercial, se sentit soulevée par la force centrifuge. Le bout de ses pieds effleurait la piste.

Cette fête fit réfléchir Maggie. Sur la question de l'argent. Jamais elle ne pourrait dépenser aussi librement que la famille de son oncle, mais elle n'aimait pas non plus savoir l'héritage de sa mère en train de croupir dans la froide salle des coffres d'une banque sans apporter rien de bon à personne. Cela dit, il n'y croupissait pas vraiment, n'est-ce pas ? Échangé, ponctionné, joué, placé par les collègues cocaïnomanes de Mikey, il filait à toute vitesse par les voies nébuleuses de la finance mondiale.

Elle détestait, telle qu'elle la comprenait, l'idée de « capital fictif » conçue par Marx. C'était le côté « fictif » qui la gênait. Tout cela était-il inventé par ceux qui étaient à la manœuvre ? Improvisaient-ils au fur et à mesure ? (« L'économie, se rappelait-elle avoir entendu déclarer un prof sénile devant sa classe à Danforth, est une fiction. Une interprétation narrative. Une exégèse. ») C'était inquiétant. Plus longtemps la fortune de sa mère occuperait le domaine de l'imaginaire, plus longtemps des gens plus futés qu'elle pourraient continuer d'en profiter. Tant qu'elle conserverait cet argent – et telle était son intention, en attendant d'y renoncer officiellement –, il lui semblait nécessaire de lui donner une existence dans la vraie vie. Dans le monde matériel. Rien à voir avec ces cinglés paléoconservateurs qu'on entendait dans les grandes émissions de radio et qui prônaient le retour à l'étalon-or. Simplement, pour la première fois de sa vie, Maggie prenait conscience des limites de sa compréhension.

En octobre, sa demande à la Vermont Agency of Education fut acceptée. Elle devait commencer sa formation au printemps. Lorsqu'elle l'apprit, elle liquida la fiducie et acheta un terrain de quatre hectares près de Woodstock, dans le Vermont, sur un sommet du nom de Harmony Ridge. Ce terrain possédait une maison à un étage avec trois chambres et deux salles de bains, une grange aménagée et deux hectares clôturés de prés avec un abri ouvert pouvant accueillir un cheval.

Avant d'aller s'installer là-bas, elle mit de côté de quoi vivre un an, le temps d'obtenir son certificat d'enseignante, et fit don des fonds restants de la fiducie au centre de santé universitaire de Danforth. Elle donna cet argent au nom de sa mère, en stipulant expressément qu'il soit utilisé pour compléter le budget anémique affecté à l'aide médico-psychologique. Elle savait que le centre de santé était surchargé. Et si l'établissement n'était pas capable de financer ce qui en valait la peine, c'était aux donneurs privés comme Maggie que revenait cette tâche. « Utilisez cette somme de la manière que vous jugerez bonne, conformément aux conditions ci-dessus », écrivit-elle dans sa lettre d'accompagnement. Ce « conformément » lui donna le sentiment d'être une personne influente. « Mais si vous avez du mal à lui trouver une destination utile, je vous suggère de vous doter de personnel qualifié et permanent supplémentaire. » Il y avait selon elle de nombreux jeunes dont la survie dépendait de la possibilité d'avoir accès à une femme comme sa mère.

S'occuper d'une propriété aussi grande que celle qu'elle venait d'acheter, alors qu'elle allait bientôt être en cours toute la journée, s'annonçait difficile, aussi embaucha-t-elle à cette fin un certain Bo, un vagabond local chaussé de Birkenstock. Mais Bo n'avait pas de téléphone, ni fixe ni portable – il était convaincu d'être surveillé par le gouvernement –, et Maggie ne pouvait le joindre que lorsqu'il était à la maison.

Elle n'aurait jamais cru être un jour le patron de quelqu'un. À présent que c'était le cas, elle ne voulait pas être de ces patrons à cheval sur les horaires et qui attendaient de leurs employés une obéissance absolue. Elle voulait être une patronne cool ; au lieu de serrer la vis à son employé, elle lui taperait dans la main et lui laisserait carte blanche. Idéal qui se révéla peu réaliste. Bo n'était pas fiable, et il y avait tant à faire ! Les arbres qui tombaient, les termites, les problèmes de chaudière, le manque de pression d'eau… Tant de choses pouvaient aller de travers sur un si grand terrain. Fin novembre, un érable à sucre fut brisé par la foudre. En s'abattant, il endommagea une canalisation peu profonde reliant le bâtiment principal à la fosse septique. Maggie reçut un coup de téléphone le lendemain.

– C'est assez catastrophique, dit Bo, comme si ça lui était totalement égal. Y a de la matière fécale partout. Ça fait des bulles dans l'herbe… Vous voulez que j'appelle un spécialiste ? Que quelqu'un jette un coup d'œil ?

– Mmh.

Maggie réfléchit un instant. Elle passa une main dans ses cheveux bouclés.

– Non, dit-elle. Je crois que je connais quelqu'un qui peut réparer ça.

Arthur arriva à Harmony Ridge en décembre, un soir de tempête. Un unique nuage gris saupoudrait de neige la propriété de sa fille. Il roulait au pas, les phares jaunes de la Spero de Francine n'éclairant guère plus d'un mètre devant lui. Guidé par les murets de pierre qui la bordaient, il gravit l'allée sinueuse jusqu'à ce que les murets disparaissent et que l'allée se confonde avec le pré recouvert de blanc. Il se fia alors à la lumière éclairant les fenêtres palladiennes de la gigantesque bâtisse et à celle des appliques ailées sur sa façade de pierre. Il s'approcha, s'arrêta et coupa le moteur.

Il resta au volant du break affaissé, le coffre lourd de sacs marins et d'objets fragiles enveloppés de papier bulle. Il sentait la chaleur s'échapper lentement de l'habitacle, remplacée par le froid. Il s'était une nouvelle fois surestimé. Après dix-neuf heures de route, il était ivre d'épuisement. Un sac en papier froissé était coincé entre le pare-brise et le tableau de bord, tacheté de gras par des frites achetées à Columbus, la seule chose qu'il ait mangée sur le trajet. Il s'était impressionné sur le moment, heureux d'avoir besoin de si peu pour subsister, mais à présent son estomac bouillonnait d'une faim sauvage.

Quitter Saint Louis avait été plus facile qu'il ne le pensait. Les angoisses, ça allait avec l'avenir, pas avec le passé, et il ne voyait pas l'intérêt de se pourrir la vie avec des regrets. S'appesantir sur tout ce qu'il avait abandonné là-bas – la maison, mais aussi ces idéaux américains, insidieux et immatériels : rêve de standing et de sécurité, fierté d'être propriétaire, attente d'avancement – risquait fort de lui causer une crise cardiaque comme celle qui avait tué son père. Il lui était cependant douloureux de contempler la demeure isolée et rustique qu'il avait devant lui et de se dire qu'elle appartenait à sa fille, alors que tout ce que lui-même possédait dans ce monde se réduisait au contenu de la Spero. Il se raccrocha à l'idée que cet arrangement n'était pas sans précédent, qu'il n'était pas le premier père vieillissant contraint d'aller habiter chez l'un de ses enfants adultes. Et combien de ces pères avaient l'esprit aussi vif que lui ? À combien d'entre eux demandait-on de travailler en échange du gîte et du couvert ? Il prit sur lui et sortit dans le froid.

Maggie ouvrit la porte en legging noir et chaussettes de montagne, enroulée dans un pull flottant.

– Papa, dit-elle en se penchant en avant pour le serrer dans ses bras. J'ai cru que tu n'arriverais jamais.

– L'I-90, c'est l'enfer, par ce temps.

– Ouais, ouais. Entre.

Il la rejoignit à l'intérieur.

Le salon était haut de plafond, les murs de pierre encadrés par des poutres de bois verni et parsemé de nœuds.

454

– Une partie de la déco est d'Ethan, dit Maggie en désignant de la tête le lustre circulaire en fer forgé.

Elle emmena Arthur dans la salle à manger adjacente.

– Je te ferai faire la visite complète demain. Tu le verras, le problème principal, c'est le système d'assainissement, qui remonte à Mathusalem. Mais une fois que tu l'auras remis d'aplomb, tu ne manqueras pas d'occupations. Les arbres qui tombent, c'est pas le plus grave, surtout maintenant qu'on est en hiver. Au fait, j'hésite à prendre des chevaux. Ce serait une bonne idée, tu penses ?

Arthur en avait la nausée. La taille de la maison, la remise en question de sa place dans la famille, la bizarrerie de cet arrangement – tout était excessif. Il ne s'attendait pas à une propriété d'un tel luxe, ni à ce que Maggie s'y montre si vite chez elle.

– C'est un peu… énorme, non ? dit-il.

– C'est juste une ferme.

– Non. Ça, c'est un chalet de montagne.

Maggie sourit.

– Tu dormiras dans la grange.

– Comme un animal.

– Pas vraiment. Elle est aménagée et chauffée. Je t'ai préparé des serviettes, le lit est fait, etc. Tu seras tranquille, là-bas. Je te laisse t'installer.

Ils revinrent dans l'entrée. Arthur regarda les traces d'eau brune laissées par ses baskets qui couinaient.

– Maggie, dit-il.

– Oui ?

Il la regarda alors dans les yeux, pour la première fois, lui sembla-t-il, depuis qu'elle n'était plus un nourrisson

455

faible et sans défense. Il ouvrit la bouche pour dire quelque chose, mais aucun mot ne sortit.

– Peu importe, va, te tracasse pas, dit-elle. Mets-toi à l'aise.

Il hocha la tête et ressortit dans la neige.

Il regagna péniblement la voiture, ouvrit le coffre et hissa un lourd sac marin sur son épaule droite. Il lui faudrait faire plusieurs voyages pour décharger toutes ses affaires, trois ou quatre au moins – sauf à forcer, à en prendre plus à la fois. Se penchant en avant, il prit un second sac et le jeta sur son épaule gauche. Ses genoux plièrent, mais résistèrent. Ses cuisses tremblaient sous le poids. Il avisa la grange un peu à l'écart et se dirigea vers elle. Il avança lentement, un pas après l'autre, avec détermination, portant son fardeau dans le noir. Les flocons se déposaient sur son crâne.

La grange était aménagée dans le même style que le bâtiment principal, tout en bois lisse et noueux, une vaste pièce unique telle une coque de bateau retournée. Les sangles des sacs lui sciaient les épaules. Il suivit une rangée d'ampoules à filament jusqu'au fond de l'espace caverneux, où un grand lit au cadre en fer forgé était collé au mur.

Mets-toi à l'aise. Y avait-il meilleur slogan pour l'époque ? meilleur cri de ralliement pour une espèce qui avait capitulé ? Mais lui, il n'était pas comme les autres. Il ne succomberait pas au confort et au contentement de soi. Pas encore. Pas tant qu'il resterait des dettes à rembourser.

Ce ne fut qu'une fois assis sur le bord du lit, après avoir posé ses sacs et s'être étiré, qu'il remarqua ce que

456

Maggie avait posé sur son oreiller. Un livre. Un fin volume rouge, avec son nom imprimé sur la couverture. Le voir le fit sursauter. À la place du sentiment rassurant d'autrefois, des picotements et une bouffée de chaleur s'emparèrent de lui. Les joues lui brûlèrent. Il le fourra dans le tiroir de la table de nuit.

Cinq mois plus tard, pour le troisième anniversaire de la mort de Francine, Ethan arriva de New York en car. Il s'installa dans la chambre d'amis qu'il avait décorée pour lui-même. Le lit mesurait près de deux mètres de large, optimistement prévu pour deux. Sur la table de chevet était posée une photo qu'il avait trouvée dans le grenier de la maison de Saint Louis en vidant celle-ci, développée à partir d'une diapositive 35 mm. On y voyait Francine allongée sur un lit d'hôpital, la tête auréolée d'un halo de cheveux rouge flamboyant. Un bébé rose se tortillait dans ses bras. Accroupi pour entrer dans le cadre, il y avait Arthur, vêtu d'une blouse bleue, une main gantée sur l'épaule d'Ethan.

Là où la civilisation n'existe pas, il faut l'inventer. En pleine campagne, entourés par les prés et, au-delà, par des hectares d'érables feuillus, les Alter se réorganisaient à tâtons. Ce soir-là, la famille se rassembla autour d'un feu dans la clairière derrière la maison. Lorsqu'Ethan proposa d'aller chercher du petit bois pour raviver les flammes qui commençaient à faiblir, Arthur l'arrêta, tira le petit livre de la poche arrière de son pantalon et le jeta sans réserve dans le foyer. Sous le ciel couvert, c'était la seule lumière visible à des kilomètres à la ronde.

Remerciements

Pour l'aide qu'ils lui ont apportée dans l'écriture de ce livre, l'auteur tient à remercier Erin Sellers, Oliver Munday, Nicholas Thomson, Peter Mendelsund, Jennifer Olsen, Sonny Mehta, Dan Frank, Michal Shavit, Ana Fletcher, Peter Straus et Allison Lorentzen.

édition pré-presse
livres numériques

44400 Rezé

Achevé d'imprimer en mai 2019
sur les presses de Normandie Roto Impression s.a.s.
61250 Lonrai
pour le compte des Éditions Payot & Rivages
18, rue Séguier – 75006 Paris
N° d'imprimeur : 1902303
Dépôt légal : juin 2019

Imprimé en France